KB141326

현대어본 명주보월빙

현대어본

명쥬보월빙

6

역주

최길용

이 저서는 2010년도 정부재원(교육부 인문사회연구역량강화사업비)
으로 한국연구재단의 지원을 받아 연구되었음(NRF-2010-327-A00283)

This work was supported by the National Research Foundation of
Korea Grant funded by the Korean Government(NRF-2010-327-A00283)

서문 ● ●

텔레비전이나 라디오가 없던 시절, 소설은 우리 선인들에게 무료한 일상을 달래며 인간사의 다양한 문제들에 대한 여러 생각들을 공유하게 해주던 매우 유용한 미디어였다. 아낙네들의 길쌈하던 일자리나 밤 마실 자리에도, 고관대가 귀부인들의 침실이나 근엄한 사대부들의 책상위에서도, 길가는 사람들로 붐비던 남대문이나 종로거리에서도, 소설은 오늘의 TV나 라디오처럼 사람들의 눈과 귀를 사로잡았다. 그리하여 아낙네들은 소설 없는 밤을 견디지 못하여 금반지나 쌀자루를 들고 세책가를 뻔질나게 들락거렸고, 먹고살 길이 막막했던 어느 곱상한 총각은 여자 강독사로 변장을 하고 판서대감댁 마님 방을 드나들며 소설을 읽어주다 불륜사실이 들통 나 죽음을 당하기도 했다. 그런가하면 공청에서 소설 삼매경에 빠져있던 어느 대감님은 갑작스러운 방문객에 화들짝 놀라 공문서로 소설책을 덮어놓고 시치미를 떼기가 다반사였는가 하면, 종로의 한 담뱃가게 점원 녀석은 전기수가 들려주던 삼국지에 팔려 있다가, 악한 조조가 착한 유비를 몰아붙이는 대목에서 화가나, 담배 썰던 칼을 들고 나와 애꿎은 전기수를 찔러 죽이는 살인사건이 일어나기도 했다.

이렇듯 18-19세기 조선사회는 온통 소설열독에 빠져 있었다. 글을 아는 사람이든 모르는 사람이든, 양반이든 평민이든, 남자든 여자든, 노인이든 젊은이든 할 것 없이 삼천리 방방곡곡이 소설열풍에 휩싸여 있었다. 그렇게 될 수 있었던 것은 무엇보다도 소설이란 장르의 문학적 특성 곧 이야기 문학이 갖는 접근의 무제한성에 있다. 우리 모두가 알고 있는 바와 같이, 이야기는 사건의 흐름을 통해서 이해되는 것이지, 꼭 글자를 통해서만 이해되는 것이 아니다. 비록 글자로 쓰인 이야기라 하더라도, 그것을 누군가가 대신 읽어주거나, 먼저 읽은 사람이 읽은 내용을 말해주는 것을 듣고도, 얼마든지 그 이야기의 내용을 이해할 수가 있고 공감을 가질 수가 있다. 이러한 특성 때문에, 당시에는 글자를 모르는 사람이나 책읽기를 고역스럽게 여기는 사람을 위해, 책을 대신 읽어주는 강독사나, 책을 먼저 읽고 그 내용을 구수한 입담으로 풀어 이야기해주는 전기수와 같은 새로운 직업인이 나타나기도 하였다.

그러나 이 시대를 한국문학사에서 소설의 시대로 꽃피우게 한 것은 뭐니 뭐니 해도 한글필사본소설들의 범람이다. 한글필사본소설들은 한글의 쓰기 쉽고 빨리 쓸 수 있다는 장점과, 필사본의 간편하면서도 저렴한 제책 방식이 갖는 장점을 최대한 활용한 것으로서, 가정이나 궁중 세책가 등에서 다투어 소설들을 베껴 돌려가며 읽었다. 특히 세책가에서는 여러 종의 한글필사본들을 다량으로 확보해 놓고 본격적으로 소설대여업에 나섬으로써, 이 시대 소설열풍에 더 큰 불을 지폈다.

이 작품 〈명주보월빙〉연작 235권(〈명주보월빙〉100권, 〈윤하정삼문취록〉105권, 〈엄씨효문청행록〉30권)은 위에서 말한 바의 18세기 말 한국고소설의 전성시대에 나왔다. 그 작품분량은 원문 글자 수가 도합 332만3천여 자(〈보월빙〉1,475,000, 〈삼문취록〉1,455,000, 〈청행록〉393,000)에 이를 만큼 방대하여, 당대 조선조 소설문단의 창작적 역량을 한눈에 보여주는 대작이다. 이 연작은 한국고소설사상 최장편소설로 꼽히는 작품일 뿐 아니라, 동시대 세계문학사에서도 그 유례를 찾아볼 수 없는 대장편서사체이다. 그 분량이 하루에 3-4시간을 들여 하루 한권씩을 꼬박꼬박 읽어낼 수 있는 아주 성실한 독자라고 할 때, 무려 235일간을 읽어야 다 읽어낼 수 있는 분량이니, 이 작품이 당시 궁중에서도(낙선재본), 일반대중들 사이에서도(박순호본: 이것은 세책본이다) 널리 읽혀졌던 사실을 염두에 둔다면, 당대 우리사회의 소설열독 풍조와 세책가의 활황이 어느 정도였을 지를 가히 짐작하고도 남게한다.

양식 면에서, 《명주보월빙 연작》은 중국 송나라를 무대로 하여 윤·하·정 3가문의 인물들이 대를 이어 펼쳐가는 삶을 다룬 〈보월빙〉·〈삼문취록〉과, 윤문과 연혼가인 엄문의 인물들이 펼쳐가는 삶을 다룬 〈청행록〉으로 이루어져, 그 외적양식 면에서는 〈보월빙〉-〈삼문취록〉-〈청행록〉으로 이어지는 3부 연작소설이며, 내적양식 면에서는 윤·하·정·엄문이라는 네 가문의 가문사가 축이 되어 전개되는 가문소설이다.

내용면에서 보면, 이 연작에는 모두 787명(〈보월빙〉275, 〈삼문취록〉399, 〈청행록〉113)에 이르는 수많은 인물군상이 등장하여, 군신·부자·부부·처첩·형제·친구 등 다양한 인간관계에서 벌어지는 숱한 사건들을 펼쳐가면서, 충·효·열·화목·우애·신의 등의 주제를 내세워, 인륜의 수호와 이상적인 인간 공동체의 유지, 발전을 위한 선적가치(善的價値)들을 권장하고 있다. 아울러 주동인물군의 삶을 통해 고귀한 혈통·입신양명·전지전능한 인간·일부다처·오복향수·이상향의 건설 등과 같은 사대부귀족계급의 현세적 이상을 시현해놓고 있다.

필자는 이 책 『현대어본 명주보월빙』의 편찬에 앞서 『교감본 명주보월빙』(全5권, 학고방, 2014.2)을 편찬 간행한 바 있다. 이 교감본 명주보월빙』은 〈명주보월빙〉의 두 이본, 곧 100권100책으로 필사된

‘낙선재본’과 36권36책으로 필사된 ‘박순호본’을 원문내교(原文內校)와 이본대교(異本對校)의 2단계 원문교정 과정을 거쳐 각 텍스트의 필사과정에서 생긴 원문의 오자·탈字·오기·연문·결락들을 교정하고, 여기에 띄어쓰기와 한자병기 및 광범한 주석을 가해 편찬한 것으로써, 컴퓨터 문서통계 프로그램이 계산해준 이 책의 파라텍스트(para-text)를 제외한 본문 총글자수는 539만자(낙본 2,778,000자, 박본 2,612,000자)에 이른다.

이 책은 위 두 이본 중 선본인 낙선재본 교감본(2,778,000자)을 대본으로 하여 이를 현대어로 옮긴 것으로, 그 총분량은 282만자에 달한다. 앞의 교감본이 연구자를 위한 전문학술도서 국배판 전5권으로 편찬된데 비해, 이 현대어본은 중·고·대학생과 일반대중을 위한 교양도서(소설)로 성격을 전환하고, 그 규격을 경량화 하여 신국판 전10권으로 편찬함으로써, 책의 부피가 주는 중압감과 지나치게 작고 빽빽한 글자가 주는 눈의 피로를 해소하기 위해 노력했다.

이 현대어본의 편찬 목적은 고어표기법과 한자어·한자성어·한문문장체 표현 위주의 문어체 문장으로 되어 있는 원문을, 현대철자법과 현대어법에 맞게 번역하거나, 한자병기, 주석, 띄어쓰기를 가해 가독성(可讀性)이 높은 텍스트로 재생산하여, 일반 독자들에게 ‘읽기 쉬운 책’을 제공하는데 있다. 그리고 이렇게 함으로써 독자들이 누구나 쉽게 우리의 고전문학에 접근할 수 있게 하고, 일찍이 세계 최고수준의 소설문학을 창작하고 향유했던 민족문학에 대한 이해와 자긍심을 높이 갖도록 하는 데 있다.

아무쪼록 이 책의 출판을 계기로 이 작품이 더 많은 독자들과 연구자,

문화계 인사들의 사랑과 관심을 받게 되고, 영화나 TV드라마 등으로 제작되어 민족의 삶과 문화가 더 널리 전파되어 갈 수 있기를 기대한다. 이 작품들 속에 등장하는 앵혈·개용단·도봉잠·회면단·도술·부적·신몽·천경 등의 다양한 상상력을 장착한 소설적 도구들은 민족을 넘어 세계인들의 사랑과 흥미를 이끌어내기에 충분할 것으로 믿어 의심치 않는다.

끝으로 어려운 출판 여건 속에서도 『교감본 명주보월빙』(全5권)에 이어, 전10권이나 되는 이 책의 출판을 흔쾌히 맡아주신 도서출판 학고방의 하운근 대표님과, 편집과 출판을 맡아 애써주신 직원 여러분께 깊은 감사를 드린다.

2014년 4월 20일
최길용
(전북대학교겸임교수)

●● 일러두기

　이 책 『현대어본 명주보월빙』은 필자가 〈명주보월빙〉의 두 이본, 곧 100권100책으로 필사된 '낙선재본'과 36권36책으로 필사된 '박순호본'을, 원문내교(原文內校)와 이본대교(異本對校)의 2단계 원문교정 과정을 거쳐, 각 텍스트의 필사과정에서 생긴 원문의 오자·탈자·오기·연문·결락들을 교정하고, 여기에 띄어쓰기와 한자병기 및 광범한 주석을 가해 편찬한 『교감본 명주보월빙』(全5권, 학고방, 2014.2.)의, '낙선재본 교감본'을 대본(臺本)으로 하여, 이를 현대어로 옮긴 것이다.

　그 방법은 원문 가운데 들어 있는 ①난해한 한자어나, ②한문문장투의 표현들, ③사어(死語)가 되어버려 현대어에 쓰이지 않는 고유어들을, 1.현대어로 번역하거나, 2.한자병기(漢字倂記)를 하거나, 3.주석을 붙여, 독자가 그 뜻을 쉽게 이해할 수 있도록 하되, 그 이외의 모든 고어(古語)들은 4.표기(表記)만 현대 현대철자법에 맞게 고쳐 표기하는 방식으로 이 책 『현대어본 명주보월빙』을 편찬하였다.

　여기서는 위 1.-4.의 방법에 대해 한 두 개씩의 예를 들어 두는 것으로, 본 연구의 현대어본 편찬방식을 간단하게 밝혀두기로 한다.

1. 번역
　한문문장투의 표현이나 사어(死語)가 된 고어는 필요한 경우 현대어로 번역하였다.

㉠ '조디장ᄉ(鳥之將死)이 기셩(其聲)이 쳐(悽)ᄒ고, 인지장ᄉ(人之 將死)의 기언(其言)이 션(善)ᄒ다.'ᄒ니, 슉뫼 반ᄃ시 별셰(別 世)ᄒ시려 이리 니르시미니

⇒ '새가 죽을 때면 그 소리가 슬프고, 사람이 죽을 때면 그 말 이 착하다' 하니, 숙모 반드시 별세(別世)하시려 이리 이르 심이니,

㉡ 그대 집 변고는 불가사문어타인(不可使聞於他人)이라. 우리 분 명이 질녜 무사히 돌아감을 보아시니, 그 사이 변괴 있음이야 어찌 몽리(夢裏)의나 생각하리오마는

⇒ 그대 집 변고는 남이 들을까 두려운지라. 우리 분명히 질녀 가 무사히 돌아감을 보았으니, 그 사이 변괴 있음이야 어찌 꿈속에서나 생각하였으리오마는

㉢ 안비(眼鼻)를 막개(莫開)'라

⇒ 눈코 뜰 사이가 없더라.

㉣ 성각이 망지소위중(罔知所爲中) 차언(此言)을 듣고

⇒ 성각이 당황하여 어찌해야 할지를 알지 못하는 가운데 이 말 을 듣고

㉤ 기불미새(豈不美之事)리오?

⇒ 어찌 아름다운 일이 아니겠는가?

ⓑ 사어(死語)가 된 고어는 필요에 따라 번역하였다.

　　예)써지우다/처지게 하다 떨어지게 하다　　다리다/당기다

　　　－도곤/－보다　　아/아우　　아이/아우 동생　　남다/넘다

　　　아쳐ᄒ다/흠을 잡다 싫어하다 미워하다　　샏다/뽑다

　　　무으다/쌓다 만들다　　흉ᄒᆡ(胸海)/가슴　　나/나이

2. 한자병기(漢字倂記)

　어려운 한자어 가운데 한자만 병기하여도 그 뜻을 쉽게 이해할 수 있는 말은 구태여 주석을 붙이지 않고 한자만 병기하였다.

　　㉠ 신부의 화용월ᄐᆡ(花容月態) 챤연쇄락(燦然灑落)ᄒ여 챵졸의 형용ᄒ여 니르지 못홀디라.

　　　⇒ 신부의 화용월태(花容月態) 찬연쇄락(燦然灑落)하여 창졸에 형용하여 이르지 못할지라.

3. 주석(註釋)

　한자병기만으로 뜻을 이해할 수 없는 한자어나, 사어(死語)가 된 고어는, 주석을 붙여 그 뜻을 밝혀 두어, 독자가 쉽게 이해할 수 있게 하였다.

　　㉠ 윤태위 빅의소ᄃᆡ(白衣素帶)로 죄인의 복식을 ᄒ여시나, 화풍경운(和風慶雲)이 늠연쇄락(凜然灑落)ᄒ여 뇽미봉안(龍眉鳳眼)이며 연함호뒤(燕頷虎頭)오 월면단슌(月面丹脣)이니

　　　⇒ 윤태우 백의소대(白衣素帶)1)로 죄인의 복색을 하였으나, 화풍경운(和風慶雲)이 늠연쇄락(凜然灑落)ᄒ여, 용미봉안(龍眉鳳眼)2)이며 연함호두(燕頷虎頭)3)요 월면단순(月面丹脣)4)

이니

주) 1) 백의소대(白衣素帶) : 흰 옷과 흰 띠를 함께 이르는 말로
      벼슬이 없는 사람의 옷차림을 말함.

   2) 용미봉안(龍眉鳳眼) : '용의 눈썹'과 '봉황의 눈'이란 뜻으
      로, 아름다운 눈 모양을 표현한 말.

   3) 연함호두(燕頷虎頭) : 제비 비슷한 턱과 범 비슷한 머리
      라는 뜻으로, 먼 나라에서 봉후(封侯)가 될 상(相)을 이
      르는 말.

   4) 월면단순(月面丹脣) : 달처럼 환하게 잘생긴 얼굴에 붉
      고 고운 입술을 가짐.

ⓛ 촌촌(寸寸) 젼진ᄒᆞ여 걸식 샹경ᄒᆞ니, 대국 인물의 셩홈과 번화ᄒᆞ
미 번국과 닉도ᄒᆞᆫ디라.

⇒ 촌촌(寸寸) 전진하여 걸식 상경하니, 대국 인물의 성함과 번
   화함이 번국과 내도한지라1).

주) 1)내도하다 : 매우 다르다. 판이(判異)하다.

ⓒ ᄌᆞ녀를 셩취(成娶)ᄒᆞ여 영효(榮孝)를 보미 극히 두굿거오나 내
스스로 ᄆᆞ음이 위황 (危慌)ᄒᆞ니

⇒ 자녀를 성취(成娶)하여 영효(榮孝)를 봄이 극히 두굿거우나1)
   내 스스로 마음이 위황(危慌)하니

주) 1) 두굿겁다 : 자랑스럽다. 대견스럽다.

4. 현행 한글맞춤법 준용

고어는 그것을 단순히 현대철자법으로 고쳐 표기하는 것만으로도 그

90% 이상이 현대어로 전환된다. 따라서 현대어본 편찬 작업의 중심은 고어를 현대철자법으로 바꿔 표기하는 작업에 있다 할 것이다. 이 책에서의 현대어 전환표기 작업은, 번역을 해야 할 말을 제외한 모든 고어 원문을, 현행 한글맞춤법을 준용하여, 현대 철자법으로 고쳐 표기하는 방식으로 진행하였다. 그리고 그 작업에는 다음의 몇 가지 원칙이 적용되었다.

① 원문의 아래아 (ㆍ)는 'ㅏ'로 적음을 원칙으로 한다.
(ᄌᆞ녀⇒자녀, 잉ᄐᆡ⇒잉태, 영ᄋᆞ⇒영아, 이 ᄀᆞᆺ흔⇒이 같은, 예외; 업거늘⇒없거늘)

② 원문의 연철표기는 현대어법을 따라 분철표기를 원칙으로 한다.
(므어시⇒무엇이, 본바들⇒본받을, 슬프믈⇒슬픔을, 고으믈⇒고움을, 아라⇒알아)

③ 원문의 복자음은 현행 맞춤법 규정을 따라 표기한다.
(ᄲᅡᆼ뇽⇒쌍룡, ᄠᅳᆮ⇒뜻, ᄡᅩ아⇒쏘아, ᄭᅴᄃᆞᆺ디 ⇒ 깨닫지, ᄲᆞᆯ니 ⇒ 빨리, ᄠᆞᆯ오더니 ⇒ 따르더니)

④ 원문의 표기가 두음법칙·구개음화·원순모음화·단모음화 등의 음운변화로 인해 달라진 말들은 현행 맞춤법 규정을 따라 표기 한다.
(뉴시 ⇒ 유씨, 녕아 ⇒ 영아, 텬죠 ⇒ 천조, 뎐상뎐하 ⇒ 전상전하, 믈 ⇒ 물, 쥬쥬 ⇒ 주주)

5. 종결·연결·존대어미 등의 원문 준용

문어체 위주의 원문 문장은 구어체 위주의 현대문장과 현격한 문체적 차이를 갖고 있다. 특히 문장의 종결어미나 연결어미, 존대어미는 글의 문체적 특성을 드러내는 매우 중요한 요소들이기 때문에 역자가 이를 현대문의 문체로 고쳐 표현하는 것은 한계가 있을 수밖에 없다. 그것은 문어체 문장이 갖고 있는 장중(莊重)하고도 전아(典雅)하면서 미려(美麗)하고 운율적(韻律的)인 여러 미감(美感)들을 깨트려놓음으로써, 원전의 작품성을 크게 훼손할 수가 있기 때문이다. 따라서 이 책에서는 원문의 종결·연결·존대어미들을 원문의 형태를 준용하여 옮기되, 앞의 원칙(4.현행 한글맞춤법 준용)에 따라 철자법만 현대 철자법으로 고쳐 옮겼다. 다만 연결어미의 반복적 사용으로 문장이 매끄럽지 못하거나 지나치게 길어진 경우에는 이를 적절히 교정하였다.

목차 • •

명주보월빙 권지오십일

 차설 윤태우 형제 윤상서 자질로 더불어 다 잠을 깊이 들었더라.

 유부인이 외당의 태우 등이 잠들었음을 탐지하며, 상서 순부로 간 줄 알고 신묘랑으로 하여금 일습 건복(巾服)을 입혀 태우의 얼굴이 되게 하고, 심복 노자 태복으로 개용단을 삼켜 학사의 얼굴이 되어, 일시의 칼을 비껴 경희전에 돌입하니, 위태 짐짓 촉을 멸치 않고 성부인과 말씀하다가 취침할 새, 성부인은 희미히 잠을 들고, 태부인은 자는 체하고 누었더니, 홀연 문을 열치는 소리에 성부인이 또한 눈을 떠 보니, 윤태우 형제 칼을 비껴들고 달려드는지라. 성부인이 심혼이 비월할 뿐 아니라, 본디 연연 유약하여 철옥(鐵玉) 같지 못한 사람이, 흉해(凶駭)한 거동을 보고 미처 일어나지 못하여 떨기를 면치 못하거늘, 태부인이 거짓 금즉히1) 놀란 체하여 문 왈,

 "너희 어찌 심야에 칼을 들고 들어와 흉참한 거동으로 사람을 보느뇨?"

 태우와 학사 함께 소리 질러 꾸짖어 왈,

 "그대와 우리 형제 명위조손(名爲祖孫)2)이나 실위구적(實爲仇敵)3)이

---

 1) 금즉하다 : 끔찍하다. 진저리가 날 정도로 참혹하다.
 2) 명위조손(名爲祖孫) : 명분은 조모와 손자의 사이임.
 3) 실위구적(實爲仇敵) : 실제는 원수 사이임.

라. 그대를 편히 머물러두면 우리 형제 살지 못할지라. 그대를 마지못하여 한 칼에 베려 하노라."

하고, 언파에 윤태우 칼을 비껴들고 달려들어 태부인의 멱을 지르려 하니, 태부인이 성부인을 붙들고 좌우 시녀를 깨와 일시에 모이매, 제시녀가 태우 형제의 거동을 보고 놀라 떨며 아무리 할 줄 몰라, 태부인을 붙들어 구할 의사를 내지 못하는지라. 유부인이 묘랑과 태복을 경희전의 드려 보내고, 바삐 시녀를 순부에 보내어 윤상서께 가내에 대변이 났으니 급히 와 보심을 청한 데, 윤상서 금후와 순참정으로 담화하다가, 이 말을 듣고 놀라 바삐 와 외헌으로 가지 아니하고 바로 내루의 들어오니, 이리 할 즈음에 신묘랑이 위태의 가슴을 지르랴 하다가, 상서의 소리를 듣고 거짓 윤태원 체하여 칼을 저으며 태복의 손을 이끌고 급히 도망하여 밖으로 나가니, 상서 마주 오다가 차경을 보고, 대경(大驚) 급문(急問) 왈,

"아지못게라! 현질 등이 이 무슨 거조(擧措)뇨?"

태우 형제 들은 체 않고 외루로 나가니, 상서 따라 가고자 하다가, 경희전 가운데서 흉녕(凶獰)한 곡성이 천지진동하여, 왈,

"고금 이래에 이런 흉참한 변이 어디에 있으리오. 내 목숨이 그치지 않을 때, 상서 현질이 이에 왔음으로 이런 흉한 놈들이 칼을 거두고 밖으로 나가니, 나의 일명이 보전함을 즐겨 함이 아니라. 광천 등의 극악 흉패함을 일가 총중(叢中)[4]이 알게 하고자 하나니, 현질은 잠깐 들어와 나의 상처를 보고 흉손(凶孫) 등을 일찍이 처치하여, 문호의 화(禍)를 제방(制防)하라."

윤상서 태부인의 부름으로 마지못하여 경희전에 들어가니, 성부인은

---

4) 총중(叢中) : 떼를 지은 뭇 사람들.

겨우 인사를 차려 유부인과 한가지로 태부인을 모셔 상처를 볼 새, 가슴에 칼이 스쳐 가죽이 상하고 피 흘러, 보기에 경참(驚慘)하나, 깊이 상한 일은 없는지라. 유부인이 눈물을 흘리며 가슴을 쥐어뜯어 흉변을 각골이 슬퍼하니, 성부인이 위로함을 마지않되, 유씨 스스로 죽고자 하는지라. 뉘 그 천흉만악을 다 알리오.

상서 들어와 태부인 상처를 보고, 태우 형제 나가던 일이 흉참 경해하여, 입이 써 말이 나지 않으니, 도리어 이곳에 와 하룻밤 지냄을 인하여, 천고의 없는 대변을 목도함을 불행하여, 태부인을 위로 왈,

"소질이 광천 형제로써 백행이 초출(超出)한가 여겼더니, 오늘 밤 경상은 만고 대변이라. 아해들이 실성 발광치 않았으면, 이매망량(魑魅魍魎)이 광천 등의 면모를 빌어 숙모를 현혹하고, 광질 등의 전정을 마치려 함이니, 원컨대 숙모는 양질(兩姪)의 인효(仁孝) 경순(敬順)하던 바를 생각하시어, 이 일이 결단하여 양질의 상시(常時) 마음이 아님을 아소서."

위태 머리를 부딪으며, 대곡(大哭) 왈,

"현질은 오히려 딴 집에 있음으로 광천 등의 불초 무상함을 알지 못하는지라. 내 차마 위인조모(爲人祖母)[5]하여 그 자손의 사나움을 갖추 이를 것은 아니로되, 이미 기이지 못하여 흉손(凶孫)이 발검하고 내 침전에 돌입함은 현질과 성질부가 목도한 바라. 광천의 흉완 패역과 희천의 간교 요사함을 갖추 베풀지라."

인하여, 태우 형제의 아닌 말과 없는 허물을 주작(做作)하여, 절절이 함정의 몰아넣고자 하는 흉심이 현저하니, 윤가 문중(門中)에 태우 형제를 취중기대(推重期待)함이 비할 데 없던 바거늘, 금야 망측한 거조 있

---

5) 위인조모(爲人祖母) : 사람의 할머니가 되어.

으나 윤상서 지극 명달한지라. 어찌 태부인 말을 다 곧이들을 리 있으리
오. 도리어 태우 형제의 신세 위란하여 참연(慘然)히 미우를 찡기고 왈,

"광천의 걸출한 위인과 희천의 명성(明聖)함이 숙모의 이르심과 크게
내도하니, 조항간(朝行間)에 나면, 위로 천자와 아래로 만조가 다 애경
(愛敬) 칭복(稱服)함이 되었더니, 홀로 숙모께 효를 이루지 못함이 실시
여외(實是慮外)6)라. 금자(今者) 대변이 만고에 희한하오니, 소질이 목
도하매 심신이 산비(散飛)함을 이기지 못하오나, 결단하여 저희의 상시
마음이 아니오니, 원(願) 숙모는 양질(兩姪)의 만리전정을 돌아보사 괴
이한 말씀을 마소서."

태흥이 분분 대곡 왈,

"현질이 오히려 우숙의 말을 곧이듣지 않으니, 장차 어찌하여 흉손 등
의 죄를 다스리리오. 마지못하여 나의 가슴 상함을 법부의 고하고, 그
죄상을 일일이 기록하여 성상이 친찰(親察)하신 후, 만조와 의논하시어
죄율을 정히 하시게 하리라."

윤상서 정색 대왈,

"숙모의 관인 성덕으로 어찌 양질에게 다다라 불근인정(不近人情)하
심이 이다지도 하시니까? 광 · 희 양질의 출천대효와 출인지행(出人之
行)이 성자유풍(聖者遺風)이거늘, 금야 거동은 불초패자(不肖悖子)라도
제 몸에 화를 스스로 취치 않으리니, 삼척동(三尺童)더러 물어도 스스로
화를 취치 않을 것이요, 말좌(末座) 천비(賤婢)라도 광 · 희 등으로 일죄
(一罪)를 삼지 않으리니, 재삼 생각하소서."

부인이 윤상서를 괴로이 여겨 기탄함이 있으나, 벌써 태우 형제를 죽
이랴 하였으니, 어찌 들을 리 있으리오. 문득 변색 답 왈,

---

6) 실시여외(實是慮外) : 매우 뜻밖의 일임.

"내 비록 어질지 못하나, 일찍 광천 등을 거느리매 부자(不慈)한 일이 없거늘, 현질이 어찌 이런 말을 하느뇨? 문운(門運)이 불행하여 현이 조사(早死)하고, 두 낱 손아가 여차 패악하니 능히 차후 가도(家道)를 차리지 못하리니, 세불양립(勢不兩立)⁷⁾이라. 노모 살고 저희를 죽이랴 하는 것이 아니라, 저런 흉완한 역손(逆孫)을 없애지 않아서는, 문호에 대화를 일으켜 화급종족(禍及宗族)⁸⁾하고 욕급조선(辱及祖先)⁹⁾ 하리니, 마지못하여 적은 사정을 베어 큰 변을 제방하리라."

윤공이 그 흉독한 거동이 자기 말이 효험이 없음을 애달아, 다시 수작지 않고 몸을 돌이켜 외헌으로 나오니, 실중(室中)에 촉영(燭影)이 명멸(明滅)하고, 자기 이자와 참정의 삼자로 더불어 태우 형제 옷을 입은 채 누어 잠이 깊었거늘, 상서 더욱 놀라 발검(拔劍)하고 경희전에 들어온 자가 필연 이매망량(魑魅魍魎)임을 깨달아, 친히 태우와 학사 누운 사이에 누어, 각각 손을 잡고 참연 자닝히 여기나, 다 아득히 모르는 가운데 대죄에 빠져, 전정이 아무리 될 줄 알지 못하니, 위태부인의 흉완극악함이 절절 통완하나, 일가 존항(尊行)을 어찌 처치할 도리 있으리오. 속절없이 명천공의 조세(早世)함을 슬퍼, 그 천금 이재(二子) 보전키 어려움을 탄돌(歎咄)하더니, 이윽고 태우와 학사 깨어 숙부의 왔음을 보고 놀라, 일시에 삼종(三從)¹⁰⁾ 등을 깨우며 의대(衣帶)를 어루만져 일어앉아, 고 왈,

"숙부 어느 때의 오셨관데 소질 등을 깨우지 않으시고, 침금을 베풀지 않은 곳에 헐숙하시나니까?"

---

7) 세불양립(勢不兩立) : 형세나 형편이 둘이 동시에 따로 서거나 존재할 수 없음.
8) 화급종족(禍及宗族) : 화가 종족에게 미침.
9) 욕급조선(辱及祖先) : 욕이 조상에게 미침.
10) 삼종(三從) : 삼종(三從) 곧 8촌 형제들.

상서 눈을 들어 양인을 살피니, 쇄락한 풍도와 동탕한 신채, 양류(楊柳)의 고운 것을 능만(凌慢)하고, 이백(李白)의 호풍(豪風)을 묘시(藐視)하리니[11], 태우의 하일지위(夏日之威)와 충천장기(衝天壯氣) 사이(四夷)를 진복(鎭服)할 덕화와 일세를 혼일(混一)할 위풍이거늘, 학사의 성덕 도행이 외모의 나타나, 어진 것이 무한하여 좋고, 높은 거동이 도리어 세태 진속에 벗어나 수한(壽限)에 해로울까 염려되는 바에, 강상대변(綱常大變)을 몸 위에 무릅써 사생을 정치 못하니, 상서 양인을 아끼고 슬퍼함이 간절하여, 문득 눈물을 나리오고, 길이 탄 왈,

"너희 망극한 죄과(罪科)에 빠졌으되 어찌 저같이 안연하여 잠이 깊고, 신상 참화를 생각지 못하느뇨? 차호석재(嗟乎惜哉)라! 명천 선형장(先兄丈)이 계시면 어찌 너의 집 변란이 이다지도 하리오."

태우 형제 좌를 떠나, 가로되,

"소질 등이 우미(愚迷)하와 숙부의 이르신바 곡절을 알지 못하오니, 숙부는 밝히 가르치소서."

공이 장탄(長歎) 양구(良久) 후 아까[12] 변고와 태부인 상처의 놀라움을 이르니, 태우와 학사 대경 차악하여 눈물을 머금고 왈,

"소질 등이 천지간 둘 없는 불효죄인이라. 감히 숙부께 뵈올 낯이 업도소이다."

언필에 창황히 몸을 일으켜, 내루에 들어가 경희전 당하에 한 잎 거적을 이끌어 관영을 해탈하고 죄를 청하니, 태부인이 양손(兩孫)의 대죄함을 듣고 팔을 뽐내며 이를 갈아 대매(大罵) 왈,

"내 어찌 저 원수들을 사사로이 다스리리오. 의법(依法)히 고장(告狀)

---

11) 묘시(藐視)하다 : 업신여기다. 깔보다.
12) 아까 : 조금 전.

하여 법률로 죽이리라."

이에 유씨더러 소지(所志)13)를 써두었다가 밝거든 형부에 가 정(呈)하라 하니, 유씨 성부인 보는 데 거짓 어진 체하여, 자질을 정장(呈狀)14)함이 어려움을 일컬어 비색(悲色)을 지으니, 위흉이 그 뜻을 지기하고 스스로 일봉(一封) 상언(上言)15)을 올려, 천문(天門)의 결사(決事)를 기다리려 할 새, 위흉은 상언을 성편(成篇)할 문재(文才) 없으나, 유씨는 공교한 재주를 가져 박고통금(博古通今)함이 있는지라. 위흉이 상언(上言)할 말을 물으니 유씨 낱낱이 말하되, 성부인 보는 데는 위태부인이 지어 쓰는 체하니, 성부인은 유녀의 만악(萬惡)을 채 알지 못하는지라. 태흉이 쓰기를 마치매, 종질 태학사 위헌에게 보내어 바쳐 달라하니, 위 축(畜)16)은 소인의 무리라. 태우 등을 연고 없이 미워하더니, 위흉의 상언을 보고 가장 무던히 여겨, 일시를 지체치 아니하고 천문에 올리니, 차일 황야 조회를 파하시고 구중(九重)17)이 종용함을 타 어람하시니, 사의(辭意) 흉참한지라. 소(訴)에 왈,

"신첩 위씨는 선조 태자태부 전주후 윤모의 재실이요, 교지참정 윤수의 모요, 전 이부상서 홍문관 태학사 윤현의 의모(義母)니, 현이 백행이 정숙하고 효의 출천하와, 신첩을 섬기매 친자에 더함이 있으니, 신후(身後)를 다 현에게 믿사옵더니, 불행하와 금국에 가 죽사옵고, 두 낫 골육을 끼쳐 유복자를 낳으니 광천 희천이라. 작인이 용우치 않아 현의 인효

---

13) 소지(所志) : 예전에, 청원이 있을 때에 관아에 내던 서면.
14) 정장(呈狀) : 소장(訴狀)을 관청에 냄.
15) 상언(上言) : ①신하가 사사로운 일로 임금에게 글을 올리던 일. ②백성이 임금에게 글을 올리던 일.
16) 축(畜) : 축생(畜生). 사람답지 못한 짓을 하는 사람을 낮잡아 이르는 말.
17) 구중(九重) : 구중궁궐(九重宮闕)의 줄임말.

를 이을까 바라 기르더니, 십세 넘으매 입신(立身) 취처(娶妻)하오니, 신첩의 바라는 정인즉 친생에 더하와, 조종 중탁(重託)과 생전 의지(依支)를 겸하와, 풍한(風寒)을 다 염려하되, 광천 형제는 소생 자손이 아님을 언언이 일컬어 신첩을 행로(行路)같이 천대하니, 가변이 차악하와, 광천의 어미 조씨 음분 도주하오니, 광천 등이 일분 인심이 있을진대 스스로 죽지 못하오나, 언연(偃然)이18) 옥당(玉堂)19) 한원(翰苑)20)에 거하와 자포오사(紫袍烏紗)21)로 조항(朝行)의 출입하오며, 어미 음분 도주하되 부끄러우며 슬픔을 알지 못하여, 벼슬을 탐하고 국록(國祿)을 도적하여 어미 거처를 찾을 것을 생각함이 없사오니, 신첩이 저희 형제를 대하여 진정으로 청문(淸門)에 해이(駭異)함과 남이 부끄러움을 일러, 벼슬을 버리고 어미를 찾아보라 하온즉, 이르는 말을 홍모(鴻毛)같이 여기고, 제 어미 음분 도주함을 분명이 앎을 분완하여, 신첩을 미워함이 원수로 지점(指點)하기에 미쳤사오나, 오히려 수가 있는 때에는 방자히 죽일 의사를 안 하더니, 수가 교지로 나아가매 광천 등이 신첩을 온 가지로 해코자 하되, 신첩이 꾀에 빠지지 아니하오니, 점점 원입골수(怨入骨髓)하여 반야(半夜)에 형제 칼을 끼고 신첩의 곳에 들어와 죽이려 하더니, 연국 교유사 윤한의 처 성씨 마침 일실(一室)에서 밤을 지내고, 상서 윤단이 광천 등의 작변을 알고 급히 들어오니, 광천 등이 미처 하수(下手)치 못하여 가슴만 상해오고 물러나가니, 신첩이 윤단 수숙(嫂

---

18) 언연(偃然)이 : 언연히. 언건(偃蹇)히. 거드름을 피우면 거만하게.
19) 옥당(玉堂) : 조선 시대 홍문관의 별칭. 삼사(三司) 가운데 하나로 궁중의 경서, 문서 따위를 관리하고 임금의 자문에 응하는 일을 맡아보던 관아
20) 한원(翰苑) : 한림원(翰林院). 조선시대 예문관의 별칭. 임금의 명을 짓는 일을 맡아보던 관아.
21) 자포오사(紫袍烏紗) : 자줏빛 도포와 검은 사(紗)로 만든 모자를 함께 이르는 말로, 조선 시대 벼슬아치들의 관복과 모자.

叔)의 구함을 입사와 면화(免禍)하온지라. 인정이 어찌 차마 저를 사지에 보내리까마는, 광천 희천의 위인이 극악 흉험하며, 외람(猥濫) 참월(僭越)하여 마침내 길상(吉相)이 없사온지라. 집에 난자(亂子) 되고 국가에 충(忠)이 있을 줄 알지 못하옵는 바라. 광천은 더욱 음황 패려하여 한 일도 삼감이 없고, 노첩(老妾)으로부터 가내를 다 호령하며, 찬선을 고찰하여 종일 대취하고, 미녀를 쌍쌍이 모아 청가묘무(淸歌妙舞)22)로 날을 보내고, 누대봉사(累代奉祀)를 근심치 않으며, 노비 전답을 제제(齊齊)히 팔아 미녀의 의식을 삼고, 제 아비 죽은 날 신첩이 통박한 사정을 이기지 못하여 약간 제전(祭奠)23)을 숙설(熟設)24)한즉, 광천이 미처 제(祭)도 파하지 않아서 도적하여 포복(飽腹)하기를 일삼으니, 진실로 백행이 무일가관(無一可觀)이라. 이제 신첩이 지극 통박하온 고로 만만 부득이 세쇄한 소회를 천문의 번득하오니, 또한 사죄를 당할 것이로되, 이미 흉화(凶禍)를 근심하여 문호를 보전코자 함으로, 광천 등의 죄상을 만의 하나를 기록하여 아뢰옵나니, 본증(本證)이 상서 윤단이요, 가내 비복이 또한 광천 등의 발검 돌입하와 욕살조모(慾殺祖母)25) 하려 하던 바를 보았사오니, 잡혀 물으시면 진적(眞的)함을 아실 것이요, 버거 신의 상처를 상고(詳考)케 하실진대, 광천의 무상함을 더욱 아르실지라. 신첩이 양손(兩孫)을 해하는 사람이 되어 어찌 살고자 뜻이 있으리까? 천문의 결사를 기다려 난손(亂孫)의 죄를 정히 하여 후환을 없이 하고, 신첩이 스스로 죽기를 기약하나이다."

하였더라.

---

22) 청가묘무(淸歌妙舞) : 맑은 노래와 교묘하게 잘 추는 춤.
23) 제전(제전) : 제사를 지냄. 또는 제사 음식을 차리는 일.
24) 숙설(熟設) : 잔치와 같은 큰일이 있을 때에 음식을 만들어 차림.
25) 욕살조모(慾殺祖母) : 조모를 죽이려 함.

상이 미처 어람(御覽)하기를 마치지 못하여서 차악함을 이기지 못하시어, 형부 상서 소규를 명초하시니, 소상서 즉시 조현하온데, 상이 위씨의 상언을 주시며, 가로되,

"경은 명달(明達)하여 발간적복(發奸摘伏)[26]이 신명(神明)함을 아나니, 윤가 변괴 천고에 드믄지라. 경이 마땅히 윤가 시비를 잡아 물어 진가를 자세히 핵실하면, 짐이 자연 결단하려니와, 윤광천 등의 기특함으로써 여차 죄루에 빠짐은 실로 참담한지라. 어찌 놀랍지 않으리오."

소 형부(刑部) 위씨의 상언을 보고 또한 대경하여, 윤태우 곤계 아깝게 마침을 차석할 뿐 아니라, 윤가 시비를 잡아 물으나 윤태우 등을 뜻같이 신백(伸白)[27]기 어려움을 알고, 이에 주 왈,

"신이 형부의 가, 윤가 시비를 잡아 물으려니와, 신의 소견이온즉 위녀와 광천 등을 궐정에 잡히사 조손을 대면(對面) 질정(質正)케 하시면, 이 가운데 자연이 현우선악(賢愚善惡)을 성상의 일월지명(日月之明)으로써 살피심이 소연(昭然)하올까 하나이다."

상이 의윤하시어, 먼저 윤부 시비를 잡혀 물으라 하시고, 명일 윤태우 조손을 물으려 하시더라.

소형부 마을[28]에 나와 관채를 발하여 윤가 시비를 다 잡아 오라 하니, 이 중의 윤참정 부중 시녀 사오 인이 다 잡혀, 세월 비영 등과 한가지로 형부의 나아가매, 소형부 태우 형제의 발검 돌입하여 태부인 지르려 한 일이 적실한가 물으며, 상시 효행을 물으니, 성부인 시녀 사오인과 윤부 시녀 태우와 학사 다 칼을 들고 경희전의 들어 와 태부인을 지

---

26) 발간적복(發奸摘伏) : 숨겨져 있는 정당하지 못한 일을 밝혀냄.
27) 신백(伸白) : 무죄를 밝히다.
28) 마을 : 관아(官衙). 관서(官署). 예전에, 벼슬아치들이 모여 나랏일을 처리하던 곳

르려 하다가, 윤상서 들어오매 가슴만 상해오고 나가며, 항상 효행인즉 남다르던 바를 일컬어, 금번 사(事)가 귀신의 희롱임을 고하는 유도 있으니, 소형부 즉시 윤상서 부중 시녀는 놓고, 윤부 비자를 엄형 추문코자 한대, 저마다 슬피 비러 왈,

"천첩 등이 허언을 아뢸 일이 없고, 태우와 학사 칼을 빗기고 나가시던 바는 윤상서 노야 친견하신 바니, 천정에 인견하시어 진가를 핵실(覈實)하시고, 천비 등의 무죄함을 살피소서."

소공이 원간 형벌로 사람 저주는[29) 것을 깃거 않는 고로, 윤부 시녀 등을 다 놓아 보내고 소유를 주달하여,

"윤단을 인견하여 하문하시고 광천의 조손을 일처에 취변(取辯)[30)하소서."

상이 태우 형제의 애매함을 믓지 않아 아시나, 그 죄명인즉 흉참한 고로, 이 날 즉시 하교(下敎)하시어 윤태우 형제를 하옥하라 하시니, 이는 그 조손을 면질(面質)하려 하시므로, 태우 등을 하옥하지 않아서는 죽기를 그음하여 그 할미[31)를 궐정에 드려 보내지 아니할지라. 짐짓 태우 형제를 가두심이러라.

윤태우 형제 경희전 당하에 석고대죄(席藁待罪)하여 가변의 망측함을 죽어 모르고자 하더니, 하옥하라 하시매, 즉시 금의부로 나아갈새, 태흉에게 하직한대 본 체 않고 절박히 죽기를 죄올 뿐이라. 태우 불의에 취리(就理)[32)하매, 제 명류(名流)가 모르다가 날이 저문 후 서로 전하여 알고, 금의부 밖에 가 서로 치위(致慰)하니, 윤태우 곤계 답언이 도아나

---

29) 저주다 : 형문(刑問)하다. 신문(訊問)하다.
30) 취변(取辯) : 다툼의 당사자들로부터 변론(辯論)을 청취(聽取)함.
31) 할미 : '할멈'의 낮춤말. *할멈 : 지체가 낮은 늙은 여자를 대접하여 이르는 말.
32) 취리(就理) : 죄를 지은 벼슬아치가 의금부에 나아가 심리를 받던 일.

지[33] 않아, 다만 성히 모다 누인(陋人)을 물음을 사사하더라.

명조에 황상이 조회를 임하시어, 위씨의 상언(上言)을 내려 만조(滿朝)로 보라 하시고, 옥음을 열어 가라사대,

"사람이 한 일로 만사를 다 추이(推移)하나니, 윤광천 형제 만일 그토록 흉완(凶頑) 극악(極惡)함이 있을진대, 조항간(朝行間)에 나매 남 달리 기특하리오. 이는 반드시 광천 등을 해하는 말이라. 곧이들을 것이 없거니와, 원간 반열 중 광천 등으로 지친(至親) 연가(連家)[34]한 이 있어 그 가사를 아는 유(類)는 은닉지 말고 옳은대로 고하라."

만조가 일시에 상언(上言)을 보고 아니 놀랄 이 없고, 지식 있는 자는 윤청문 형제를 위하여 그 전정을 아끼지 않는 이 없더라. 윤가 종족의 현달한 유(類)와 조참한 자(者)가, 위씨의 상언(上言)을 보고 불승통완하되, 일편되이 위씨만 사오납다 아룀이 도리어 윤태우 형제를 구차히 벗기고자 함 같아서, 오직 윤태우 등의 성효 덕행이 숙연함을 고하고, 대사마 초평후 하원광과 병마절제사 평남후 정천흥은 그 가내사를 앎이 있으되, 일이 되어 감을 보려 한 말을 않되, 호부상서 태학사 석준이 분연이 출반 부복 주왈,

"신은 교지참정 윤수의 여서(女婿)요, 광천 등으로 지심 친애하는 정이 골육동기로 감치 않으니, 어이 윤수의 가내사를 모르리까? 원간 윤수의 자모 위씨 시험 포악하고, 윤수의 처 유씨 간교불인(奸巧不仁)하여 광천 등을 조르고 보챔이 사람이 견디지 못할 바로되, 광천 형제 효성이 출천하여 자소(自少)로 강서(江西)의 부미(負米)[35]와 고산(高山)의 시목

---

33) 도아나다 : 무슨 일을 할 마음이 일어나다. *동사 '돕다'에 보조동사 '나다'가 결합된 형태.
34) 연가(連家) : 연인가(連姻家). 인가(姻家). 혼인으로 맺어진 친척.
35) 부미(負米) : 쌀을 등에 저 나름.

(柴木)36)을 몸소 행하되, 조금도 염고(厭苦)함이 없고, 먹이는 것이 속죽모맥(粟粥麰麥)에 지나지 않되, 기아(飢餓)를 능히 견뎌 성효를 갈력(竭力)하나, 위씨 일분 감동함이 없고, 필경은 이 같은 죄루에 몰아넣으니 어찌 통완치 않으리까? 광천의 자모 조씨는 소신도 보온 바라. 대가숙녀(大家淑女)로 백행이 출인하거늘, 위녀 못견디도록 보채여 없애고, 짐짓 음분 도주타 함이 일마다 흉해(凶害)하도소이다."

상이 웃으시며 왈,

"광천의 종족 수십여 인이 광천 등의 어짊을 이르고, 경의 주사가 또 이 같으니 짐의 헤아림과 같은지라. 이미 위녀를 궐정에 대후하라 하였으니, 반드시 궐문 밖에 있을지라. 광천 형제를 불러 조손이 대면질정(對面質正)37)케 하라."

만조가 다 위씨의 흉심을 절통하여 잡아들이심을 깃거하더라.

상이 설조전(雪朝前)38) 태감 수인을 윤부의 보내사 편한 거교에 위씨를 담아 오라 하시니, 이는 윤추밀의 낯을 보심이러라.

태감 등이 위씨를 데려와 복명하온데, 상이 즉시 전전(殿前)에 부르라 하시고, 금의부(禁義府)의 가 윤태우 등을 불러 오라 하시니, 만조 문무 다 그 조손 삼인이 대면질정 하는 광경을 보려 일시에 눈을 씻고, 위씨의 흉괴함이 어떠하여 어진 손자를 함정에 몰아넣었는고, 먼저 상모를 보려 하더니, 윤생 등 입궐 전, 위씨 한 낯 시녀에게 붙들려 전전(殿前)에 다다르매, 그 의복이 참참(慘慘)하여 누추한 옷이 발발이39) 미어져

36) 시목(柴木) : 땔나무.
37) 대면질정(對面質正) : 대질심문(對質審問). 소송의 당사자들을 대면시켜 서로 묻거나 따져 사실을 밝혀 바로잡는 일.
38) 설조전(雪朝前) : 조회(朝會)를 열기 전(前).
39) 발발이 : 옷이나 헝겊 따위가 삭아서 여러 갈래로 째진 모양.

살을 가리오지 못할 듯하고, 떨어진 초상(綃裳)40)이 겨우 앞을 둘렀으
니, 완연이 노상걸식(路上乞食)하는 유(類)의 모양이라.

위로 황상과 아래로 제신이 위씨의 참(慘)측41)한 의상을 대경하여,
일로 보아는 윤태우의 성효(誠孝) 부족하여 저 늙은 할미를 저렇듯 벗겨
두었음을 괴이히 여기더라. 상이 윤태우 등을 일처에 모든 후 광천 등의
죄상을 들으려 하시는 고로, 옥음을 여지 않아 다만 위씨의 위인을 살피
실 새, 그 양안이 횃불을 쌍으로 꽂았으며, 눈썹이 황잡(荒雜)한 뫼 같
고, 내민 이마와 높은 코며, '거두든 턱'42)이 지극히 향수(享壽)할 상이
로되, 한 곳도 여자의 유한(幽閑)함이 없고, 시험(猜險) 포려(暴戾)함이
호랑이가 사람을 보고 물고자 함 같고, 장사(長蛇)가 세 길이나 뻗쳐 독
(毒)을 내는 듯하여, 지척천안(咫尺天顔)에 만조문무(滿朝文武)가 단지
(段地)43) 좌우로 오사(烏紗) 자포(紫袍)를 갖추어 나열하고, 전하(殿下)
에 나졸이 좌우로 벌려 서있으니, 체체한44) 위의 엄엄숙숙(嚴嚴肅肅)하
여 여자의 마음이 두려올 것이로되, 위씨는 도리어 구경삼아 좌우를 고
면(顧眄)하며 이따금 용상을 앙견(仰見)하여 조금도 두려워하는 거동이
없으니, 만조가 다 밉게 여기더라.

이윽고 윤태우 형제 정하(庭下)의 다다르매, 다 관영(冠纓)을 해탈하
여 죄인의 형상으로 멀리 부복하니, 그 수려한 용화와 쇄락한 신광에 일
천 수한(愁恨)을 띠었으니, 와잠(臥蠶) 봉미(鳳眉)에 푸른 내 어리어 상

---

40) 초상(綃裳) : 명주(明紬) 천으로 지은 치마.
41) 참(慘)측 : 비참하고 추악함.
42) 거두든 턱 : 끝이 길고 밖으로 굽어서 주걱처럼 생긴 턱. =주걱턱. *거두들다;
   걷어들다. 걷어 올리다. 치켜들다. 늘어진 것을 말아 올리다.
43) 단지(段地) : 단하(段下). 계단(階段)의 아래.
44) 체체하다 : 체체하다. 행동이나 몸가짐이 너절하지 아니하고 깨끗하며 트인 맛
   이 있다.

서의 기운이 천지 정화를 앗았으니, 옥면(玉面) 월액(月額)에 두발이 흐
트러지매 정히 깃⁴⁵⁾ 거스른⁴⁶⁾ 봉(鳳)이요, 나래 벌린 학 같아서, 형제
양인의 신장이 층등(層等)치 않고, 풍용(風容)이 방불(彷佛)하여 옥면
선골(仙骨)이 세상 티끌을 벗었으니, 하나는 춘하조일(春霞照日)⁴⁷⁾ 같
고, 하나는 추공명월(秋空明月)⁴⁸⁾ 같아서, 만고 무적 영웅으로 치세경
륜지재(治世經綸之才)와 항왕(項王)⁴⁹⁾의 용력勇力을 아울러, 은하만리
(銀河萬里)에 뻗칠 문한을 복중에 감추며, 관일정충(貫一貞忠)과 지성대
효를 가슴에 품었으며, 대장부 행사 청천백일(靑天白日)로 쟁광(爭光)하
니, 어찌 조모를 발검(拔劍)하여 질렀다 지목하며, 그 아우는 예모 빈빈
(彬彬)하고 덕화가 숙숙(肅肅)하여 효행이 과인하고 성효 출천하니, 외
모에 덕기성인(德氣成仁)하고 동용(動容)의 삼엄(森嚴)함이 공부자가(孔
夫子)⁵⁰⁾ 돌아와도 하자(瑕疵)할 곳이 없으니, 차마 어찌 강상대죄인(綱
常大罪人)으로 미루리오.

　상이 윤태우 형제를 보시매 새로이 그 위인과 기질을 아끼시어, 이에

---

45) 깃 : 새의 날개.
46) 거스르다 : 새 따위가 날거나 위험에 대처하기 위해, 날개를 접은 상태에서 깃
　을 활짝 펴다.
47) 춘하조일(春霞照日) : 봄철 아지랑이 위로 빛나는 해.
48) 추공명월(秋空明月) : 가을 하늘에 떠오른 밝은 달.
49) 항왕(項王) : 중국 초(楚)나라 패왕(霸王) 항우(項羽). 한(漢) 고조(高祖) 유방(劉
　邦)과 협력하여 진나라를 멸망시키고 스스로 서초(西楚)의 패왕(霸王)이 되었다.
　그 후 유방과 패권을 다투다가 해하(垓下)에서 포위되어 자살하였다.
50) 공부재(孔夫子) : 공자(孔子). 중국 춘추 시대의 사상가·학자(B.C.551~B.C.479).
　이름은 구(丘). 자는 중니(仲尼). 노나라 사람으로 여러 나라를 두루 돌아다니면
　서 인(仁)을 정치와 윤리의 이상으로 하는 도덕주의를 설파하여 덕치 정치를 강
　조하였다. 만년에는 교육에 전념하여 3,000여 명의 제자를 길러 내고, 《시경》
　과 《서경》 등의 중국 고전을 정리하였다. 제자들이 엮은 《논어》에 그의 언
　행과 사상이 잘 나타나 있다.

위씨에게 하지(下旨) 왈,

"광천과 희천이 그 할미를 지름이 진적할진대 죄상이 만살무석(萬殺無惜)이거니와, 경이 또 목강(穆姜)[51]의 인자한 덕이 없어 조손간(祖孫間) 구수(仇讐) 되니 능히 죄를 면하랴?"

위씨 문득 눈을 부릅뜨고 소리를 높여 왈,

"노신(老臣)이 비록 어질지 못하오나, 양손 등이 인효하올진대, 어찌 차마 정의(情誼)를 상해와 어지러운 일이 천정에 사무치게 하리까마는, 양손의 극악하온 전전 죄상은 이르지도 말고, 신첩을 칼로 죽이랴 하는 용심이 고금 천지간에 어디 있으리까? 신첩과 저희를 면증(面證)하려 불러 계시니, 신첩이 즉각에 광천 등의 무상함을 아뢰리이다."

주파에 팔을 뽐내어 만면 노기로 태우 형제에게 달려들어, 좌수로 태우의 상투를 잡고 우수로 학사의 두발(頭髮)을 끄들어[52] 잡고, 고성 분노 왈,

"내 몸이 재상 귀녀로 생어교애(生於嬌愛)하고 장어호치(長於豪侈)하여 후백(侯伯)의 처실이 되매, 발자취 계정(階庭)에 내리지 아니하고, 한번 움직이매 금옥채교(金玉彩轎)에 쌍쌍한 시녀 좇아, 소년으로부터 이제 늙기까지 간고와 기아를 모르더니, 광천 흉한 놈이 자람을 인하여 노비(奴婢) 전결(田結)[53]을 세세히 팔아 없애고, 수가 교지(交趾)로 나간 후 조석 식반을 못 나오도록 하며, 성한 옷을 몸에 못 붙이도록 하여, 미녀를 쌍쌍이 끼고 종일 희학하다가, 안에 들어오면 나의 입은 옷

---

51) 목강(穆姜) : 중국 진(晉)나라 정문구(程文矩)의 아내. 성은 이(李)씨, 자(字)는 목강(穆姜). 전처 소생의 네 아들을 자신이 낳은 두 아들보다 더 사랑하여 훌륭하게 키웠다.
52) 끄들다 : 끌다. *끄들어잡다 : 끌어잡다. 끌어당겨 잡다.
53) 전결(田結) : 논밭에 물리는 세금. 여기서는 '논밭'의 의미로 쓰임.

을 벗겨다가 팔아 쓰며, 자닝히 기아(飢餓)하던 끝에 겨우 얻어먹는 밥
을 상까지 깨쳐버리고, 당면하여 죽으라 한 것이 그 몇 번인지 알리오.
조선(祖先) 향화(香火)를 근심치 아니하여, 노모 간신이 얻어 제향을 그
치지 않으려 숙설(熟設)할 즈음에, 네 창녀를 갖다가 먹이고, 네 아비
제사라도 못하게 작희할 뿐아니라, 네 어미 음분 도주하였으니 찾으라
하였거든, 무엇이 밉관데 나를 구수(仇讐)로 보더뇨? 네 어미 해월루 가
운데서 간부를 유정하여 매양 왕래하던 줄 너희 어찌 모르리오. 너희 행
신을 잘 하여도 어미 음행이 부끄럽거늘, 불초 대죄를 열 가지나 겸하
고, 무슨 염치로 조항간(朝行間)에 충수(充數)하여 금의(錦衣) 인신(印
信)을 더러이리오. 너의 발검 돌입할 제 성씨와 제 시비 다 보았고, 종
질 단이 너의 나갈 제 보았으니, 흉한 놈과 요악한 놈이 아무리 발명코
자 하여도 강상일죄(綱常一罪)[54]를 면치 못하리라."

태우 형제 금의부에서 궐정에 들어오되, 조손이 대면 질정함은 천만
의외라. 본디 가변을 부끄러워하고 신누(身陋)를 차악하여 스스로 유사
지심(有死之心)하니, 낯을 들어 대인할 의사 없어, 전전에 다다라 조모
를 불과 서너 간 동안은 격하여 서 있으되, 알지 못하였더니, 대개 비영
이 사이에 있으매 천만 무심하여 다만 자가 형제를 불러 상이 죄상을 묻
고자 하심인가 알았더니, 차경을 당하니 윤태우의 충천지기(衝天之氣)
로도, 그 조모의 참측한 거동과 해연(駭然)한 패설을 겸하여, 흉잡(凶
雜)히 구는 거동이 매양 보던 눈에도 놀랍고 괴이하거든, 위로 천심과
만목소시(萬目所視)[55]에는 그 어떠하리오. 고대 땅을 파고 들고 싶은지

---

54) 강상일죄(綱常一罪) : =강상대죄(綱常大罪). 사람이 마땅히 지켜야 할 도리인
    삼강(三綱)과 오상(五常)을 범한 큰 죄, 곧 인륜범죄(人倫犯罪)를 이른다. 여기
    서 오상(五常)은 오륜(五倫)을 달리 이른 말.
55) 만목소시(萬目所視) : 만인의 눈이 주목하는 가운데.

라. 자기 형제 벌써 죽었던들 이런 변이 있으리오. 절절이 살았던 줄이 애다니, 영웅의 기운이 저상(沮喪)하고 속절없이 상투를 조모의 수중에 끌려 불법(不法)56)의 수죄(數罪)를 들으니 낯을 깎고 싶은지라.

스스로 생각건대, 자기 형제 전정(前程)은 볼 것이 없거니와, 조모의 험언(險言)을 주출한 죄를 면키 어려우니, 차라리 양광(佯狂)57) 실성(失性)하여 조모의 말을 실(實)해오고58) 자기 형제 스스로 죄율(罪律)의 나아가 세상만사를 모르고 싶은지라. 넌지시 밀치며 눈을 부릅떠 왈,

"그대와 나는 명위조손(名爲祖孫)이나 실위구적(實爲仇敵)이라. 나의 쌍쌍한 절색미녀를 그대 일생 미워함 곳 생각하면, 고대 없이 하고 거칠 것 없이 미녀와 연낙(宴樂)하리니, 나는 실로 아무도 귀한 줄 모르고, 다만 미녀 등의 절세한 태도를 대하면 골절이 녹는 듯 사랑스런지라. 그대 같은 조모는 나의 말째 비자나 다르랴."

인하여 기기괴괴(奇奇怪怪)한 광언망설(狂言妄說)이 그칠 줄을 알지 못하여, 혹 참참이 슬퍼 천항 누수 옷깃을 적실 적도 있고, 혹 쾌활이 즐겨 손벽 쳐 웃으며 팔을 벌려 춤추어 거지 해괴망측하니, 학사 그 형의 양광하는 마음을 헤아려, 이리 않아서는 조모의 무근지설을 실(實)해 올 길이 없음을 깨달으나, 자기도 마져 양광 실성함이 중목소시(衆目所視)59)의 의심을 이룰까 하여, 다만 눈을 낮추고 조모를 붙들어 체읍행류(涕泣行流)하여 일언을 대함이 없는지라. 상이 위씨의 흉포한 거동을 놀랍게 여기사, 반드시 양손을 참혹히 해하는 줄 짐작하시더니, 윤태우의 실성 양광하여 기괴한 잡설(雜說)이 이매(魍魅)60)를 들림 같으며, 윤

---

56) 불법(不法) : 법도에 어긋남.
57) 양광(佯狂) : 거짓으로 미친 체함. 또는 그런 행동.
58) 실(實)해오다 : 실(實)하게 하다. 사실로 여기도록 만들다.
59) 중목소시(衆目所視) : 많은 사람들이 바라보고 있음.

학사의 통도함이 땅을 파고 들고자 함을 보시매, 크게 자닝히 여기시어, 이에 학사를 보시고 왈,

"경의 집 변괴 천고에 듣지 못한 바요. 경형(卿兄)이 경악(經幄)[61]에 근시한 지 세재삼년(歲在三年)이라. 짐이 그 인물을 모르지 아니하거늘 어찌 전자(前者)에 없던 광기가 이다지도 심하였느뇨? 경의 할미 경 등의 죄과를 상언(上言)에 고하고, 또 이렇듯 이르니, 아지못게라![62] 그 할미 어질지 못하여 손자를 해함이냐? 경 등이 인효(仁孝)치 못하여 위녀에게 죄를 얻음이냐? 진실로 오조(烏鳥)[63]의 자웅(雌雄)을 알지 못하되, 다만 짐이 경등의 효행기질(孝行氣質)이 당세에 표출(表出)함을 헤아리건대, 그 집에 들어 흉변을 짓지 않을지라. 진실로 천만 원억한가 하나니, 경은 실진무은(實陳無隱) 하라."

학사 성교를 듣잡고 재배 청죄 왈,

"신 등이 강상대죄를 몸 위에 싣고, 흉완 포악함이 고금천지 간에 있지 않으리니, 비로소 허물을 깨닫고 죄를 헤어 악행을 뉘우치나 미치리까? 신의 형제 본디 광담(狂談) 질주(疾走)를 자주 하며, 광담망설(狂談妄說)이 해연(駭然)하옵기에 미치되, 발광하기에 다다라는 상시 마음이 전혀 없음으로, 아무런 상을 모르되, 요행 경악에 근시하기의 당하여는 광증을 발치 않사옵더니, 오늘날 천위지지(天威之地)에 신의 형이 또 광기를 주리잡지[64] 못하여, 광언 패설을 나타내오니, 그 죄 더욱 크도소

---

60) 이매(魑魅) : 이매망량(魑魅魍魎). 온갖 도깨비들.
61) 경악(經幄) : 경연(經筵).
62) 아지못게라! : '모르겠도다!' '모를 일이로다! '알지못하겠도다!' 등의 감탄의 뜻을 갖는 독립어로 작품 속에서 관용적으로 쓰이고 있어, 이를 본래말 '아지못게라'에 감탄부호 '!'를 붙여 독립어로 옮겼다.
63) 오조(烏鳥) : 까마귀.
64) 주리잡다 : 줄잡다. 가다듬다. 생각이나 기대 따위를 표준 보다 줄여서 헤아려

이다. 이제 폐하 신의 죄과(罪科)의 허실을 물으시니, 신이 도리어 실소(失笑)하와 주(奏)할 바를 알지 못하옵나니, '천하(天下)에 무불시저부모(無不是底父母)라'65). 신의 할미 설사 어질지 못할지라도, 신 등이 효를 갈력(竭力)하올진대 평상이 구올지라66). 이해(理解)를 아는 자는 스스로 신 등의 죄를 나토려 하올 것이니, 신 등의 무상한 죄악이 마침내 은닉치 못할 것이므로, 할미 본디 사리를 아옵는지라. 적은 사정을 베고 신 등의 죄과를 천청(天聽)에 아뢰어, 성명(聖明)의 처치를 기다리오매, 인정이 신 등의 주륙할 바를 참절치 아니하오며, 사족 부녀가 만조 군졸 가운데 낯가리는 예를 없이하고, 이렇듯 어지러움을 행할 바이리까마는, 신 등을 일찍 없이 하여 후환을 제방코자 하오미니, 그 정사가 궁측(窮惻)하고 팔자 험난하온지라. 폐하 어찌 할미 말을 의심하시어 소신더러 다시 하문(下問)하심이 계시니까? 신 등이 불초 패악하와 할미를 죽이랴 하는 역손(逆孫)이 되어, 폐하 정사를 시비(是非)함이 황공하오나, 신이 오히려 즉금은 광심이 발치 아니하오니, 어찌 심곡의 회포를 아뢰지 않으리까. 신의 할미 비록 미세한 여자오나 후백의 가실(家室)67)이요, 경상의 자모라. 신의 죽은 생부와 양부를 총우하시는 은권으로써, 그 어미를 이렇듯 천루(賤陋)히 잡아들이지 않음직 하시거늘, 폐하 조손을 다 잡히사 대면 질정하라 하시니, 신 등의 저질은 바 대악이 할미 상언과 같사오니, 어찌 발명할 것이 있으리까? 신의 형이 할미를 발검하여 지름이 상시 마음이 아니요, 저같이 광증을 발함이라. 할미 말이 그르지 아니하오니 신이 않았노라 말을 못하오니, 복원 성상은 신의 할미를 내어 보

보다.
65) 천하(天下)에 무불시저부모(無不是底父母)라 : 천하에 옳지 않은 부모는 없다는 말.
66) 굴다 : 그러하게 행동하거나 대하다.
67) 가실(家室) : 남 앞에서 '아내'를 점잖게 이르는 말.

내시고, 신 등을 처참 효수하시어 천하 불초자를 징계하소서."

언주필(言奏畢)에 사기 정숙하고 안모 씩씩하여, 법다운 거동과 예중(禮中) 효행이 볼수록 기이하여, 흉중(胸中)에 백일(白日)이 비추고, 맑은 골격은 청빙(淸氷)을 삭이고, 높은 기상이 한열(寒烈)하여 가을 하늘에 한 조각 구름이 없고, 장공 만리에 가없이 너름 같아서, 악사를 행치 않았을지라. 상이 애경(愛敬)하시어 만조를 돌아보사 왈,

"희천의 어짐과 위녀의 포악한 거동이 공자(孔子)와 도척(盜跖)68) 같아서 출어외모(出於外貌)하니, 짐이 만민의 부모 되어 악자(惡者)를 벌하고 현인을 건지는 것이 인군의 할 바라. 광천의 출류(出類) 비상함으로써 남에서 나온 일은 못할지언정, 강상대죄는 몸소 범치 아니하리니, 윤수의 모(母)를 형추(刑推)함이 불가하나, 광천 등의 원억함을 그리 않아서는 나타낼 길이 없으니, 위녀를 급히 다스리고자 하노라.

상교 위씨를 놀래고자 하심이요, 재상의 자모를 진실로 엄형(嚴刑)코자 하심이 아니로되, 위씨 인사 모름이 아무 곳에도 눈치 모르는 말을 많이 하는지라, 태우 형제를 죽도록 서두니, 태우의 광증이 자기 말을 실해오고자 하는 줄 모르고, 기군지죄(欺君之罪)를 얽어 천심을 진노하시게 하려고 주 왈,

"신첩은 듣자오니 성상은 만민의 부모시라. 만민 부모의 명철하심으로써 어찌 광천 등의 흉독을 몰라보시나이까? 광천이 원간 광증이 없어 조그만 미양(微恙)도 지낸 일이 없거늘, 이제 지척천안(咫尺天顏)에 양광실성(佯狂失性)하여 해거(駭擧)를 나타냄은, 저를 실성(失性)한 사람

---

68) 도척(盜跖) : 중국 춘추 시대의 큰 도적. 현인 유하혜(柳下惠)의 아우로, 수천 명을 거느리고 천하를 횡행하였다고 한다. 몹시 악한 사람을 비유적으로 이르는 말로 쓰인다.

으로 알아 저의 대죄를 책망하는 일이 없게 하고자 함이요, 희천이 저희 형제 광분질주(狂奔疾走)를 자주 하노라 함도 만만(萬萬) 무근지설(無根之說)이라. 저런 흉측하고 요악한 놈의 간정(奸情)을 사핵(査覈)하지 않으시고, 신첩의 주사(奏辭)를 도리어 의심하시어, 희천을 어지다 하시니, 신첩은 사나운 사람 되기를 면치 못하려니와, 희천 등이 왕망(王莽)[69]의 겸공(謙恭)을 지으며, 이림보(李林甫)[70]의 구밀복검(口蜜腹劍)[71]을 효칙(效則)하니, 신첩 밖은 그 위인을 알 리 없나이다."

상이 그 흉참한 심용(心用)을 절통(切痛)하시어, 문득 옥색(玉色)을 변하시고 왈,

"광천의 광증이 분명치 않아 양광(佯狂)임을 짐이 또한 아는 바라. 그 몸에 사생을 돌아보지 않고, 흉포한 할미의 언소(言訴)를 실사(實事)를 삼고자 함이거늘, 경이 갈수록 한악불측(悍惡不測)하여 군전(君前)을 휘(諱)치 않으니, 그 죄 더욱 가볍지 않도다."

석상서 다시 부복 주 왈,

"신이 아까 주한 말씀이 윤가 형세를 밝히 알아 고하였삽나니, 광천의 형제 죄명이 차악하오나, 성효인즉 제순(帝舜)[72] 증삼(曾參)[73]의 일류

---

69) 왕망(王莽) : B.C.45~A.D.23. 중국 전한의 정치가. 자는 거군(巨君). 자신이 옹립한 평제(平帝)를 독살하고 제위를 빼앗아 국호를 신(新)으로 명명하였다. 한(漢)나라 유수(劉秀)에게 피살되었다. 재위 기간은 8~23년이다.

70) 이림보(李林甫) : 중국 당나라 현종(玄宗) 때의 정치가. 아첨을 잘하여 재상에까지 올랐고, 현종의 유흥을 부추기며, 바른말을 하는 신하는 가차 없이 제거하는 등으로 조정을 탁란(濁亂)하여 간신(奸臣)의 전형으로 꼽힌다. 그가 정적을 제거할 때는 먼저 상대방을 한껏 칭찬하여 방심하게 만들고 뒤통수를 쳤기 때문에, 당시 사람들이 그를 일러 구밀복검(口蜜腹劍)한 사람이라 하였다.

71) 구밀복검(口蜜腹劍) : 입에는 꿀이 있고 배 속에는 칼이 있다는 뜻으로, 말로는 친한 듯하나 속으로는 해칠 생각이 있음을 이르는 말.

72) 제순(帝舜) : 순임금. 고대 중국의 전설상의 임금. 성은 우(虞)·유우(有虞). 이

(一類)라. 불인(不人)74)이 광천 형제가 소생(所生)이 아니라 하여 미워함이니, 여후(呂后)75)의 조왕(趙王)76)을 짐살(鴆殺)함과 여희(驪姬)77)의 신생(申生)78) 죽이던 심용(心用)과 방불함을 살피사, 두 낱 충효 군자가 누얼79)에 빠지지 않게 하소서."

용안이 석상서 말씀에는 함소(含笑)하시어 왈,

"경이 직언을 다하매 처조모를 용납할 터가 없게 하니, 위녀에게는 가히 증손서(憎孫壻)80)가 되리로다"

석상서 역시 미미한 웃음을 감추지 못하여 다시 주하는 말씀이 없더라.

상이 전교를 내리오사 태우 형제는 금의부(禁義府) 곁에 집 잡아 있게

름은 중화(重華). 요의 뒤를 이어 천하를 잘 다스려 태평 시대를 이루었다.

73) 증삼(曾參) : 중국 노나라의 유학자. 자는 자여(子輿). 공자의 덕행과 사상을 조술(祖述)하여 공자의 손자인 자사(子思)에게 전하였다. 후세 사람이 높여 증자(曾子)라고 일컬었으며, 저서에 ≪증자≫, ≪효경≫ 이 있다.

74) 불인(不人) : 사람답지 못한 사람.

75) 여후(呂后) : BC241-180. 중국 한고조의 황후. 성은 여(呂). 이름은 치(雉). 고조를 보좌하여 진말(秦末)·한초(漢初)의 국난을 수습하였으나, 고조가 죽은 뒤 실권을 장악하여, 고조의 애첩인 척부인(戚夫人)과 척부인 소생 왕자 조왕(趙王)을 죽이는 등 포악을 일삼아, 측천무후(測天武后), 서태후(西太后)와 함께 중국의 3대 악녀로 꼽힌다.

76) 조왕(趙王) : 이름 유여의(劉如意). 중국 한(漢)고조(高祖)와 척부인(戚夫人) 사이에 난 아들. 고조가 후계자로 삼고자 했을 만큼 그의 사랑을 받았으나, 고조 사후 여후(呂后)에게 독살을 당했다.

77) 여희(驪姬) : 중국 진(晉)나라 헌공(獻供)의 총비(寵妃). 자신의 아들을 태자로 삼기 위하여, 태자 신생(申生)을 참소하여 자살케 하였다.

78) 신생(申生) : 진(晉) 나라 헌공(獻公)의 태자로, 헌공의 총비(寵妃)인 여희(麗姬)가 자신의 아들을 태자로 삼기 위하여 그를 참소하자, 이를 변백(辨白)하지도 않고 자살해 버렸다. 이로써 후세에 '융통성 없는 우직한 사람'의 전형으로 일컬어졌다.

79) 누얼 : 누얼(陋-). 사실이 아닌 일로 뒤집어쓴 더러운 허물. 얼; 겉에 들어난 흠이나 허물. 탈.

80) 증손서(憎孫壻) : 미운 손녀사위.

하라 하시고, 위씨는 엄형 추문하여 간정(奸情)을 핵실(覈實)할 것이로
되, 교지 참정 윤수의 낯을 보아 사하나, 광천 등의 신누(身累)를 벗기
기 어려우니 위씨 좌우 비복을 잡혀 엄문하여 복초를 받으라 하시니, 윤
태우 형제 조모와 숙모의 과악을 헤아리매 천지간에 다시없을 듯하고,
시녀배로 일러도 세월 비영 등은 악사를 모르지 않을지라. 만일 엄문하
신즉 천인(賤人)이 어이 참을 길이 있으리오.

학사 착급 황황하여 고두 애걸 왈,

"소신 등이 무상하와 할미를 사지(死地)의 몰아넣어, 폐해 의심하시어
비자를 엄형하라 하시니, 신 등은 강상 대죄를 몸소 지었으되 안연 무사
하여 성은이 갈수록 융융하시고, 할미는 한 허물도 없이 폐하께서 통완
하시어 좌우 시녀를 추문하시는 지경에는, 어찌 무근지언을 않을 리 있
으리까? 벅벅이 할미를 극악한 곳에 미루고 신 등을 벗기오리니, 인륜
에 용납지 못할 죄과를 가져 천정에 번득하여, 폐하께서 만기(萬機)를
총찰하시는 중, 신의 망측한 변괴를 다스리시매, 일이 세쇄키를 면치 못
하올지라. 다만 죄신(罪臣) 형제의 불효지죄를 정히 하시고, 노망(老妄)
한 할미 행사를 거들지 마심이 마땅하오니, 원 폐하는 무식 천비를 잡아
저주는 일이 없게 하소서."

언미필의 체읍(涕泣) 행류(行流)하여 적상(積傷)한 증(症)이 발하여,
피를 무수히 토하고 거꾸러져 인사를 모르니, 위로 천심과 아래로 만조
문무며 좌우 하졸에 이르기까지 참연함을 이기지 못하더라.

태우는 아무런 상이 없는 사람 같아서 광언망설을 그치지 아니하고,
거지(擧止) 아주 실성한 무리라. 상이 윤단과 석준으로 하여금 희천을
금의부 곁에 의막(醫幕)하여 데려가 구호하라 하시고, 태우의 거동을 보
려 하여 위씨를 내보내지 않으시고, 비자를 엄형 추문하라 하시고, 용안
이 진노하시어 위씨의 극악을 통해하시니, 위씨 옥누항 집 가운데서는

호령이 맹호 같아서 태우 등을 못견디도록 보채던 바나, 지존의 지엄한
위의가 계신 곳에 들어와, 제 기운을 다 내어 부리지도 못하고, 태우와
학사의 무상함을 주(奏)하되, 상이 허언으로 아시니, 초에 상언(上言)을
드리고 저를 불러들이심은, 반드시 광천 등의 죄상을 물어 죽이랴 하심
인 줄 알아 흔흔양양(欣欣揚揚)[81]이 입궐하였더니, 뜻과 내도하여[82] 자
기를 세워 두고 시녀를 추문하려 하시니, 저지른바 죄악이 무궁한지라.
만사 소원과 내도하여 취화(取禍)키 쉬운지라.

정히 아무리 할 줄 알지 못하여, 흉장이 뛰놀며, 분한 안목(眼目)이
뒤룩여, 몹쓸 성악이 불 일 듯하니, 천자(天子) 아냐 옥황(玉皇)이라도
두려운 마음이 없어, 사나운 말이 혀끝에 들먹들먹하니, 고대 태우를 썰
어 죽이고, 성상 처사 불명함을 설파하고, 내닫고 싶으나, 뜻 같지 못하
여 분노를 참으매, 몸이 떨리고 이가 갈려[83] 태우를 무섭게 보는 눈이
고대 죽일 듯하니, 태우 조모의 형상을 보매 자기를 죽이고자 할 뿐아니
라, 천정에 원망이 미치기 쉬운지라. 학사 곁에 있을 적은 오히려 믿어,
자기 광기를 만인 첨시에 쾌히 보이고자 하더니, 학사 토혈 엄홀하여 나
가매 조모의 곁에 종용이 모셔 있을 이 없으니, 심회 더욱 참황하여 비
루(悲淚) 연락(連落)하여 따해 거꾸러져, 잠깐 자는 체 하다가, 깨어 일
어나 비로소 정신을 가다듬어 상시 인사를 차리는 체 하여, 조모의 앞에
나아가 체읍 오열 왈,

"불초손의 연고로 대모 무궁한 곡경과 한없는 액화(厄禍)를 당하시니,
불초손이 흉완 일악이나 어이 살고자 마음이 있으리까? 한번 죽어 강상

---

81) 흔흔양양(欣欣揚揚) : 매우 기쁘고 만족스러운 모양.
82) 내도하다 : 판이(判異)하다. 크게 다르다. 엉뚱하다.
83) 갈리다 : '갈다'의 피동사. 윗니와 아랫니를 악물고 문질러 소리를 내다.

대죄를 속하고 부끄러운 낯을 들어 천일지하(天日之下)의 서지 아니 하리이다."

언파에 옥좌를 우러러 재배 청죄하여, 더러운 자취로 봉궐(鳳闕)84)에 다시 출입지 못할 바를 고하고, 바삐 자기를 베시어 후세 불초 난자를 징계하심을 청하며, 할미를 궐정에 불러들이시어 그 조손을 대면질정(對面質正)케 하심이 만만 불사(不似)85)함을 일컬어, 그만 내어 보내심을 빌 새, 옥계에 머리를 두드리니 두골이 깨어져 피 흐르기에 미치며, 가변을 부끄러워하고 조모의 참덕을 슬퍼 옥면에 맑은 누수 옷깃을 적시니, 그 풍류신광이 기이코 수려함은 수한(愁恨)을 겸할수록 더욱 볼만하며, 대효(大孝)의 은은간간(誾誾侃侃)86)함은 자연 언어에 나타나니, 천심이 크게 감동하시고 만조가 추연 변색하는지라.

상이 위씨를 내어 보내라 하시되, 그 시녀는 다 잡아 저주기를 정하시니, 윤태우 시녀를 저주는 날은 조모와 숙모의 만악천흉이 들어날 바를 더욱 망극하여, 체읍 주왈,

"폐해 강상 대죄인을 다스리시매 극률(極律)87) 정형(正刑)88)으로써 그 죄를 정히 하심이 옳거늘, 어찌 도리어 무죄한 할미의 시녀를 잡아 저주시고, 신의 죄를 물시코자 하시나니까? 성명 처치 실로 불가하오니, 부절없이 천비를 추문함이 없게 하소서."

상이 가라사대,

---

84) 봉궐(鳳闕) : 궁궐의 문 또는 궁궐을 이르는 말. 중국 한나라 때에 궁궐의 문 위에 구리로 만든 봉황을 장식한 데서 유래한다.
85) 불사(不似) : 꼴이 격에 맞지 않아 아니꼬움.
86) 은은간간(誾誾侃侃) : 매우 온화하고 굳센 모양.
87) 극률(極律) : 사형과 같은 극한 형벌에 해당하는 죄를 정한 법률.
88) 정형(正刑) : 예전에, 죄인을 사형에 처하던 형벌. 늑정법01(正法).

"경 등의 죄과 그럴시 진실할진대, 짐이 어찌 주륙함을 아깝게 여기리오마는, '지신(知臣)은 막여군(莫如君)'[89]이라. 짐이 비록 불명하나 경 등의 인물을 아나니, 어찌 강상대죄(綱常大罪)를 지을 리 있으리오. 경의 조모 불인하여 허언을 주출하여 온 가지로 경 등을 모해하니, 그 포한(暴悍)함을 통완하여 작악지사(作惡之事)를 알아내어, 경 등의 신누(身累)를 벗겨 내고자 함이니, 경 등은 부절없이 작악한 할미를 위하여 슬퍼 병을 이루지 말라."

윤태우 성은을 감은하나 갈수록 체읍 간걸하여 시녀를 추문치 마심을 청하니, 상이 그 지효와 언사의 격렬함이 사생을 같이 여기는 거동과, 학사의 토혈하고 거꾸러져 인사 모르던 형상을 보시고, 태우 심려를 허비하여 질을 이룰까 염려하여, 가라사대,

"짐이 다시 생각하여 일이 순편토록 하리니, 경은 안심하여 물러가라."

윤태우 백배 사은하고 퇴하니, 위씨는 윤상서 장자 한림 원천의 교자의 올려 옥누항으로 돌아가니라.

상이 평남후 정천흥과 대사마 초평후 하원광을 가까이 부르사 문 왈,

"경 등은 다 윤가 동상으로 그 집 일을 앎이 석준만 못하지 않을 바거늘 어이 함구하여 차사의 간예함이 없느뇨?"

남후 먼저 돈수 왈,

"신은 윤현의 여를 취하였사오나, 천성이 소활하와 신의 집 일도 세쇄지사를 모르옵거든, 윤가 변고를 어찌 알리이까마는, 석준의 주사가 과격할지언정, 그르든 않은가 하나이다. 위녀가 광천의모(母)를 음분 도주하다 하오나, 일택지상(一宅之上)에 견디지 못할 사고 많으므로, 조씨 피화하여 살았음을 세상이 알게 않되, 광천 등이야 어찌 그 모의 거처를

---

89) 지신(知臣)은 막여군(莫如君) : 신하를 알기는 임금만한 이가 없다.

모르리까?"

초후 주 왈,

"신은 윤수의 여서(女壻) 되었사오나, 촉지의 오래 있사오니 윤가 변고를 알 길이 없사옵더니, 금춘에 상경하와 비로소 윤가 변괴 괴이함을 듣자왔삽던 바라. 한갓 위녀가 사오나올 뿐 아니오라, 윤수의 처 유녀 또한 간교하여 불인한 고모(姑母)를 돕는 도리 무상(無狀)하와, 윤가 변괴 더욱 흉참하니, 광천의 여러 처실과 희천의 양처를 보전치 못 함이 이 연고라. 희천은 신의 매부요, 광천은 처종(妻從)이니, 어찌 그 위인을 모르리까? 대효 군자로 만사 특이함으로써 강상(綱常) 일죄(一罪)를 무릅써 참연 차석함을 이기지 못하옵는 바이오나, 성감(聖鑑)이 밝히 살피시니 충효의 현사 두 명을 마치지 않을까 행심하옵는 바로소이다."

상 왈,

"위녀의 포악한 죄를 아니 다스리지 못할 것이요, 그 시녀를 저주지 않은즉, 윤광천 등의 신루를 벗기지 못할까 하노라."

평남후 우주 왈,

"성교 마땅하시나 위녀의 악사를 다스리시는 날은 두 낱 대현을 잃으시리니, 어찌 불행치 아니하오며, 하물며 광천 등의 성효로써 할미를 해한 손자가 되어 세상에 다시 날 길이 없사오리니, 원컨대 폐하는 윤가 형세를 살피시고, 광천 등의 초갈(焦渴)한 심사를 돌아보시어, 그 양광(佯狂)을 실(實)해와[90], 비록 상성(喪性) 실광(失狂)이나 발검(拔劍)하여 욕살조모(慾殺祖母)[91]함이 흉참타 하시어 천리의 적거하시면, 위녀가 자연 세구년심(歲久年深)[92]하여 문정(門庭)에 들이밀어 볼 이 없고,

---

90) 실(實)해와 : 사실로 여겨. 사실로 간주해.
91) 욕살조모(慾殺祖母) : 조모를 살해하려 함.

가사가 파훼(破毀)하매, 자연 현심을 생각하여 뉘우침이 있을 것이요,
광천 형제 천은을 감축하여 죽어 갚사올 뜻이 있으리이다."

상이 가라사대,

"경의 말이 마땅하거니와, 짐이 위녀의 마음을 맞추기를 위하여, 두
낱 충현을 무죄히 찬출함이 크게 불가하고, 인군의 처사 불평하기를 면
치 못하리니, 쾌히 위녀의 죄를 책하여 적발함과 같지 못할까 하노라."

남후 다시 주 왈,

"성교 지극히 마땅하시나, 광천 등의 사정을 살피지 못하심이니, 만일
위녀의 죄상을 적발하시고 광천 등을 무죄타 하실진대, 성명 처치는 마
땅하시되, 광천 등을 잃기 쉽사오리니, 광천 등의 지효(至孝)로써 그 할
미 죄에 나아가고 저의 신루(身累) 벗음을, 결단코 즐겨 아니할 것이요,
스스로 살 마음이 없어 초조하여 죽기 쉬우리니, 신의 뜻은 일자(一者)
는 광천 등의 살기를 위주하여, 아직 수삼 년을 불원지지(不遠之地)에
정배(定配)를 청하옴이요, 이자(二者)는[93] 성주의 양신을 잃지 않으심
이요, 또 독심(毒心)을 거두지 않아 광천 등을 찬배 죄인을 삼은즉 상언
(上言)의 효험이라 할 것이요, 삼자(三者)는 광천 등의 타는 간장을 잠
깐 늦추어, 저희 죄를 당함은 경사로 아올지니, 광천 형제 집을 떠나는
것이, 조석에 보채여 시시로 못견디는 경계(境界)가 있지 않아, 살 도리
있을까 하나이다."

상이 옳이 여기사 만조더러 물으시길,

"천흥의 의논이 어떠 하뇨?"

삼공 이하(以下) 주 왈,

---

92) 세구년심(歲久年深) : 세월이 매우 오래됨.
93) 이자(二者)는 : 둘째는.

"정천홍의 주사가 윤가 형세를 밝히 알아, 아직 정배(定配)를 청하옴이니, 성상은 윤허하소서."

상이 즉시 처결하시어, 광천 형제를 다 삼년 정배하라 하시고, 위녀는 실성 발광한 손자를 함(陷)하는 흉심이 통해하나, 광천 등의 지효를 돌아보아 죄를 묻지 아니하노라 하시니, 만조가 다 정병부의 의논을 좇아 그리 되나, 태우 등의 찬배(竄配)를 아니 차석할 이 없더라.

상이 파조하시어 내전에 들으시니, 만조가 퇴하여 윤태우의 제족과 친우 붕배 일시에 의막(醫幕)에 나아가 찬출을 위로하려 할새, 배소를 정하매 태우는 남주에 찬적하고, 학사는 양주에 적거하매, 도로가 천여 리요, 이름이 향리(鄕里)나 부요지지(富饒之地)라. 이 때 윤상서와 석상서 학사를 붙들어 내어 와 약물을 떠 넣어 구호하더니, 이윽고 태우 나와 학사의 수족을 주무르며, 천수만한(千愁萬恨)이 광미(廣眉)에 잠겨, 낯을 들어 상서 보기를 참괴히 여기니, 석상서 그 손을 잡고 탄식하기를 마지않아, 신세를 위태히 여기고 그 대효를 흠복하여, 윤부 변고를 위하여 근심함이 등한치 않되, 태우는 묵묵하여 말이 없더니, 날호여 정색 왈,

"소제 형을 바라는 정이 골육동기 같던 것이거늘, 어찌 내 집 변고를 당하여 강상대죄인(綱常大罪人)을 구하고, 조모를 어질지 않기로 치워 그 자손 된 이로 차마 듣지 못할 말씀을 많이 하시니, 소제 평일 형을 알지 못하여 깊이 정을 맺었던 일이 심히 참괴하니, 다시 대할 낯이 업도소이다."

상서 호호히 웃고 왈,

"사원이 날을 깊이 미온하여 절교함을 이르거니와, 석자한의 말이 지극 정론이요, 지정공심(至正公心)[94]이라. 만일 사원 형제의 노함을 두

---

94) 지정공심(至正公心) : 지극히 정대하고 공평하여 사사로움이 없는 마음.

려워하지 않을진대, 인심에 격분 통해한 일을 참았겠는가? 사원은 부질 없는 노한(怒恨)을 머금지 말고, 정의(情誼)를 온전히 하여 나의 노를 도도지 말지어다."

태우 다시 말을 않아서, 학사 비로소 인사를 차려 눈을 떠 좌우를 보고, 석상서 곁에 있음을 알아 정색하고 아픈 것을 강인하여 일어나 앉아, 태우를 향하여 조모 집으로 나가신가 물으니, 태우 아까 나가심을 이르나, 결말이 어떠할까 초조하더니, 정병부 등이 나와 태우 곤계를 보고 찬적을 치위(致慰)하니, 태우 형제 자기 등의 찬적이 영행이라, 바삐 문 왈,

"성상이 강상대죄인(綱常大罪人)을 주륙(誅戮)치 않으시고 법을 늦추시매, 후세 불초자를 징계치 못할까 하나니, 소제 등이 당연한 사죄인 (死罪人)이니 살아남이 무엇이 쾌하리오."

정병부 양인을 숙시양구(熟視良久)에 미소 왈,

"사원 형제를 천연한 군자인가 하였더니, 내외 다름이 이 같으뇨? 천문의 결사하심이 현우 선악과 간정을 핵실치 않으심이, 도시 사원 등을 총우하시는 은영이니, 감은각골 하여 군은을 갚사올 바를 생각하지 않느뇨?"

태우 등이 자기 등의 찬적함이 정병부의 고함인 줄 짐작하나, 가변을 한심하고 조모의 허물을 부끄러워 세념(世念)이 사연(捨然)하여, 조모 자기 등을 면질대증(面質對證)하여 흉패히 굴던 거동을 생각하매 고대 죽고 싶거늘, 못견딜 경계를 무수히 지내되 죽지 못함을 애달아, 제우 친붕이 모두 찬적을 치위(致慰)하나 낯을 들어 대답할 말이 나지 않으니, 다만 사죄인(死罪人)의 살아남이 성은임을 일컬어, 즉시 옥누항으로 돌아올새, 정병부 석상서 하사마 등이 다 뒤를 좇아 옥누항 윤부로 나아가니라.

어시에 유씨,

명주보월빙 권지오십이

　어시에 유씨 모녀 대계를 운동하여 태우 형제를 갱참(坑塹)에 함닉(陷溺)하니, 이번은 득계(得計)할 것이라 하여 즐겨 하며, 태부인의 상언(上言)이 한번 천문에 오르매 태우 형제를 다 하옥하시니, 이제는 죽일 것이라 하여 심리(心裏)에 흔흔(欣欣)하더니, 상명이 태부인을 입궐하라 하시매, 위씨 입궐할 새, 성부인이 있음으로 한 말을 못하여 보내니, 경애 가만히 모친께 고 왈,

　"왕모 입궐하여 눈치 없는 말씀과 지혜롭지 못한 거동으로, 만목소시(萬目所視)에 추졸(醜拙)95)을 내어, 우리 악사 발각할까 염려하나이다."

　유씨 소왈,

　"존고는 벌써 어질지 못함이 유명하시리니, 비록 기쁘지 않으나 현마96) 어찌 하리오. 우리 모녀의 허물이나 면하면 만행이요, 희천 등이 지효(至孝)하니 존고의 과악을 가리어 위태튼 않으시리니, 이런즉 광천 등은 속절없이 전정을 마쳐 죽지는 않으나, 인륜에 용납지 못하리니 어찌 묘치 않으리오."

　이렇듯 수작하여 날이 반오(半午)에 위씨 돌아와, 궐중 수말과 학사

---

95) 추졸(醜拙) : 추악(醜惡)하고 졸렬(拙劣)함.
96) 현마 : 설마, 차마.

형제 하던 말이며, 자기 말을 상이 의심하시어 학사 형제를 총우하심만
일편 됨을 크게 원망하고, 시녀배를 잡아 저주기로 정하심을 이르니, 유
씨 존고의 우패(愚悖)히 서둔 말을 들으매 입이 써 말이 나지 않고, 시
녀 등을 저주는 날이면, 자기 모녀의 과악이 들어날지라. 놀라움을 이기
지 못하여 영리한 비복(婢僕)을 보내어 구몽숙에게 통하여 궐중 소식을
듣보니97), 윤태우 체읍(涕泣) 간걸(懇乞)하여 시녀 등 저주기를 않으시
고, 태우 등이 남·양 양주(兩州)에 찬배하니, 유씨 모녀 놀라움을 잠깐
진정하고, 새로이 태우 등 죽이지 못함을 한하여, 성부인을 몰라듣게98)
태부인 귀에 대고, 태우 형제를 반만 죽게 두드려 적소로 가다가 죽게 하
라 하니, 위씨 점두하여 벼르기를 장히 하되, 성부인 수숙이 있음을 괴로
이 여기더니, 윤상서 성부인을 본부로 돌아가 머물다 태우 형제 적소로
발행한 후 임산으로 내려가기를 이르니, 성부인이 윤부 경색을 목도함이
인심이 괴롭다가, 가장 시원하여 집으로 돌아가고, 윤상서는 왕래하며
태우 형제를 볼지언정, 윤부에서 다시 밤을 지내지 않으려 하더라.

　태우와 학사 집에 돌아오니, 정·하·석 삼인이 한가지로 따라 이르
렀는지라. 태우 형제 삼인을 머무르고, 내당에 들어가 관영을 해탈하고
태부인께 청죄하여, 궐정에 가 무한한 곡경을 겪음을 일컬어, 자기 형제
의 불초한 죄상을 고하매, 눈물이 주줄하여99) 땅에 고이고, 슬픈 사색
과 효순한 거동이 인심에 감동할 것이로되, 저 갈호(褐虎)100)의 사나움
이 유씨의 간악한 꾀에 빠졌으니, 어찌 일분이나 측은지심(惻隱之心)이
있으리오.

---

97) 듣보다 : 듣기도 하고 보기도 하며 알아보거나 살피다.
98) 몰라듣다 : 못 알아듣다. 남의 말을 듣고 그 뜻을 알지 못하다.
99) 주줄하다 : 줄줄흐르다. 굵은 물줄기 따위가 잇따라 부드럽게 흐르다.
100) 갈호(褐虎) : 갈색 얼룩무늬를 띤 호랑이.

학사와 태우를 보매 고대 물어 먹을 듯하되, 석·정·하 삼인이 외루에 있음을 알아 아직 인분(忍憤)하고, 오직 발을 구르고 가슴을 두드려 분매 왈,

"원수놈들아! 나를 원수 같이 미워하여 필경은 칼로 지르고자 하다가 발각하되, 혼군(昏君)이 너의 형제를 일편 되게 총애하여, 죄를 다 나에게 미뤄 날로 하여금 그 지경까지 지내게 하고, 시녀를 저주어 무복(誣服)101)을 받으려 하니, 이 어찌 인군의 성명(聖明)한 처치리오. 너의 형제 나의 허물과 부자(不慈)함을 사류(士類)에 푼포(分布)함이랴102). 내 어찌 너희를 다시 볼 리 있으리오. 빨리 나가 여러 동당(同黨)으로 나의 허물이나 이르고 적소(謫所)로 가라."

태우 형제 조모의 말씀을 더욱 망극하여, 다만 머리를 두드려 청죄하여 이런 하교를 마심을 청하되, 위씨 더욱 고성하여 조르고 보채니, 태우 등이 체읍 간걸하여 해로(解怒)103)하시기를 기다리되, 위흉이 일호(一毫) 요동함이 없으니, 태우 형제 석고대죄(席藁待罪)104)하여 명을 기다리더라.

이때 석·정·하 삼인이 외루에서 태우 등의 나오기를 기다리되, 날이 저물도록 나오지 아니하니, 병부와 초후 존당의 기다리심을 생각고 석상서를 향하여 이르되,

"형은 모름지기 이곳에서 사원 등을 청하여 밤을 지내라. 소제 등이 명일 다시 오리라."

하고, 부중에 돌아가 존당에 뵈오니, 태부인이며 진부인이 윤부 변고

---

101) 무복(誣服) : 강요에 의하여 하지 않은 것을 했다고 거짓으로 자백함.
102) 푼포(分布)하다 : 분포(分布)하다. 퍼뜨리다. 널리 퍼지게 하다.
103) 해로(解怒) : 노여움을 품.
104) 석고대죄(席藁待罪) : 거적을 깔고 엎드려서 임금의 처분이나 명령을 기다리던 일.

를 차석하며, 찬적(簒謫)함을 천정에 간쟁(諫爭)함이 비인정이라 이르
니, 남후 찬적함은 새로이 가중에서 보채일 바를 면코자 함임을 고하니,
태부인이 언언(言言) 점두(點頭)하나, 윤생 형제와 소저를 위하여 염려
하매 능히 수미를 펴지 못하니, 남후 호언관위(好言款慰)하고 윤부에 석
상서 등이 있으매, 위·유의 간흉이나 능히 괴로이 보채지 못할 줄 알
아, 드디어 대서헌에서 헐숙(歇宿)하고, 날이 밝기를 기다려, 명조에 조
참 후 바야흐로 옥누항으로 가니, 아지못게라! 지난 밤 일이 하여(何如)
오. 급급(急急) 하회(下回)를 석남(釋覽)하라.

차시 윤부에서 정·하 양인이 돌아가고, 석상서 외로이 서헌에서 앉
을락 일락하며 걸호(傑豪)한 성정이 괴로움을 이기지 못하나, 자기마저
떨치고 돌아간즉, 위흉과 유녀 독수(毒手)로 태우 등 사생이 어찌 될지
를 몰라, 석식(夕食)도 구궐(久闕)하고[105] 홀로 태우 등의 나오기를 기
다리더니, 차시 위흉과 유씨 모녀 정·하 양인이 돌아가고 석상서 홀로
있음을 들으니, 석생의 강위(剛威)도 저허하고 또한 백년가객(百年佳客)
이라. 능히 만홀(漫忽)치 못하여, 석식을 풍비히 갖추어 좋은 말로 권유
하며 위흉을 넌지시 달래어 왈,
"정·하 양인이 돌아가고 석낭이 홀로 지키고 있으니, 존고는 광천 등
을 빨리 내어 보내 시비를 막으소서."
위태 유씨의 말인즉 한결같이 그 말을 따르고, 염려 무궁한 고로 태우
형제를 나가라 재촉하니, 태우 형제 지리히 우기지 못하여 야심 후 서헌
의 나오니, 석상서 웃고 왈,
"정창백과 하자의는 사원 등의 나옴이 더딤을 굼거이 여겨 돌아가고,

---

105) 구궐(久闕)하다 : 오래되도록 먹지 못하다.

내 홀로 떨어져 사원 등과 연침하여 자고자 하노라."

체우 형제 만사 여몽(如夢)하니 석상서와 한화(閑話)할 뜻도 나지 않을 뿐 아니라, 석상서 군전에서 위·유 두 부인의 참덕(慘德)을 일컬음이 비록 허언이 아니나, 자기 등 심사를 돌아보지 않고 부질없이 간예함을 애달아 묵연히 말을 않으니, 석상서 그윽이 웃음을 머금고 한가지로 베개의 나아가며, 가로되,

"예로부터 직언하는 무리 사람이 싫어하는 바거니와, 사원 등이 어찌 나를 미온함이 이다지도 심하뇨? 아지못게라! 평일 정의를 베어 영영히 절교코자 하나냐?"

학사 형제 정색 왈,

"형의 소제 등을 위한 정은 감사하나, 군자는 친히 보지 않은 일과 친히 듣지 않은 말을 언두(言頭)에 이르지 아니 하나니, 형이 우리 집 사사 일을 자세히 알지 못하며, 먼저 사람의 조손간을 상해오고, 괴이한 말을 천정의 주달하시니, 이는 우리 형제를 세상에 용납지 못하게 함이라. 도리어 괴이히 여기나이다."

석상서 호호(浩浩)[106] 박소왈(拍笑曰)[107],

"나의 천성이 과격하여 인심에 분개한 것을 잘 참지 못함일 뿐이라."

태우 형제 탄식 무언이나, 천수만한(千愁萬恨)이 심곡(心曲)에 쌓여 한잠을 이루지 못하고, 명일 조조(早朝)에 상서 조참에 가니, 유씨 위태를 도도아 정·하·석 삼인이며, 윤공 등이 조참 후 이리 올 것이니, 그 사이 광천 등을 중치(重治)하여 원로(遠路)의 득달치 못하고, 반노(半路)[108]에서 죽게 하라 하니, 위씨 옳이 여겨 벽력같은 소리로 태우 등을

---

106) 호호(浩浩) : 한없이 넓고 큰 모양.
107) 박소왈(拍笑曰) : 손뼉 치며 웃고 말하기를.

잡아들이라 하니, 태우와 학사 전도(顚倒)히 내루(內樓)에 들어오매, 태부인의 흉한 성과 참엄한 얼굴이 험포(險暴) 극악(極惡)하여 태우 등을 바로 삼킬 듯한지라. 태우 형제 중계의 부복하여 명을 기다리더니, 위씨 시노 등을 불러 큰 매를 들라 하니, 제노(諸奴)가 태우와 학사 위한 정성이 저희 머리를 베어 드리나, 그 몸은 상해오고자 않음으로, 일시에 고두(叩頭) 왈,

"주군이 원억히 죄적(罪謫)하심도 노자 등이 다 통곡고자 하거늘, 차마 태부인 명을 순수하여 다시 주군의 몸을 상해오리까? 전일은 거스르지 못하였으나, 금일은 죽어도 명을 받들지 못 하리로소이다."

태부인이 더욱 대로하여 먼저 노복 등을 엄치(嚴治)코자 하나, 제노가 마음이 서로 응하여 태우 등 위한 충성이 동촉(洞屬)하니, 태흉이 마음대로 다스릴 길이 없는지라. 분분 대로하여 좌(坐)를 안접(安接)지 못하니, 유씨 제노를 다 나가라 하여 일인도 내정에 머물게 하지 않고, 가만히 태복을 부르니, 곳 세월의 아들이요, 유씨의 심복 노자라. 수명하여 들어와 위흉에게 뵌대 위흉이 좌우 중문을 다 잠그라 하여, 아무도 출입지 못하게 하고, 태복으로 하여금 태우 형제를 형판(刑板)의 결박하고, 큰 매를 들라하여 난간 가의 앉아, 왈,

"원수 광·희 양적(兩敵)이 혈육이 상하여 뼈 빻아짐을 보아도, 오히려 내 마음이 시원하든 않으리니, 태복은 나를 위하여 강상대죄인(綱常大罪人)의 살이 일장에 떨어지게 하라."

태복이 수명하여 저의 영한(獰悍)한 힘을 다하여 집장(執杖)[109]할 새, 태우를 결장(決杖)[110]하여 불급 삼십여 장(杖)에 성혈(腥血)[111]이 낭자

---

108) 반노(半路) : 길가는 도중.
109) 집장(執杖) : 곤장(棍杖)을 잡음. 또는 곤장을 잡고 장형(杖刑)을 집행함.

(狼藉)하여 피육이 후란(朽爛)하니, 학사 몸을 결박하여 형의 수장(受杖)함을 보매, 자기 또 당할 바로되, 형의 몸을 아끼고 슬퍼 함이, 자기 맞는 것에 비할 바 아니라. 머리를 두드려 자기를 죽이고 형을 사하여, 적행(謫行)에 일명을 이어 원로에 득달케 함을 청하되, 위태의 흉한 노기 점점 불 일어나 듯하여, 개개(個個)히 고찰하며 다흠 다흠112) 짓두드리기를 당부하여 칠십여 장의 이르매, 태우의 옥면이 잠깐 푸르기를 면치 못하고, 처음부터 일성을 부동하고 점루(點淚)를 머금지 않으나, 그 심사인즉 벌써 많이 상하여 충천장기 많이 줄어진 바에, 평생 노예 하천도 자주 당치 않는 중장에 혈육이 성한데 없으니, 장위의 병이 깊이 들었거늘 금일 칠십여 장에 살이 무너나고113) 피 흘러 땅에 괴이니, 비록 산해(山河)를 뛰어넘는 장한 용기 있던 바나, 그 나이인즉 겨우 삼오 소년으로, 허다 풍상 간액(艱厄)에 어찌 오죽하리오.

이날은 아주 인사를 버려 눈을 감고 죽엄같이 엎디어 매를 받으니, 유씨와 경아가 행여 죽을까 겁하여 그만하여 명이나 살려 보내라 하니, 위흥이 비로소 사(赦)하고 학사를 결장할 새, 호령이 악악하고 위·유를 위한 노자(奴者)라 힘을 다하니, 학사 연약하고 장기(壯氣) 태우를 미치지 못할지라. 오십여 장에 인사를 차리지 못하되 사(赦)할 뜻이 없어 갈수록 엄히 치더니, 홀연 중문(中門) 잠은 것을 박차 산산이 부수고 칠팔인 명류(名流)가 돌입하니, 앞을 당하여 들어오는 이는 윤부 친척이요, 그 뒤를 좇아오는 자는 석·정·하 삼인이라.

---

110) 결장(決杖) : 죄인에게 곤장을 치는 형벌을 집행하던 일.
111) 성혈(腥血) : 비린내가 나는 피. 핏줄이 터져 흘러나오는 상태가 아직 멎지 않은 피. 또는 아직 굳지 않은 피.
112) 다흠 다흠 : 더욱 더. *다흠; 다만, 더욱.
113) 무너나다 : 상처, 옷 따위가 헐어서 떨어져 나가다.

유씨와 경애 대참 황괴하여 바삐 피하고, 위흉의 흉험함으로도 잠깐 놀라, 윤상서더러 왈,

"현질이 왔음을 통치 않고 문을 깨쳐 들어옴은 어쩐 일이뇨?"

윤상서 허리를 굽혀 사례 왈,

"소질이 왔음을 고하고 종용이 들어오는 것이 마땅하되, 권도(權道)와 곡례(曲禮)없지 않은지라. 희천 등의 성명이 경각에 위급다 함을 듣자오니, 미처 예모를 돌아보지 못함이오니, 이는 소질의 죄거니와, 제족(諸族)과 석자한이 잠 문이라도 깨치고 희질 등을 구함이 옳다 하는 고로, 소질이 여러 의논을 세우지 못한 연고오니, 숙모는 용서하소서."

윤공의 말이 마치지 못하여서, 정병부는 윤학사의 맨 것을 끌러 가벼이 붙들어 외헌으로 나가고, 석상서는 태우를 끌러 제윤으로 더불어 붙들어 나가되, 혼혼불성하여 아무런 줄 모르더라.

원간 정병부와 하사마가 석상서로 더불어 파조 후 윤씨 제족으로 더불어 급히 옥누항에 오니, 석상서 이미 왔는지라. 태우 등의 간 곳을 물으니 시노 등이 고하되,

"태부인이 상공 등을 결장하노라, 소복 등을 다 끌어 내치고 문을 잠가 통치 못하게 하나이다."

정병부와 제(諸) 윤이 대경하여 오래 말이 없더니, 정병부 왈,

"일이란 것이 권도(權道)114) 없지 않으니, 우리 잠근 문을 깨치고 들어감이 옳지 않으나, 그리 않으면 사원 등을 구치 못하리니, 급히 들어갈 것이라."

하니, 석상서와 제윤이 다 옳이 여겨 일시의 들어가려 하나, 문을 굳

---

114) 권도(權道) : 목적 달성을 위하여 그때그때의 형편에 따라 임기응변으로 일을 처리하는 방도.

게 잠갔으니 깨치기 어려운지라. 병부 분연이 한번 발로 박차니 문이 산산이 부서지는지라. 들어가 학사를 붙들어 외헌의 나오니, 이미 둔육(臀肉)이 으깨져 깁 같은 가죽이 곳곳이 떨어졌고, 성혈(腥血)이 옷을 적시니 제윤과 석·정 양인이 참연함을 이기지 못하여, 서재에 누이고 약물로 구호하나, 장처가 가장 대단하여 생도 어려우니, 석상서는 언언이 위·유 양인을 간악한 흉인이라 하여, 태우 등 위한 정이 골육에 감치 않아 슬퍼함을 마지않고, 정병부는 곁에서 구할 뿐이요, 위·유의 말을 않더니, 가장 오래된 후에야 태우 형제 정신을 차려 제족과 석·정·하 등의 모였음을 보고, 조모와 유씨의 허물이 드러남을 수괴하여, 더욱 사람 대할 안면이 없어 하는지라. 정병부 태우의 손을 잡고 위로 왈,

"사원 형제의 당한 바 변고는 실로 견디지 못할 경계 많으나, 도시 액운이 괴이함이요, 사람을 탓할 것이 없는지라. 만일 비원을 이기지 못하여 스스로 죽기를 달게 여길진대, 이는 영존당으로 하여금 자손 해한 허물을 끼쳐, 만대에 민멸치 못할 죄악이 되리니, 목숨을 보전하는 것이 대효(大孝)라. 순(舜)이 '우물에 곁 구멍을 두심을'115) 효칙하여, 천금중신(千金重身)을 보호하라."

태우 형제 수루(垂淚) 대왈,

"소제 등이 불초 무상하여 강상대죄를 몸소 짓고, 노년 조모로 하여금 무한한 괴로움과 망측한 욕을 보시게 하여, 만조 군졸 가운데 잡혀 드는 변괴 있으니, 이 다 소제 등의 죄악이라. 하면목으로 대인하여 입어세(立於世)하리오."

---

115) 순의 완악한 부모가 그를 우물에 들어가게 한 후, 우물을 묻어 죽이려 하자, 순이 우물 벽에 구멍을 파고 피하여 효(孝)를 완전케 하였던 고사. 『맹자』〈만장장구상(萬章章句上)〉에 나온다.

정병부 탄식하고 원별을 결연하여 왈,

"황상이 사원 등을 찬적코자 않으시는 것을, 내 번간(煩諫)하여 남해와 양주에 찬적께 하니, 실로 비인정이라. 떠나는 회포 울울 참연함을 어찌 이르리오."

석상서 웃고 꾸짖어 왈,

"형은 사원 등 떠남을 결연타 이르지 말라. 만일 사원 등 위한 마음이 있으면 어찌 찬출함을 그대도록 다투리오."

병부 잠소무언(潛笑無言)이요, 제윤이 거짓 병부를 원망하되, 태우 형제를 미워하여 찬출을 역간하다 하니, 병부 구태여 발명치 않고, 혹탄혹소(或嘆或笑)하여 담소가 끊이지 않되, 태우 등은 장처의 아픔이 극하매, 말할 뜻이 없어하더니, 금평후와 정국공의 이르심을 고한대, 병부 연망이 맞아 들어와, 태우 형제 하당하여 맞을 길이 없어 겨우 움직여 일어서니, 양공이 바삐 나아와 손을 잡고 추연 역색(易色) 왈,

"자고로 군자와 호걸이 다 초년은 험하거니와, 사원 등의 출천대효로 찬적함은 실시 의외라. 어찌 참연치 않으리오."

태우 형제 몸을 굽혀 사례 왈,

"소생 등은 강상죄인(綱常罪人)이라. 지은 바 죄악이 주륙(誅戮)을 면치 못할 것이거늘, 성주의 호생지덕(好生之德)으로 일명을 보전하여 정배를 당하오나, 도리어 부끄러운 낯을 들어 사람 대하기를 원치 아니하나이다."

양공이 그 위위(危危)한 신색(神色)을 보고 염려하여 왈,

"신기(身氣) 불안할진대 원로(遠路)에 행키 어려우니 편히 조리하라."

하고 인하여 눕기를 권한데, 태우 형제 강인하여 대단치 않음으로써 대답하거늘, 석상서 소왈,

"피육이 떨어지며, 성혈이 옷을 잠그는 중장을 받아, 인사를 모르는

바거늘 어찌 신기 불평치 않으리오."

양공이 이 말을 듣고 반드시 위씨 용심이 태우 등을 죽이지 못함을 통원(痛寃)하여, 중장을 더함을 짐작하고 불승참잔(不勝慘殘)하나, 인친가(姻親家) 태부인의 하는 일을 시비함이 가치 않아 답지 않고, 다만 눕기를 이르더니, 진공 조공 등이 이르러 태우 형제를 보고 비상함을 마지않고, 조공은 분개한 눈물이 솟아나, 왈,

"현질 등의 참혹한 누명과 남·양 이주(二州)에 분찬(奔竄)이, 차마 견디지 못할 원통이 많으나, 너희는 오히려 전정이 만리요, 기운이 강장함이 철석같으니, 풍상 변고를 당하여도 보전지책(保全之策)이 명철(明哲)하려니와, 매제(妹弟)에게 참욕이 미쳤음을 생각할수록 통완분해함을 이기지 못하나니, 이제는 명강이 나갔으매 물을 곳이 없어 잠잠하거니와, 타일 명강이 돌아온즉, 우리 형제 삼인이 붙들고 매제의 허물 된 곳을 물어 보리라."

언파에 노기를 이기지 못하여 위태를 통완함이 형상치 못하니, 태우 형제 구씨(舅氏)[116] 등의 거동을 보매 더욱 심신이 산란하여, 봉안에 맑은 누수 산산(潸潸)하여 왈,

"소질 등의 불초무상함이 강상대죄를 범하여, 조모께 가없는 욕을 이르게 하고 참참한 누명이 자당에 미치니, 이것이 다 소질 등의 죄악으로 비롯함이라. 스스로 죽지 못함을 애달라 하옵나니, 숙부는 소질의 현효(賢孝)치 못함을 엄치하시어 후일을 징계하시고, 괴이한 말씀을 마소서. 사숙(舍叔)이 본디 자당 섬김을 조모 버금으로 하셔, 우공(友恭)하시는 정성이 타인의 수숙(嫂叔)과 다름이 많거늘, 삼위 숙부 사숙(舍叔)을 보고 자당께 누얼[117] 끼침을 물으시리이꼬?"

---

116) 구씨(舅氏) : 외숙(外叔). 외삼촌. 어머니의 남자 형제를 이르는 말.

조공 등이 대언 왈,

"너는 이르지 말라. 명강이 얼마나 명쾌하면 네 집 변고가 이에 미치리오. 즉금은 교지에 갔거니와, 집에 있을 때도 여등(汝等)의 정사를 돌보지 않고, 허다 괴란(怪亂)이 있어도 살피지 못하니, 구천타일(九泉他日)118)에 명천을 보매 가히 부끄럽지 아니하랴?"

학사 표숙(表叔)119)의 말씀을 듣고 정색 왈,

"삼위 숙부 비록 사정(私情)에 이끌려, 소질 등의 무상함을 모르시나, 대인자(對人子)하여 그 부형의 허물을 일러 괴이한 말씀을 하시나니까? 자당의 누얼도 소질 등의 불초한 탓이거늘, 숙부 소질 등의 무상함을 생각지 않으시고, 교지 만리에 가신 엄친의 탓을 삼으시니, 평일 삼위 숙부 가친으로 더불어 지심(知心)으로 친절하시던 정의(情誼) 아니로소이다."

조공이 그 지효를 감동하여 어루만져 칭찬 왈,

"현재(賢哉)며, 효자라! 이 같은 성효와 빈빈한 덕행으로써, 천인갱참(千仞坑塹)120)에 빠지기를 면치 못하니 어찌 한스럽지 않으리오. 연(然)이나 위로 황야 현질 등의 출천지효와 출인지행(出人之行)이 뛰어남을 아시고, 아래로 만조(滿朝) 사서(士庶)가 한가지로 칭찬함이 되었으니, 부운 같은 누명을 실어 삼년 찬적을 슬프다 하리요마는, 경색이 참담함을 통상하노라."

금후 추연 왈,

"형 등의 심회 그러함이 인정에 괴이치 않은지라. 소제는 딸이 중춘

---

117) 누얼 : 누얼(陋-). 사실이 아닌 일로 뒤집어쓴 더러운 허물. 얼; 겉에 들어난 흠이나 허물. 탈.
118) 구천타일(九泉他日) : 죽어 넋이 저승에 돌아간 뒤.
119) 표숙(表叔) : 외숙. 외삼촌.
120) 천인갱참(千仞坑塹) : 천 길이나 되는 깊은 구덩이.

(仲春)에 살인죄수로 장사의 찬적하고, 두 사위 다 추말(秋末)에 찬출하
는 경색이 있으니, 어찌 참연함을 참으리오마는, 오히려 믿는 바 사원
등의 탁탁지행(卓卓之行)[121]과 출인한 기질에 오복(五福) 완전지상(完全
之相)이라. 나중이 매몰치 않을 바를 깊이 바라나니, 타일 누얼을 신설
하고 즐거이 환쇄함을 바라노라.”

하공과 낙양후 슬픈 말과 떠나는 정을 일러, 날이 맞도록 담화하다가
각각 부중(府中)으로 돌아갈 새, 금평후 병부를 머물게 하여 태우 형제
로 밤을 지내라 하고, 양서(兩壻)의 손을 잡고 왈,

“우명일(又明日)은 너의 발행일이니 송별하려니와, 그 사이 몸을 보호
하여 질양을 이루지 말라.”

태우 형제 배사 수명하거늘, 조공이 가만히 이르대,

“너희 천리 원찬(遠竄)을 당하여 매제를 아니 와 보지 못하리니 능히
틈을 얻어오라.”

태우 등이 대왈,

“소질 등이 어찌 자위께 하직을 않으리까마는, 실로 숙부 택상(宅上)
에 감을 원치 않나이다.”

병부 소왈,

“사원 등이 어찌 조연숙의 일시지언을 유감함이 심하뇨? 연이나 사원 등
이 공차(公差)에게 일야를 빌어 옥화산에 가 밤을 지내고 감이 옳으니라.”

태우 등이 그 말을 옳이 여겨 명야(明夜)를 옥화산에 가 머물려 하더라.

날이 저물고 손이 흩어지매, 태우 형제 병부를 서헌에 머물게 하고,
겨우 걸음을 옮겨 내당에 들어가 태부인께 청죄하니, 위·유의 간흉이
나 제윤과 석·정·하 등이 자기 과악을 순순(巡巡)[122] 아는 줄 참괴하

---

121) 탁탁지행(卓卓之行) : 매우 뛰어난 행실.

여, 다시 태우 형제를 짓두드리면 예서 죽을 것이므로 노를 머금어 말을
않으니, 태우 형제 삼년을 이측하는 하정(下情)이 참연함을 고하여 체읍
하고, 또 야반에 칼을 들고 경희전의 돌입한 일이 없으되, 귀신이 자기
등의 불초함을 미워하여 조모의 마음을 경동함인 줄 고하여, 효순한 말
씀이 생철을 녹이며, 석목을 농준(濃蠢)123)할 바로되, 위・유의 극악흉
심은 돌이킬 줄 모르고, 죽이고자 하는 의 더한지라. 어찌 일분 염려하
는 마음이 나리요마는, 병부 태우 등이 오래 나오지 않음을 보고, 청하
여 한가지로 연침(連枕)하여 밤을 지낼 새, 장씨를 죽이고 하씨의 생사
를 몰라 슬퍼할 줄 아는 고로, 가만히 하씨를 구하여 초하동에 두었음
과, 그 면모 일신이 한 곳도 성한데 없음과, 마침 복아가 떨어지지 않았
음을 이를 새, 궤 중에 들어 아주 죽어 볼 것이 없던 바에 다다라는, 병
부 새로이 눈물을 흘리오니, 태우 형제 듣는 말마다 자기 집 변고를 부
끄러워 낯을 깎고 싶으나, 하씨의 생존함을 심리에 행열(幸悅)하여, 묵
묵(黙黙) 양구(良久)에 다만 문 왈,

"궤를 지고 가던 자가 뉘런고?"

병부 웃고 이르되,

"궤를 지고 가던 놈은 벌써 죽었으니 사원이 찾아 무엇 하려 하느뇨?"

학사 왈,

"가내의 간노(奸奴) 간비(姦婢) 많으므로, 매양 아름답지 않은 말을
지어 존당에 미루는 일이 있음으로, 소제 궤 지고 가던 놈을 찾아 묻고
자 하나이다."

병부 소왈,

---

122) 순순(巡巡) : 번번이, 매회(每回). 매번(每番). 매 때마다.
123) 농준(濃蠢) : 꿈틀거림. 움직임.

"벌써 죽였으니 찾아 부질없거니와, 간노 간비라 한들 간대로 무근지언을 주출할 리 없으니, 사빈은 구태여 다스리지 말라."

태우 탄 왈,

"소제 등이 집을 떠난 후 더욱 방자하여, 무근지언(無根之言)을 지어 내 조모께 사후(伺候)를 순히 않을까 하나이다."

병부 역시 탄식하고, 이렇듯 담화하다가 야심하매 잠을 드니, 이러구러 수일이 지나매, 공차 이르러 태우 등을 데리고 남·양 이주(二州)로 갈새, 행리(行李)를 정·석·하 삼인이 차려 충근한 노복을 맡겨 보낼새, 태우는 선상서(先尚書) 유제(乳弟) 계충이 따라 가고, 학사는 서동 혜준이 따라 가되, 다 충근하여 주인 위한 정성이 몸을 죽여 갚을 뜻이 있더라.

태우 형제 내당에 들어가 태부인께 하직을 고할새 효자 효손의 이측하는 회포 간절하되 위·유 양인은 쾌히 죽이지 못함을 절치 통해하여, 유씨 가만히 구몽숙을 청하여, 은자 이백 냥을 양주로 가는 공차 김석두를 주어 학사 죽임을 청하니, 원래 김석두는 태복과 가장 친절한지라. 유씨 태복으로 하여금 김석두에게 보내어 자기 친필로 두어 줄 글을 써 주며, 은자가 비록 사소하나 희천을 죽이면, 후에 은혜를 갚으리라 하니, 석두가 은을 받고 분명히 언약하여 '학사를 죽여주마.' 하고, 태우 데리고 가는 공차 노봉후는 위인이 정직함으로, 불의지사를 청치 못하여 이백 냥 은자를 주어 기특한 자객을 얻어 태우를 죽이라 하니, 몽숙이 임성각이란 장사를 얻어 이백 냥 은을 주어 태우를 죽여달라 하여, 이미 태우 형제 없이할 꾀를 정하였는 고로, 그 가는 날 불호지색(不好之色)을 둠이 부질없어, 화색(和色)으로 천리 원로에 무사히 득달하라 하니, 태우 형제 오열 하직 왈,

"이제 계부 삼년 전에 돌아오시지 못할 것이거늘, 소손 등이 마저 슬

하를 떠나오니 일마다 불초 등의 죄 크오며, 천리 찬출(竄黜)에 아득하
온 심회를 어대 비하리까? 다만 원하옵나니, 대모와 자정은 성체를 보
중하시어 길이 안강(安康)하심을 바라오며, 일가 문중의 직임 없는 소년
배를 돌려가며 청하여 외헌의 머물게 하소서."

위·유 이부인이 불열 왈,

"너희 찬출하매 녹봉을 얻어 쓸길 없고, 누대봉사지절(累代奉祀之節)
에 승미(升米)124)도 출처가 없거늘, 부질없이 청하여 서헌(書軒)을 지키
며, 조석 식반을 차려 공양하리오. 되지 못할 말을 아예 이르지 말라."

태우 형제 조모와 유부인 거동이 결단하여 제족(諸族)을 외당에 두지
않고, 흉참지사 많을 바를 깨달아, 한심 비절함을 이기지 못하나, 순설
(脣舌)125)이 무익하여 즉시 몸을 일으켜 사묘(祠廟)에 올라 하직할 새,
양인이 실성통읍(失性慟泣)하여 오래도록 정신을 수습치 못하다가, 날
호여126) 슬픔을 억제하여 밖에 나와, 말에 올라 집 문을 날 새, 남주 양
주 길이 다르나 옥화산을 다녀가랴 하매, 형제 한가지로 남문으로 나오
니, 일가친척과 제우붕배(諸友朋輩) 별장(別章)을 지으며, 주호(酒壺)를
이끌어 문외에 메었으니, 태우 형제 마지못하여 말에 내려 멀리 와 보냄
을 사사(謝辭)하니, 금평후와 낙양후며 하공이 각각 여서(女壻)의 손을
잡고 이별을 참연(慘然) 의의(依依)하더니127), 또 장사마 이르러 여아의
죽음과 학사의 찬적을 슬퍼하니, 학사 장공을 향하여 가로되,

"소생이 강상대죄인으로 죽음이 당연하거늘, 성주의 호생지덕으로 완

---

124) 승미(升米) : 한 되의 쌀. 되: 부피의 단위. 곡식, 가루, 액체 따위의 부피를 잴
　　　때 쓴다. 한 되는 한 말의 10분의 1, 한 홉의 열 배로 약 1.8리터에 해당한다.
125) 순설(脣舌) : '말' 또는 '여러 말 하는 것'을 비유적으로 이르는 말.
126) 날호여 : 천천히.
127) 의의(依依)하다 : 헤어지기가 서운하다.

명(頑命)이 살아 찬적함이, 소생 등의 극한 경사로되, 참황수괴(慘惶羞愧)함이 차라리 죽음만 같지 못한지라. 하면목으로 입어세(立於世)리까?"

만사 여몽(如夢)하여 세념(世念)이 사연하나, 영녀의 관을 붙들어 장함을 보지 못하고, 엄령(嚴令)[128]이 유한(有限)하여 오래 머물 길이 없어, 일마다 저버림이 많으니 어찌 부끄럽지 않으리오."

장공이 추연 왈,

"인사(人事)가 이의 미치니 현마 어찌하리오. 사빈은 이런 일에 상회치 말라."

학사 처연 사사하더라.

붕배 친척이 면면이 별정을 일러 회포를 자못 이기지 못하니, 태우 형제 순순사사(順順謝辭)하여 일찍이 돌아가기를 청하니, 제인이 태우의 결호한 기질과 학사의 빈빈한 도덕으로 괴이한 죄루에 빠져 찬출함을 슬퍼하고, 정병부 석상서 하사마 등은 동기를 원별함 같아서, 비상(悲傷)함을 이기지 못하며, 정·진·하·장 사공(四公)은 천리장정(千里長程)에 천금지구(千金之軀)를 보중하여 가라 당부함을 마지않으니, 태우 등이 사공께 기체후 안강하심을 청하고, 제친 붕우를 작별하니, 떠나는 심사와 보내는 정이 상하(上下)키 어렵더라.

태우 곤계 공차에게 청하여 외가에 가 일야를 머물러 조리하여 명일 발행함을 이르니, 공차 응순하거늘 즉시 옥화산으로 향하니 정병부와 하사마는 조부까지 따라가 밤을 한가지로 지내려 하더라.

이때 조부인이 장씨의 참사함을 듣고 통상하다가, 이자(二子)의 찬적하는 죄명을 들으매 어이없어 눈물도 나지 않고, 가변이 차악하여 태부인이 입궐하여 자기를 음분(淫奔)하다 함을 망측하여, 어린 듯이 구파를

---

128) 엄령(嚴令) : 엄하게 명령하거나 호령함. 또는 그런 명령이나 호령.

돌아보고 말을 못하더라.

　낙양후 여아를 옥화산의 보내어 존고를 위로하라 하니, 진소저 유자 (乳子)를 데리고 옥화산에 이르러 존고께 배알하니, 부인이 기뻐하나, 장씨 유태중(有胎中)에 죽음이 참담하고, 태우 형제의 원찬함을 슬퍼하되, 진씨의 탈신하여 능히 무사함을 다행하여 그 연고를 물은데, 소저 존고께는 친자모나 다르지 않으매, 윤부 가사를 기일 것이 없는 고로, 자기 주검이 되어 강정에 나왔던 바를 일일이 고하고, 지금 하씨 여차여차 화를 만나 정병부의 구함을 입어 초하동에 있음을 고하니, 조부인이 언언이 경참하여 자기 아득히 모르던 바에, 다행이 살았음을 흔열하나, 가변을 진정할 시절이 없으매 촉처(觸處)에 심붕담열(心崩膽裂)129)하더니, 태우 형제 이르러 남·양주로 감을 아뢰며 성체 안강하심을 축(祝) 하고, 구파의 슬퍼함을 민망하여 호언으로 위로할 새, 비록 장부의 철석 심장(鐵石心腸)이나 당한 바가 차마 사람의 견디지 못할 바라.

　그러나 모친께 비색을 뵈지 않아, 마음에 없는 웃음과 즐겁지 않은 화기로 모친의 비회를 진정코자 하나, 조부인이 양자를 보매, 가변을 통도 (痛悼)하여 하염없이 붙들고 오열하여 말을 이루지 못하니, 태우 형제 불승절민(不勝切憫)하여, 마음을 굳게 잡아 화성 유어로 위로하고, 눈을 들어 진소저의 서있음을 보니, 유아(乳兒)가 곁에서 자는지라. 태우 심리에 반가움을 이기지 못하여 팔을 들어 읍하고, 학사 또한 수씨를 향하여 공경 배례하니, 진소저 답례하고 나직이 찬출함을 치위하니, 봉성낭음(鳳聲朗吟)이 청아(淸雅)하고 아리따워 이목이 쇄연하니, 태우 진씨의 수출함을 대하매 더욱 정부인 생각이 일어나고, 유자의 거동을 보매 일혼 아자 생각이 나니, 일마다 심회(深懷)하더니, 문득 유아가 깨어 일어

---

129) 심붕담렬(心崩膽裂) : 마음이 무너지고 찢겨지듯 슬프고 아픔.

나 앉으매, 선풍 옥골이 늠름수려하여 용호기상(龍虎氣像)과 인봉자질(麟鳳資質)이 비록 대소 다르나, 완연이 자기로 더불어 다른 곳이 없는지라. 난 지 팔구삭(八九朔)에 영오발췌(穎悟拔萃)[130]함이 말을 거의 할 듯하니, 태우 유자를 쓰다듬어 모친과 소저를 위로코자, 가로되,

"소자 비록 남주로 찬출(竄黜)하오나 광음이 신속하니 삼년이 얼마리까? 하물며 유아가 용속치 아니하오니, 슬전(膝前)에 두시어 적료함을 위로하시고, 하수 잉태 칠 삭이니 오래지 않아 남녀 간 골육이 세상의 나오리니, 마저 데려오셔 앞에 두시고, 각각 자녀로써 위로하시어 소자 등의 삼년 이측(離側)을 대신하소서."

부인이 척연 탄 왈,

"진현부의 유자를 보니 새로이 정식부의 유자가 생각나고, 하씨의 화액을 들으매 그 참참(慘慘)하고 놀라움이 너의 원찬에 더한지라. 가변이 점점 괴이하여 너의 형제와 그 처실을 다 없애고자 함이, 선군(先君)[131]과 나의 씨를 남기지 아니랴 함이라. 아무리 헤여도 가변을 진정할 시절이 없으니, 너희 비록 삼년 후 돌아오나 성효를 완전할 길이 없을까 하노라."

태우 위로 왈,

"만사 천명이니 해아 등의 액회 괴이하여 이런 일이 있으나, 매양 이리 고초하올 것이 아니오니, 타일 가변을 진정하고 모여 즐길 기약이 없지 않으리이다."

구파 비읍 왈,

"이제 두 낭군이 분찬(奔竄)[132]하고 정·진·하 삼 소저 각산(各散)하

---

130) 영오발췌(穎悟拔萃) : 남보다 뛰어나게 영리하고 슬기로움.
131) 선군(先君) : 선친(先親). 돌아가신 아버지.

였으나, 진·하 이 소저 살았음을 옥누항에 고치 못하고, 정소저는 이칠 청춘에 사생존망을 모르오니, 태부인과 유부인의 행사(行事)가 덕을 삼가지 않으시니, 어느 세월에 가변을 진정하고 즐거이 모이리오."

태우 재삼 위로하고, 정병부 악모께 뵙기를 청하고, 하사마 왔음을 고하고, 체후를 묻자온데, 조부인이 하사마를 내외함이 친서(親壻) 질서(姪壻)를 현현이 간격(間隔)한 듯하여, 비록 사람을 보고자 아니하나 마지못하여 다 들어오기를 청하니,

정·하 양인이 들어와 조부인께 배알하고, 태우 형제의 분찬함을 치위하며, 병부도 화열한 말씀으로 위로하여 반자지례(半子之禮) 극진하니, 부인이 친서를 반기고 질서의 기이함을 영행하여, 현아의 일생이 쾌함을 깃거하나, 여러 번 변고를 슬퍼하며, 하씨의 굿기미 참참하여 화란이 심함을 이르고, 병부의 구활을 칭사하여, 천연한 덕성과 유한한 기질이 위·유의 포악 흉완키의 비컨대, 천지 현격하여 주공(周公)[133]과 관채(管蔡)[134] 같고, 태임(太姙)[135]과 달기(妲己)[136] 같으니, 하사마 처음으로 그 출세한 용화기질(容華氣質)과 비속(非俗)한 위의를 보매, 진

---

132) 분찬(奔竄) : 죄를 입고 귀양을 떠남.
133) 주공(周公) : 중국 주나라의 정치가. 문왕의 아들로 성은 희(姬). 이름은 단(旦). 형인 무왕을 도와 은나라를 멸하였고, 주나라의 기초를 튼튼히 하였다. 예악 제도(禮樂制度)를 정비하였으며, ≪주례(周禮)≫를 지었다고 알려져 있다.
134) 관채(管蔡) : 중국 주나라 문왕(文王)의 아들이자 무왕(武王)의 동생인 관숙(管叔)과 채숙(蔡淑)을 함께 이르는 말. 무왕(武王)이 죽고 형제 가운데 주공(周公)이 무왕의 어린 아들 성왕(成王)을 도와 섭정을 하자, 주공을 의심하여 반란을 일으켰다가, 관숙은 죽음을 당하고 채숙은 추방당했다.
135) 태임(太姙) : 중국 주(周)나라 문왕(文王)의 어머니. 부덕(婦德)이 높아 며느리 태사(太姒: 문왕의 비)와 함께 성녀(聖女)로 추앙된다.
136) 달기(妲己) : 중국 은나라 주왕의 비(妃). 왕의 총애를 믿어 음탕하고 포악하게 행동하였는데, 뒤에 주나라 무왕에게 살해되었다. 하걸(夏桀)의 비 매희(妹喜)와 함께 망국의 악녀로 불린다.

실로 태임(太姙)이 태교하여 문왕(文王)을 낳으시고, 맹모(孟母)137) 삼천지교(三遷之敎)138)하시어 맹자(孟子)139) 아성(亞聖)140) 되심을 깨달아, 윤태우 형제의 기특함이 그 모친 태교임을 헤아려, 자기 매제(妹弟)141)도 저 같은 존고를 모셔 학사 같은 군자로 더불어 화락함을 얻지 못하고, 위·유의 독수(毒手)를 만나 화란이 무궁함을 깊이 탄하더라.

조부인이 정병부더러 여아의 평부를 물어, 비록 향리(鄕里)142)에 갔으나 일자(一字) 서신이 없음을 슬퍼 하니, 병부 그 심회를 돕지 않으려 다만 몽롱이 대답하되.

"실인이 아직 향리에 있어 몸이 무양(無恙)하나, 본디 범에게 상한 사람이라. 스스로 인사(人事)와 정신을 차리지 못하니, 아무데도 문후하는 상서(上書) 일절 없더이다."

부인이 참연 탄식 뿐이러라.

이윽히 말씀하다가 외당으로 물러갈 새 다시 배현함을 일컬으니, 부인이 추연 왈,

"박명 인생이 기괴한 누명을 무릅써 구차히 투생(偸生)하매, 사람 보기를 원치 않되, 매양 현서의 자주 찾음을 감사하나니, 감히 누처(陋處)에 왕림키를 청하지 못할지언정, 스스로 이름을 바라지 않으리오."

---

137) 맹모(孟母) : 맹자의 어머니. 아들의 교육을 위하여 세 번이나 이사를 하고 베틀의 베를 끊어 보여 현모(賢母)의 귀감으로 불린다.
138) 삼천지교(三遷之敎) : 맹자의 어머니가 아들을 가르치기 위하여 세 번이나 이사한 일을 이르는 말.
139) 맹자(孟子) : B.C.372~289.중국 전국 시대의 사상가. 자는 자여(子輿)·자거(子車). 공자의 인(仁) 사상을 발전시켜 '성선설(性善說)'을 주장하였으며, 인의의 정치를 권하였다. 유학의 정통으로 숭앙되며, '아성(亞聖)'이라 불린다.
140) 아성(亞聖) : 유학에서 공자 다음가는 성인(聖人)이라고 하여 '맹자'를 이르는 말.
141) 매제(妹弟) : 여동생.
142) 향리(鄕里) : 향촌(鄕村). 여기서는 적소(謫所)를 말함.

병부 흠신(欠身)143) 사왈(謝曰),

"소생이 충년에 슬하 동상이 되와 악모의 자애하시는 후은을 입사오니, 우러르옵는 정성이 범연치 아니하오되, 미한 몸의 중작을 받자와 관사가 번다하고, 봉친시하(奉親侍下)에 빈객이 연속함으로 일시를 여가치 못하여, 자주 배현치 못함을 자탄(自歎)하옵거늘, 성언(聖言)이 과도하시니 도리어 수괴(羞愧)하이다."

부인이 순순 칭사하더라.

차일 조부 외헌에서 정·하 이인이 태우 형제와 제(諸) 조로 더불어 밤을 지내고, 명조(明朝)에 정·하 이인이 태우 등으로 이별할새, 피차 이정(離情)이 의의(依依)하여 상연(傷然) 타루(墮淚)하고 차마 떠나지 못하니, 정·하 양인이 조참이 늦음을 염려하여 급히 궐정으로 들어가고, 태우 형제 모전에 하직을 고할 새, 부인이 가는 심사를 흐트러지게 않으려 천만 비회를 강인(强忍)하나, 촌장이 스스로 사위어144), 하염없이 눈물이 방방하고, 목이 메어 말을 이루지 못하더라.

태우 등이 통상한 회포를 억제치 못하여 좌우로 모친을 붙들고 간절히 청왈,

"해아(孩兒) 등이 비록 남·양 이 주에 분찬하오나, 나이 젊고 기운이 장성하여 위험지지(危險之地)에 들어도 몸이 상할까 염려 없사오니, 삼년이측(三年離側)의 불효를 생각하매 아득하오나, 광음이 훌훌하니 얼마나 오래리까? 바라건대 불초 등을 거리끼지 마시고, 성후를 안보하시어 대단한 질환이나 이루지 않으시면, 해아 등이 천리 밖에 있을지라도 영행함을 이기지 못하리니, 자위는 소자 등의 마음을 편케 하고자 하시거

---

143) 흠신(欠身) : 공경하는 뜻을 나타내기 위하여 몸을 굽힘.
144) 사위다 : 불이 사그라져서 재가 되다.

든, 만사를 파탁(把度)145)하시어 아무 일이라도 심회를 요동치 마소서."

부인이 읍왈(泣曰),

"내 아해 등은 이곳에 편히 있는 어미를 염려 말고, 너희 몸을 여린 옥같이 조심하여 각각 적소에 편히 지내는 기별을 들을진대, 내 마음을 진정할까 하나니, 천만가지 누얼과 일만 원통에 흉장이 터질듯 할지라도, 어미를 위한 정성이 있거든, 슬픔을 물리쳐 좋은 듯이 일월을 보내다가, 삼년 후 환쇄(還刷)하여 모자 산 얼굴로 반김을 원하노라."

양인이 수명(受命) 대왈,

"소자 등은 비록 남이 죽이려 하여도 천방백계(千方百計)로 도모하여 목숨을 보전하오리니 자정은 해아 등을 염려 마시고 성체를 안보하소서."

인하여 태우 진소저를 향하여 이르되,

"생의 형제 남·양 이주로 분찬하고 경사에 있는 이가 하수(嫂)와 자(子)146)뿐이라. 옥누항에 생존하였음을 고치 못하였으니 대모 찾으실 일이 없는지라. 자는 모름지기 취운산에 돌아갈 의사를 말고, 태태 좌우에 모셔 울울하신 심사를 위로하여 자부의 도리를 폐치 않으면, 생의 마음이 일분이나 믿는 곳이 있어, 한 사람이나 자위께 시봉을 대함을 생각하매 마음이 기쁘리로소이다."

진소저 나직이 대왈,

"첩수불민(妾雖不敏)이나 존고께 시봉함은 군자의 당부를 기다리지 않으리니, 군자는 천리 원로에 무사히 득달하소서."

태우 진소저를 권련(眷戀)하는 정이 여천지무궁(如天地無窮)하되, 처

---

145) 파탁(把度) : 헤아림. 헤아려 앎.
146) 자(子) : 그대. 듣는 이가 아내나 아랫사람인 경우, 그 사람을 높여 이르는 이인칭 대명사.

실에게 염려 미치지 못하니, 다만 유자를 어루만져 모친께 고 왈,

"이 아이의 모자를 운산에 보내지 마시고, 이곳에 머물게 하사, 방자히 친정에 가 엄연(奄然)이 자정께 시봉함을 잊어, 소자의 금일 당부를 저버리지 말게 하소서."

부인이 탄 왈,

"진현부는 돌아가라 일러도, 저의 정성이 나를 떠나고자 아니하여, 친정 번화를 버리고 나로 더불어 고초를 감심코자 하니, 너는 부질없이 당부치 말라."

인하여, 모자 숙질이 일장 비회를 베풀어 이별하고, 조공 등이 나가매, 구파 나와 양인을 붙들고 차마 떠나지 못하여 오읍(嗚泣)함을 마지 아니하니, 날이 반오나 되도록 행거를 떨쳐나서지 못하니, 종자(從者) 절민하는지라.

태우 형제 슬픈 정을 억제하여 모친과 구파에게 배례 하직하고, 숙모 등을 향하여 절하기를 마치매, 걸음을 돌려 밖으로 나가고자 하다가, 다시 들어와 모친께 안강하심을 청하니, 부인이 겨우 대답하여,

"원로행역(遠路行役)에 무사히 가라."

하거늘, 진씨의 유자가 태우의 옷자락을 붙들어 밖으로 나가고자 하는지라. 유아의 아비를 귀중함이 자모에 더하여 아무런 줄 모르는 가운데, 천륜의 정이 기특하여 스스로 따름이 있으니, 그 아비로 하여금 황홀한 정이 비할 곳이 없을 바로되, 태우 이친하는 회포 차아하여, 이연(怡然)이147) 물리쳐 어미에게로 가라하고 따라오지 못하게 하니, 유아가 크게 울거늘, 부인이 태우더러 아해를 달래라 하나, 호화한 때에 즐거움을 도와 가차함과 달라, 부인의 보내는 마음과 태우 형제의 가는 정

147) 이연(怡然)이 : 기쁜 낯빛으로.

이 상하(上下)치 못하여, 심장이 녹음을 깨닫지 못하니, 차시 경색이 참
담하여 일좌(一座)에 비풍(悲風)이 일어나고 세우(細雨) 뿌리는지라. 아
해를 달래어 모친 곁에 앉히고 겨우 몸을 돌이켜 나오기에 당하여는, 안
수(眼水) 여우(如雨)하여 옷 앞을 적시는지라.

조공 등과 제 소년이 참연비열(慘然悲咽)하여 원로에 무사히 득달함
을 당부하고, 태우와 학사 형제 분수하는 정을 또 어디에 비할 곳이 있
으리오.

태우는 학사의 무양함을 당부하고, 학사는 태우의 보중함을 일컬어,
손을 잡고 팔을 어루만져 체읍 왈,

"아등 삼남매 세상에 나 엄안(嚴顔)을 알지 못하고, 삼인이 서로 의지
하여 외로우신 자당과 존당을 받들어 길이 세월을 보낼까 하더니, 불행
하여 가변이 충출하여 먼저 저저의 거처를 알지 못하여 맺힌 슬픔이 되
거늘, 이제 아등이 망극한 누설(陋說)을 실어 남·양 이주에 분찬(分竄)
하니, 비록 삼년기한이 멀지않으나 심장이 끊어짐을 면하랴. 그러나 우
형은 신상에 드러난 질양이 없고 근력이 현제같이 연약치 않으니, 아무
위험지지에 가도 병날까 근심되지 않고, 아무리 어려운 일이 있어도 성
명이 위태할 염려 없으리니, 자연한 가운데 보전지책(保全之策)이 있으
려니와, 현제의 청수(淸秀)한 기질과 적상(積傷)한 병이 실로 수(壽)를
누릴까 미더운 마음이 적은지라. 하물며 장처가 극중하거늘 조리도 못
하고 먼 길을 당하여, 마상(馬上)에 행하매 병이 더칠[148] 것이요, 적소
로 향하여 피차에 소식도 통할 길이 없으니, 이 마음을 비할 곳이 있으
리오."

학사 형의 낯을 대고 오열 왈,

---

148) 더치다 : 덧나다. 병이나 상처 따위를 잘못 다루어 상태가 더 나빠지다.

"태평성대에 아등이 혼자 난리(亂離)를 만나, 형제 일시에 집을 떠나매 봉사봉친(奉祀奉親)을 염려할 이 없는지라. 불초 무상한 죄를 헤건대 천사무석(千死無惜)이니, 어찌 살고자 의사 있으리까마는, 자정의 지극히 보전하고자 하심과 형장의 이같이 염려하심을 생각건대, 스스로 보호함을 옥같이 할 것이요, 하물며 성명이 위태함을 모르지 않나니, 형장은 소제를 염려치 마시고 천리 원로에 무사히 득달하소서."

태우 아우의 손을 차마 놓지 못하여 말에 오름을 깨닫지 못하니, 제(諸) 조[149]가 차마 보지 못하여 일색이 늦음을 일러 각각 말에 올리고, 공차와 종자가 남·양 이 주로 각각 길을 나뉠 새, 형제 양인이 한번 말을 채치는[150] 바에 두 번 돌아봄을 면치 못하니, 무궁한 정을 금치 못하더니, 각각 일 리(里)[151]를 행치 못하여서, 벌써 산이 가리고 길이 내도하여, 서로 그림자도 얻어 보지 못하니, 양인의 참절한 비회를 비할 곳이 없더라.

차시 하소저 초하동에 있어 진부인의 구호함과, 남후의 신기한 의술이 사병(死病)을 살 곳에 이르게 하며, 아주 병폐지인(病癈之人)[152]이 되는 유(類)을 완인(完人)이 되게 하는 고로, 하씨 조병(調病) 월여에 면모와 일신의 상한 곳이 거의 완호(完護)[153]하여 기운을 안정(安靜)하고, 거울을 들어 얼굴을 비추매 철편의 맞은 자국이 허물진[154] 곳이 없음을

---

149) 조 : 조씨 일족.
150) 채치다 : 채찍 따위로 휘둘러 세게 치다.
151) 리(里) : 거리의 단위. 1리는 약 0.393km에 해당한다.
152) 병폐지인(病癈之人) : 병으로 인하여 몸을 제대로 쓰지 못하게 된 사람.
153) 완호(完護) : 병을 잘 치료함. 또는 병이 다 나음.
154) 허물지다 : 흠지다. 흠집이 생기다. 흉터가 생기다.

다행하나, 칼에 찔린 가슴과 철편에 여러 번 맞은 곳에 약간 허물이 있으니, 하씨 추연 탄식하고 학사의 형제 몸인즉 더욱 차악할 바를 헤아려, 학사의 사생을 근심하여 일시 방하(放下)[155]치 못하더니, 남후 형제와 진부인이 윤태우 등의 찬적(竄謫)함을 이르지 않음은, 그 마음을 경동치 않으려 함이더라.

하씨 일부일(日復日)[156] 차성(差成)하여 소세(梳洗)하고 일어나 다님을 평상이 하니, 금후 부부와 남후 형제며 초후 등의 환열함이 비할 곳이 없고, 유씨를 절치통한(切齒痛恨)하니, 하씨 거거(哥哥)의 성정이 질악(嫉惡)을 여수(如讐)하여 암밀부정지인(暗密不正之人)을 용납지 않음이 태과함을 민망하여 하더니, 일일은 남후와 초후 파조 후 자기를 보러 올 때를 타, 가로되,

"소매 죽기를 면하였으니 매양 이곳에 있을 것이 아니니, 구가에 살았음을 고하고 돌아가고자 하나이다."

초후 비로소 윤부 변고를 자세히 일러, 장씨 죽고 태우 등이 벌써 남·양주에 분찬하였음을 이르고, 왈,

"사원 등이 옥누항에 있지 않고, 흉인(凶人)이 자부를 다 해하여 악독함이 극진하니, 이때에 현매의 살았음을 알진대, 아주 죽일 계교를 낼 것이니, 서어(齟齬)한 의사를 내지 말고, 아직 취운산에 가 있다가 옥화산 조부에 가 존고를 시봉하라."

하씨 청파에 불승차악하나, 태우 등이 비록 찬적이라도 가중(家中)을 떠남이 사지를 벗어난 듯 시원히 여기되, 그 출천대효(出天大孝)로써 강상대죄인(綱常大罪人)이 되었음을 각골통원하고, 장씨의 참사(慘死)함

---

155) 방하(放下) : 방심(放心). 마음을 다잡지 아니하고 풀어 놓아 버림.
156) 일부일(日復日) : 하루하루가 계속 반복된다는 뜻으로, '날마다'를 이르는 말.

을 애상(哀傷)하여 실성오읍(失性嗚泣)함을 마지않으니, 이휘(二侯) 위로 왈,

"장부인 참사는 인심에 차악함을 이기지 못하나, 사이이의(事而已矣)[157]니 슬퍼함이 무익하고, 현매 역시 사경을 겨우 면하여 심기 허약하거늘, 과도히 비척하여 약질이 병을 이루리오."

정언간에 정학사 들어와 소저의 슬퍼하는 연고를 듣고, 이에 소왈,

"장부인 참사는 인심에 뉘 아니 놀라리오마는, 소제 장부인 죽던 날 옥누항에 갔다가, 우두나찰(牛頭羅刹)[158] 같은 흉한 부인의 망측한 거동을 보니, 그 형용을 아무리 생각하여도 시험(猜險)코 가소롭더이다."

인하여 위태의 울고 나와 하던 말을 이르니, 초·남 이후 기괴하여 잠소하고, 소저는 오열 왈,

"윤부 변고는 듣지 않으나 알거니와, 다만 장씨 나이 이칠(二七)이 넘지 못하고 참혹히 마치니, 이 참지 못할 슬픔이라. 내 절로 더불어 동렬(同列)의 정과 지기(知己)의 친함이 골육에 감치 않더니, 이제 제 먼저 죽을 줄 어이 알리오."

정·하 이후 재삼 위로하고 취운산으로 돌아가기를 정하여, 수일 후 유흥 공자도 진부인을 모셔 임호로써 오는 체하여 부중으로 돌아가시게 하고, 하소저는 정부 산정 별춘정으로 내려올 새, 이 곳은 정·진·하 삼부 곁이라.

일좌(一座) 가사(家舍) 있어 노복으로 지키었으되, 유벽심수(幽僻深邃)하여 피세(避世)하는 은사(隱士)의 가사요, 후백 명공의 택상(宅上)이 아닐러라. 금후 부친 소사공이 유벽한 곳을 구하여 지었으되, 구태여 거

---

157) 사이이의(事而已矣) : 일이 이미 끝나버렸음.
158) 우두나찰(牛頭羅刹) : 쇠머리 모양을 한 악한 귀신.

처한 바는 없고 다만 화류를 구경하는 바이러니, 이 공자 하씨를 데려다가 머물게 하되, 내정(內庭) 깊은 당사(堂舍)를 가려 아무도 모르게 하고, 초벽 등 서너 시녀가 소저를 지켜 그 비황한 심사를 위로하며, 하부로 협문을 두어 조부인이 왕래하게 하니, 하소저 별춘정으로 바로 왔음으로 뵈옵지 못하였더니, 하공과 조부인이 협문으로 좇아 이르러 여아를 보고, 얼굴이 예 같음을 만분(萬分) 다행(多幸)하여, 거지(擧止) 여상(如常)하고 태후(胎候) 안온함을 더욱 기특히 여겨, 즐김이 측량없으나, 윤학사의 찬출과 윤부 변고를 일러, 소저의 신세 자닝함을 크게 슬퍼, 부부 여아를 어루만져, 탄성 체읍 왈,

"우리 상척(喪戚)에 상한 심사로써, 너의 액화를 들으매 그 참절함을 어찌 참으리오마는, 금후의 말로 좇아 너의 명액(命厄)이 오히려 끝나지 않았음을 들으니, 영행함이 그 밖에 나지 않을지라. 정창백이 너를 두 번 사지의 구하여 살린 은혜 분골쇄신하나 다 갚기 어려운지라. 오아(吾兒)는 금후 부부의 천지 같은 은덕과 병부의 대은을 잊지 말라."

소제 척연 대왈,

"소녀의 액회 괴이하여 세상에 있지 않은 변고를 지내오니, 만일 남후 거거 곧 아니면 지하인(地下人)이 되었사오리니, 그 은혜를 능히 갚을 길이 없사온지라. 당당이 결초(結草)159)를 기약하리로소이다."

부부 모녀 가득이 그 은혜를 감격하여, 뼈를 마으며160) 살을 헐어도 아낄 뜻이 없고, 조부인은 가사를 살피는 일이 없으매 이곳에서 밤을 지내고, 초·평 양 후는 이목이 번거치 않은 때에 별춘정에 이르러 하씨를

---

159) 결초(結草) : 결초보은(結草報恩). 죽은 뒤에라도 은혜를 잊지 않고 갚음을 이르는 말.
160) 마으다 : 갈다. 부수다.

보며, 원상 공자 등과 필흥은 숙식을 춘정에서 하는 때 많더라.

진부인이 부중에 돌아와 존고께 배알하고, 합가(閤家) 다 임호에 갔던 줄로 하니, 문양공주 전혀 의심치 않고, 비록 윤·양의 거처를 모르며, 현기 등을 실리함이, 순태부인과 금후 부부의 침좌간(寢坐間) 잊지 못할 근심이나, 남후 형제 오인(五人)과 아주 소저가 슬하에 모시매, 각각 화기 춘양(春陽) 같아서 승안열친(承顔悅親)하는 행사 금평후로부터 그 자녀에 어린이와 자란 이 없이 다 효우(孝友) 출인(出人)하니, 존당과 금후 부부가 장리보옥(掌裏寶玉)으로 알아, 황홀 탐애함을 이기지 못하더라.

태부인이 하씨 차성하여 완전여구(完全如舊)함을 듣고, 행희하여 일야는 별춘정에 가 하씨를 데려와 보매, 반가오미 넘쳐 상연(傷然) 수루(垂淚) 왈,

"너와 혜주 다 동년이라. 너는 의로 맺어 조손지정(祖孫之情)을 이으니, 너희 다 초년이 험난하여 혜주는 장사(長沙)에 찬적하고, 너는 괴이한 사변을 지내고 요행 천흥의 구함으로 살아남이 되었으나, 머리를 움쳐[161] 피세지인(避世之人)이 되고, 윤낭 형제는 남·양 이주에 분찬하여 죄가 강상(綱常)을 범(犯)하니, 천지간에 이 같은 원통이 어디에 있으리오. 연이나 네 몸이 보전하여 천향아질(天香雅質)이 여구(如舊)함을 보니 다행한 중, 새로이 혜주의 선연(鮮妍)한 광휘가 안저(眼底)에 삼삼하여 슬픔을 억제키 어려운지라. 지란 같은 약질이 이제까지 명맥이 이었는가. 참연한 염려를 어느 날에 잊으리오."

하소저 슬픔을 강인하고 태부인을 위로하고, 이·양으로 더불어 진부인 앞에서 종용이 말씀하더니, 계명을 듣고 급히 춘정으로 돌아가니, 진부인이 그 신세를 자닝히 여겨 이따금 이·양 이부로 더불어 춘정의 다

---

161) 움치다 : 움츠리다. 몸이나 몸의 일부를 몹시 오그리어 작아지게 하다.

녀오더라.

금평후 경참정에게 식부 보냄을 청하니, 경공이 즐겨 않아 매양 칭탁하더니, 태부인이 바삐 경씨를 보고자하여, 금후더러 이르대,

"경시를 바삐 데려오라."

하니, 금후 경공을 가서 보고, 식부 보냄을 청하니, 경공이 막자를 말이 없어 택일하여 신부지례(新婦之禮)를 행할 바를 이른대, 금후 깃거 돌아왔더니, 이미 사오일이 지난 후 경공이 먼저 여아 보냄을 통하였는지라. 중당(中堂)에 잔치를 배설하고 일가친척을 모으고, 공주를 청하여 왈,

"천흥이 전일 운남을 정벌하고 올 때 취한 바 경씨는 명문 여자라. 내 집이 주처(住處) 어지럽다 하여 바린즉, 비상지원(飛霜之怨)162)이 있을 뿐 아니라, 황상이 경씨 취함이 귀주(貴主) 하가전(下嫁前)이라 하시어, 구태여 죄 줌이 없으시니, 귀주 상두(上頭)에 거(居)하여 여염여자(閻閭女子)를 아름다이 인도하시고, 천흥의 내사(內事)를 빛내어, 황영(皇英)163)의 고사(故事)를 효칙하심이 마땅하니, 금일 경씨의 배현하는 날이라. 귀주 한가지로 연차(宴遮)에 참예하심을 청하나이다."

공주 청파의 비록 분에(憤恚)한 마음이 가득하나 사색(辭色)치 못하더라.

---

162) 비상지원(飛霜之寃) : '하늘에서 서리가 내리는 원통함'이라는 뜻으로 '일부함원오월비상(一婦含怨五月飛霜 : 한 여자가 원한을 품으면 오월에도 서리가 내린다)'는 말에서 온 말.

163) 황영(皇英) : 중국 순(舜)임금의 두 왕비이자 요(堯)임금의 두 딸인 아황(娥皇)과 여영(女英)을 함께 이르는 말.

명주보월빙 권지오십삼

차설 공주 청파에 비록 분에(憤恚)한 마음이 가득하나 사색치 못하고, 피석(避席) 부복(仆伏)하여 듣기를 다하매, 일어나 재배 사왈(謝曰),

"첩이 심궁(深宮)에 있어 세사를 모르옵고 자라와, 한 일도 일컬음 직지 아니하옵거늘, 군자의 중궤를 대하고, 윤·양·이 삼부인의 성덕 광휘를 칭복하와, 길이 백년을 안항의 즐거움을 얻을까 하였사옵더니, 조물(造物)이 다시(多猜)하여, 윤·양·이 삼부인이 원억한 죄루를 실어 각각 친당의 돌아가시나, 첩이 기시(其時)에 병이 중하와 구치 못하오니, 생각할수록 참연함을 이기지 못할 뿐 아니라, 군자의 내사를 찰임(察任)할 이 없어 하옵더니, 경부인이 군자의 제사부실임을 듣자오매, 존부의 이르게 하여 한가지로 존당 구고를 받드오며, 군자의 내사를 도와 안항(雁行)이 적막치 말기를 바라오대, 군자의 존의(尊意)를 모르고 첩이 먼저 청함이 당돌하와, 구고의 처결하심을 기다리옵더니, 금일 경부인의 배현함을 듣자오니, 불승희행(不勝喜幸)하온지라. 어찌 경부인 위에 거할 뜻이 있으리까?"

공이 미소 왈,

"경시 비록 먼저 취한 바나, 인신지례(人臣之禮) 어찌 귀주와 선후를 의논하리오. 귀주는 이런 말씀을 마시고 화우(和友)하여 규문(閨門)이 화평케 하소서."

공주, 공의 말씀을 들을 적마다 노분(怒憤)이 깊으나, 다만 빛난 말씀으로 유순(柔順)함을 지으니, 좌객이 칭찬하여 성녀숙완(聖女淑婉)이라 하더라.

날이 늦으매 경소저 신행(新行)164)하는 위의(威儀) 부문의 이르니, 화장채녀(化粧彩女) 쌍쌍하여 전차후응(前遮後應)하여 부성(富盛)한 위의, 진정(眞正)165) 후백(侯伯)의 신부 보는 예와, 재상지녀(宰相之女)의 현구고(見舅姑)166) 하는 날임을 알리러라.

경씨의 덩167)이 내정(內庭)에 이르니 태부인이 남후로 덩문을 열나 한데, 남후 복수(伏首) 대왈,

"소손이 저를 취한지 오랜지라. 배현(拜見)이 처음이오나, 소손이 신랑이 아니라, 어찌 덩문을 열리까?"

금후 왈,

"자위 너로 하여금 덩문을 열게 하고자 하시니 네 사양할 일이 아니니, 잠깐 열미 무엇이 해로와 존명을 역하느뇨?"

남후 황공하여 친히 덩문을 열고 좌의 드니, 존당 부모 경소저의 신부지례(新婦之禮)를 당하매, 더욱 윤·양을 생각고 참연한 심회를 이기지 못하더라.

경·정 양가 양낭(養娘)이 소저를 붙들어 막차(幕次)168)에 쉬어 단장

---

164) 신행(新行) : 혼행(婚行). 혼인할 때에, 신랑이 신부 집으로 가거나 신부가 신랑 집으로 감.
165) 진정(眞正) : 진실로. 참으로, 진짜로.
166) 현구고(見舅姑) : 신부가 예물을 가지고 처음으로 시부모를 뵙는 일.
167) 덩 : 공주나 옹주가 타던 가마.
168) 막차(幕次) : 의식이나 거둥 때에 임시로 장막을 쳐서, 왕이나 고관들이 잠깐 머무르게 하던 곳.

을 고치고 폐백을 받들어 존당 구고(舅姑)께 헌(獻)하고 팔배대례(八拜
大禮)169)를 행할 새, 멀리서 바라보매 명월(明月)이 청공(靑空)에 빛나
는 듯, 녹파향련(綠波香蓮)이 추수(秋水)에 잠겼으며, 팔채유미(八彩柳
眉)170)는 산천정기를 거두었고, 천지의 화평한 기운을 품수(稟受)하여,
아리따운 거동과 유한한 체지(體肢)는 이미 숙녀의 성덕이 외모의 나타
나니, 육척향신(六尺香身)의 일척나요(一尺羅腰)171)와 비봉양익(飛鳳兩
翼)172)의 채운(彩雲) 같은 녹발(綠髮)이며, 성적(成赤)173) 운빈(雲鬢)이
만고무비(萬古無比)하여 천향국색(天香國色)이 당대의 제일이요, 단엄
정숙한 거동이 임하사군자(林下士君子)의 풍이 있는지라. 존당 구고 환
열 과망(過望)하여, 태부인이 나오게 하여 운환(雲鬟)을 어루만지며 옥
수(玉手)를 잡아, 애련(愛憐) 왈,

"신부 내집 사람이 된지 여러 세월이로되, 우리 알기를 늦게야 하여
금일이야 서로 보니, 두굿거운 정은 이르도 말고, 현부의 용화기질이 소
망에 과의(過矣)라. 손아(孫兒)의 처궁이 유복하여 취하는 바 하나도 용
이치 않으니 어찌 기쁘지 않으리오."

금후 모전에 고 왈,

"신부의 비상함은 천아의 외람한 처실(妻室)이라. 어찌 아름답지 않으

---

169) 팔배대례(八拜大禮) : 혼례(婚禮)에서 신부가 신랑의 부모께 처음 뵙는 예(禮)
인 현구고례(見舅姑禮)를 행할 때 여덟 번 큰절을 올렸다.
170) 팔채유미(八彩柳眉) : 눈의 광채와 버들개지 모양의 아름다운 눈썹. 본래 '팔채
(八彩)'는 팔(八)자 모양의 화장한 눈썹 뜻하는 말인데, '눈의 광채'를 나타내는
말로도 많이 쓰인다.
171) 일척나요(一尺羅腰) : 아름다운 비단을 두른 한 자쯤 되는 가는 허리.
172) 비봉양익(飛鳳兩翼) : 나는 봉황새의 두 날개. 여기서는 봉황의 날개처럼 날렵
한 두 어깨를 말함.
173) 성적(成赤) : 신부의 얼굴에 분을 바르고 연지를 찍는 일. *성적(成赤)하다; 화
장하다.

리까? 윤·양 등의 실산이 참절하오나, 그 상모와 위인이 마침내 수복을 누릴 것이요, 신부의 기특함이 윤·양으로 대두할 숙녀라. 천아의 처궁이 박(薄)지 않다 하리로소이다."

인하여, 신부를 나아오라 하여, 왈,

"현부는 고문대가의 천금농주(千金弄珠)라. 이제 우리 슬하에 돌아오니 기쁨을 어찌 다 이르리오. 문양공주 좌의 계시니, 인신지례(人臣之禮) 황녀로 더불어 전후 차례를 의논할 바 아니니, 처음보는 예를 폐치 말고, 공주의 성덕이 족히 동렬(同列)을 화우하실지라. 모름지기 적인(敵人) 두자를 잊고 화우함을 힘쓸지어다."

신부 배이수명(拜而受命)하고 공주를 향하여 배례한데, 공주 겸손하는 덕을 자랑코자 하여 답례하고, 신부로 더불어 가까이 좌를 이뤄 불평한 사색을 나타내지 않으나, 경소저의 옥태월광(玉態月光)이 당금(當今)에 희한하니, 자기에게 삼긴 적인은 하나도 용상한 이 없음을 절절이 통완하여, 미움이 고대 삼킬 듯, 가슴에 잔나비 뛰놀고, 양안이 뒤룩여 웃는 듯, 찡기는 듯, 마음을 잡지 못하니, 태부인이 그 기색을 알아보고, 짐짓 공주의 어진 덕을 좌중의 자랑하니, 좌객이 신부의 특이함을 만구칭선(萬口稱善)하여 남후의 처궁이 유복함을 하례하더니, 태부인이 공주 칭찬함을 좇아 또 공주의 성심을 일컬어, 금지옥엽(金枝玉葉)이 상례(常例)174) 여름175)이 아니라 하니, 공주 잠깐 마음을 펴 종일토록 구고를 모셨더니, 황혼에 제객이 각산(各散)하고, 공주 궁으로 돌아간 후, 경소저 숙소를 선화정의 정하여 보내고, 금후 병부를 경계 왈,

"금일 신부를 데려오매 사좌(四座)에 친한 이 없어 오직 면목이 익은

---

174) 상례(常例) : 일상에서 흔히 볼 수 있는. 또는 그런 것.
175) 여름 : 열매. 과실.

이는 너 뿐이라. 모름지기 선화정에 나아가 처음으로 서어(齟齬)한 곳의 이르렀음을 위로하고, 가제(家齊)를 이제나 잘하여 경씨로 하여금 굿기는 일이 없게 하라. 또 공주를 공경중대하여 성은의 융성하심을 저버리지 말라."

남후 배사 수명하고, 존당 부모의 취침하심을 보고 물러 죽서당에 나오니, 초후 예부로 더불어 담화하다가 남후를 보고, 이에 웃으며 왈,

"어찌 화촉향방의 신랑 소임을 않고 이리 왔느뇨?"

남후 미소왈,

"신랑소임을 면한 지 벌써 여러 일월이라. 금일이 하일(何日)이관데 신랑이 되리오."

초후 소왈,

"성례한지는 여러해나, 경수 신부지례를 금일이야 행하였으니, 형이 신랑 되기를 어찌 면하리오. 모름지기 신방을 비우지 말라."

남후 양안을 들어 초후를 오래 보다가, 소왈,

"어린 신랑이 아니며 자의 나의 노형(老兄)이 아니라, 신방의 들어가기를 형의 명대로 할 바 아니니, 어찌 지휘하기를 수고로이 하느뇨?"

초후 소왈,

"형이 나의 지휘 곳 아니면 신방 출입을 알지 못하리니, 일이 불가함을 알되 마지못하여 신방에 들어감을 일렀노라."

병부 완이(莞爾)[176]히 웃으며, 침금(寢衾)에 기대 제제와 초후로 더불어 담화하여 선화정에 갈 의사 없으니, 예부 왈,

"임의 야심하고 대인이 선화정을 비우지 말라 하여계시거늘, 어찌 이곳에서 숙침코자 하시나니까?"

---

176) 완이(莞爾) : 빙그레 웃는 모양.

병부 홀연 탄왈,

"현제 우형의 마음을 모르냐? 내 실로 무심함이 근래 여관(女款)이 꿈같아서, 평일 호탕이 즐기던 바 괴이할 뿐 아니라, 배항(配行)이 운건(運蹇)[177]함이 처음 취한 바 삼처는 이이절혼(離異絶婚)하여 윤·양의 거처생존이 유명(幽明)이 격(隔)함 같고, 네 자식을 실리(失離)하여 그 살았음을 알 길이 없으니, 봉친지하(奉親之下)에 자녀를 위하여 구구히 우려하는 사색을 나토지[178] 못하나, 내 또 일단 인심이라, 참연한 뜻이 없으리오. 이제 경씨 돌아옴을 당하니, 처음에 불고이취 한 바를 깨닫지 못하고, 스스로 청하여 취한 바라. 금차지시(今此之時)하여 아주 버리기는 가치 않으나, 오직 부모의 처결하심을 좇을 뿐이요, 사사 의견이 없거니와, 경씨는 우형의 가실(家室)이니 또 얼마 하여 윤·양의 화(禍)를 만나리오. 마침내 굿김을[179] 면치 못하리니, 의사 이에 미치매 더욱 나의 불찰한 허물을 애달아하나니, 대장부 한 여자를 제어치 못하고, 가내에 변괴를 일으켜 처자를 보전치 못함이 가히 우습고 부끄럽지 아니랴? 우형의 자녀 사아(四兒)의 사생을 근심하기에 다다르는 촌장이 다 이울었나니[180], 혹자 타일 자녀를 산 낯으로 상봉함이 있으면 오히려 한이 풀리려니와, 그렇지 못하여, 나의 자녀 중 하나라도 죽음이 있으면, 칼을 어루만져 원수를 갚으려 하노라."

예부 형장의 말씀이 문양 공주를 통한함인 줄 알고 위로 왈,

"윤·양 이수와 네 낫 질아의 사생을 모름이 비록 통절하나, 시운이 부제(不齊)한 연고요, 구태여 사람을 탓할 바 아니라. 양수(兩嫂)와 질

---

177) 운건(運蹇) : 운수가 막힘.
178) 나토다 : '나타내다'의 옛말.
179) 굿기다 : 고생하다. 궂은일을 당하다. 죽다.
180) 이울다. ①꽃이나 잎이 시들다. ②점점 쇠약하여지다. ③빛이 스러지다.

아 등이 하나토 조요박복지상(早夭薄福之相)181)이 아니니, 결단하여 아무 곳에나 보전하였을지라. 형장은 부질없는 염려를 마시고, 친히 듣고 보지 않은 일로써 사람을 의심치 마소서."

남후 탄 왈,

"친히 보지 않고 듣지 않으나 간인(奸人)의 악사를 모르리오. 우형이 능히 발각치 못함은 위로 성주의 대은을 각골할 뿐 아니라, 간인(奸人)이 자패(自敗)하는 양을 보고자 하되, 이런 일은 쉽지 못하고, 나의 처자는 남지 못하게 되었으니, 어찌 통원치 않으리오."

예부 재삼 위로하여 선화정으로 가심을 청하고, 초후 심곡의 회포를 펴 왈,

"유부인을 절치 분완하되 그 딸을 출거(黜去)치 못하노라."

하니, 남후 왈,

"형과 제 등이 이름은 비록 남이지만 실은 동기(同氣)라. 무슨 말을 내외하리오. 유부인의 불현(不賢)함이 아니 미친 곳이 없으나, 자의 부인은 여중군자(女中君子)시라. 유부인이 대역부도(大逆不道) 아니니, 형이 그 연좌를 윤 수(嫂)에게 씀이 불가하고, 하물며 윤추밀의 신의현심(信義賢心)은 사람의 탄복할 바라. 또 형의 집에 은혜 크니, 유부인의 극악을 아는 체 말고, 윤추밀의 대의와 윤 수(嫂)의 현숙하심을 헤아려, 부부 윤의를 폐치 않음이 옳고, 유부인의 사나움을 혐의하여, 윤 수를 박대함은 박행패덕(薄行悖德)과 배은망의(背恩亡義)함이니, 다른 일은 이르지 말고, 만고에 없는 악행이 있어도, 형이 윤추밀 부녀를 범연한 빙악(聘岳) 처실(妻室)로 알지 못하리라."

초후, 병부의 긴 말을 들으매, 윤씨 벽난으로 더불어 집을 떠나 김가

---

181) 조요박복지상(早夭薄福之相) : 젊은 나이로 일찍 죽을 만큼 복이 없는 관상(觀相).

에 욕을 면한 줄 깨달아, 일마다 유씨를 통완하고 윤씨의 명철함을 탄복하나 사색치 않고, 날호여 왈,

"유부인의 일은 들을수록 사람의 할 바 아니요, 요행 윤씨 그 모(母)의 불인(不人)을 담지 않아, 일분 추밀의 어짊을 품수(稟受)하였으나, 어찌 형의 과장(誇張)함을 당하리오. 연(然)이나 거의 암밀부정(暗密不正)키는 면하였으되, 마침내 영오(穎悟)치 못하여 소매(小妹)의 참화를 구(救)치 못하니, 어찌 분해(憤駭)치 않으리오."

남후 소왈,

"형이 이런 말을 다 책망함은 더욱 불가한지라. 총명함이 윤사원의 오를 자가 없으되, 일택(一宅)에서 그 숙모의 간교(奸巧) 대악(大惡)을 알면서도 그 매(妹)의 화(禍)를 구하지 못할 뿐 아니라, 그 가간(家間)의 참화(慘禍)를 면치 못함이랴? 형이 어찌 생각지 못하느뇨?"

초후 웃고 왈,

"이러나 저러나 형은 신방으로 가라."

야심 후, 흩어져 숙소로 돌아가니, 남후 또한 선화정에 이르매, 경소저 긴단장(丹粧)182)을 벗고 단의홍군(單衣紅裙)으로 좌를 이뤘다가, 남후를 보고 천연이 일어나 맞으니, 남후 좌를 정하고 눈을 들어보니 윤염자약(潤艶自若)하던 기부(肌膚) 잠깐 수패(瘦敗)하여 옥모빙골(玉貌氷骨)이 어롱지고183) 팔자아황(八字蛾黃)184)에 수색(愁色)이 은은하니, 아리따운 태도 더욱 절승한지라. 남후 지극하던 은애로 누월 상리(相離)

---

182) 긴단장(丹粧) : 온갖 단장. 특히 혼인 때 신부의 머리에 족두리나 화관을 씌워 단장하는 일을 이른다.

183) 어롱지다 : 어롱어롱한 점이나 무늬가 생기다. 얼룩지다.

184) 팔자아황(八字蛾黃) : 눈썹을 그리고 분을 바른 얼굴. 팔자(八字)와 아황(蛾黃)은 각각 눈썹과 얼굴에 바르는 분(粉)을 말함.

하였다가 금야에 상대하니, 반갑고 애모함을 이기지 못하나, 유정 삼 삭을 괴로이 지내매, 여관의 뜻이 사연하고 풍류호일(風流豪逸)턴 기습(氣習)이 소삭하여 묵묵단좌(黙黙端坐)타가 날호여 왈,

"부녀의 도는 사지(死地)라도 존당 명이 내리신 즉 불감역명(不敢逆命)이거늘, 대인이 자의 있음을 아신 후는 여러 번 배현함을 악장께 청하시되, 무슨 연고로 지금까지 천연하시더뇨?"

경씨 문득 추연이 낯빛을 고치고 함루(含淚) 왈,

"첩이 유아를 실리함으로부터 참연통석함이, 실로 잊고자 하나 목전에 주검을 봄만 같지 못하니, 주주야야(晝晝夜夜)에 심장이 녹는 듯하니, 차고로 미신(微身)에 질양이 떠나지 않아, 존명이 배현함을 허하시나, 즉시 응치 못함이로소이다."

남후 탄 왈,

"네 낱 자식을 일 년에 다 실리하고, 두 처실의 사생거처를 알지 못하는, 내 심사도 오히려 진정하여 병을 이루지 않거늘, 유자를 잃음이 참연하나, 그대도록 조보얍게[185] 상도(傷悼)하여, 성질하며 의형이 환탈하여 몰라보게 되도록 하리오. 차후는 무익히 비회를 요동치 말고 잊기를 공부하라."

경씨 다시 말을 않으나, 유자 생각에 다다라는 참절한 회포 칼을 삼킨 듯, 자연 추파에 주루(珠淚) 요동함을 면치 못하니, 남후 그 슬퍼함이 과도하여 저같이 수약(瘦弱)함을 깃거 않아 정색 왈,

"유아를 일야간(一夜間) 거처 없이 잃음이 변괴요, 부모지심에 차라리 병들어 죽음만 같지 못하여, 참담함이 괴이치 않거니와, 우리 액회 괴이하여 벌써 자식을 다 실리할 시절이라. 슬퍼하여 미칠 길이 없으니, 아

---

185) 조보얍다 : 속 좁다. 너그럽지 못하고 옹졸하다. =조배얍다. 조바얍다.

주 죽은 이로 치워 잊었다가, 길운을 만나 유자를 찾으면 천행이요, 그
렇지 못하여도 생의 나이 이십이 차지 못하였고, 부인이 삼오 초춘이라.
타일 몇 자녀를 낳을 줄 모르거늘, 무익(無益)이 비척(悲慽)하여 복 없
는 거조를 하리오."

경씨 병부의 심지 굳세고, 인정이 아닌 듯하여 자기 참절함을 비추지
못하고, 맹렬 씩씩함을 두려워함이 있어, 자연 수삽(愁澁)186)함을 면치
못하니, 이 또한 그 액회 중함으로 영심(靈心)187)하여 이러함이러라. 병
부 수패(瘦敗)함이 심함을 우려하여, 다소(多少) 설화를 않고, 촉을 멸
하고 소저로 더불어 상요의 나아가매, 그 옥부방신(玉膚芳身)의 새로운
향내가 장부의 은애를 요동하는지라.

경소저 인하여 머물러 효봉구고(孝奉舅姑)하고 숙매금장(叔妹襟
丈)188)을 화우(和友)하매, 온순한 성행과 천연한 사덕(四德)이 숙녀의
명풍(名風)이 가즉하니, 존당구고 연애(憐愛) 귀중(貴重)함이 친녀에 감
치 않고, 일가 족친의 예성(譽聲)이 원근에 가득하니, 경공 부부 여아를
구가에 보내어 아름다운 이름을 얻으매 두굿김이 극하나, 공주의 안중
(眼中) 가시가 되어 나중이 위태할 바를 크게 근심하더라.

이 때 부마도위 연수는 선황제 삼 공주 경안을 취하여 오자일녀를 생
하니, 남아는 개개(個個)이 곤산미옥(崑山美玉)189)과 창해유룡(蒼海有
龍)190) 같아서, 외모 신채와 문장재화가 일세에 유명하여, 위로 삼자가

---

186) 수삽(愁澁) : 몸을 어찌하여야 좋을지 모를 정도로 근심스럽고 답답함.
187) 영심(靈心) : 마음이 신령(神靈)함.
188) 숙매금장(叔妹襟丈) : 시누이(叔妹)와 동서(同壻).
189) 곤산미옥(崑山美玉) : 곤산에서 나는 아름다운 옥. 곤산은 곤륜산(崑崙山)으로
　　중국 전설상의 산. 중국 서쪽에 있으며, 옥(玉)이 난다고 한다.

입신(立身) 취처(娶妻)하고, 여아 처음으로 자라 연기(年紀) 십사의 이르니, 부모의 정으로써 어찌 아름답지 않으리오마는, 애다는 바는 연소저 예사 박색불인(薄色不仁)이 아니라, 그 상모 험괴(險怪)하여 일세에 모양하여 같은 것이 없어, 이른바 우두나찰(牛頭羅刹)과 흑살천신(黑煞天神) 같고, 행사 추악 광패함이 일분도 규녀(閨女)의 고요 안정함이 없으며, 염치(廉恥) 상진(喪盡)하여 저의 위인이 기괴(奇怪) 망측(罔測)함은 모르고, 다만 군자를 맞아 금슬지락(琴瑟之樂)을 이루고자 뜻이 있는 가운데, 소원이 과도하여 세속 용우(庸愚)한 풍모(風貌)를 가장 우습게 여겨, 천일지표(天日之表)와 문장필법(文章筆法)이 종왕마천(鍾王馬遷)[191]을 묘시(藐視)하는 가운데, 또한 재모(才貌)를 보아 구하겠노라 하더니, 하원수 초지(楚地)를 평정하고 돌아오는 날, 천자께서 문외에 맞으시니, 만성(滿城) 사세(士庶)가 집마다 구경코자 함으로, 연부에서도 집 잡아 부인네들이 관광코자 할 새, 경안공주는 입궐하여 황후낭랑을 모시고 비빈(妃嬪) 등으로 더불어 하원수의 위의를 구경하니, 연소저가 제형(諸兄)을 따라가 하원수의 풍모를 보고, 황홀한 정을 참지 못하여, 집에 돌아와 거거(哥哥)와 숙부를 대하여 하원수의 기특함을 칭선하고, 부친께 고왈,

"소녀 부모의 일녀로써 평생 소원이 만사(萬事) 가즉한 군자를 가리고자 하였더니, 금일 하원광을 보오매, 뜻에 차고 원에 족하니, 친사를 이뤄 백년해로(百年偕老)하여 유자생녀(有子生女)코자 하나이다."

부마와 연상서 등이 차언(此言)을 들으매 어이없어, 규녀의 도리아님

---

190) 창해유룡(蒼海有龍) : 깊고 푸른 바다 속에 있는 용(龍).

191) 종왕마천(鍾王馬遷) : 중국 위(魏)나라의 서예가 종요(鍾繇 : 151-230)와 진(晉)나라의 서예가 왕희지(王羲之 : 307-365), 전한(前漢)의 역사가 사마천(司馬遷 : BC.145-86) 함께 이르는 말.

을 책하고, 연한림 등은 그 인물을 절박히 여겨 예의 염치로써 경계하되, 일호 개심하는 바 없고 날마다 하원수 사상함이 심하여, 망측한 말이 입에 끊이지 않으니, 연생 등이 한심하여 공주께 고왈,

"누이를 만일 하가에 성친치 않으면, 장차 성질(成疾)하오리니, 모친이 황상께 사혼(賜婚)을 청하소서."

공주 차언을 듣고 혀 차며, 함루 왈,

"내 너희 오남매를 두매, 비록 딸이 없으나 불관하거늘, 괴이한 것이 삼겨 이렇듯 기괴망측하니, 어찌 절박치 않으리오. 저의 외모 위인이 아무리 눈먼 남자라도 정을 동(動)할 길이 없으리니, 차라리 폐륜(廢倫)코자 하였더니, 뜻밖에 하원광을 보고 사상지심(思想之心)을 끊지 못하니, 여등이 나에게 황상께 사혼(賜婚)을 청하라 하나, 하원광은 출범한 위인이라. 아녀 같은 인물은 그 시녀항(侍女行)에도 용납지 않을지라. 결단코 연문 청덕을 떨어버리며, 너의 대인과 나를 욕먹이리니, 어찌 불행치 않으리오.

연한림 등이 위로 왈,

"누이 만사가 인류(人類)의 하말(下末)이 될 것이로되, 여자의 팔자는 모르옵나니, 과려(過慮)치 마시고 사혼은지(賜婚恩旨)를 청하소서."

공주 마지 못하여 황상께 여아로써 하원광의 부실(副室)로 사혼하심을 청하니, 상이 웃으시고 왈,

"하원광이 비록 기특하나, 어매(御妹)의 일군주(一郡主)로써 어찌 재실을 삼으리오. 사혼이 불가하도다."

공주 실로써 주왈,

"신(臣)의 딸이 용우불민(庸愚不敏)하와 한 일도 가취지사(可取之事) 없사올 뿐 아니오라, 스스로 하원광을 섬기고자 하오니, 어찌 한심치 않으리까마는, 모녀지정(母女之情)에 그 실성하는 거동을 보지 못하와, 감

히 사혼하심을 청하나이다."

상이 본디 공주의 현숙함을 취중(取重)하시고, 그 여아 공주를 담지 못하고, 외간 남자를 사모하여 스스로 섬기고자 함을 해연(駭然)하시나, 문양공주의 행사를 보아계신지라. 그런 염치(廉恥) 상진(喪盡)한 인물이 또 있음을 괴이히 여기시나, 경안의 청을 아니 듣지 못하시어, 일일은 초후 천정(天廷)에 가까이 모셔 있을 때를 타, 흔연이 옥음을 내리오사 민간사(民間事)를 물으시다가, 가라사대,

"경이 윤수의 여서인 줄 알거니와, 자녀를 생산하였으며, 경의 형 원경 등이 자녀를 끼침이 있더냐?"

초후 부복 주왈,

"신의 백형은 갓 취실하여 한낱 자녀 없삽고, 형이 죽으매 형수 임씨 자문이사(自刎而死)하와 뒤를 따르옵고, 차형 삼형은 취실치 못하고 죽 었사오니 더욱 자녀 없삽고, 신도 윤수의 여를 취하온 지 사오재(四五 載)에 자녀를 두지 못하였나이다."

언주파(言奏罷)에 사색이 척연하니, 상이 감동하시어 원경 등 죽임을 새로이 뉘우치시며, 연군주로써 부디 하가에 사혼코자 하시어 이르사대,

"경이 윤수지녀를 취하여 아직 자녀 없다 하니, 짐이 어매 경안 공주 일녀가 있으매, 이를 경의 부실로 사혼하여 은영을 보이나니, 경은 사양 치 말라."

초후 본디 번화를 구치 않는지라. 크게 불열하여, 부복 주왈,

"성은이 미세한 곳에 더하시어, 경안공주 천금일녀(千金一女)로써 사 혼하시는 은명(恩命)이 계시나, 신이 포의한사(布衣寒士)로 성은을 입사 와, 과도하온 작차(爵次)가 후백에 미쳐, 숙야(夙夜)에 전율(戰慄)하오 미 여림박빙(如臨薄氷)[192]하옵나니, 일처로 집을 지킬지언정 번사를 구 할 뜻이 없사오니, 어찌 감히 경안공주의 일 군주를 재취하리까? 비록

성은이 감골하오시나 신의 박누(薄陋)한 기질로써, 연군주의 일생을 욕되게 할 것이요, 신의 옅은 복이 손하오리니, 복원 성상은 사혼은명을 환수하소서."

상이 소왈,

"고어에 왈, 님군 주는 것은 견마(犬馬)라도 공경한다 하니, 짐이 좋은 뜻으로 생녀(甥女)193)를 사혼하매, 경의 도리 매매(浼浼)히194) 거역함이, 군신분의(君臣分義) 크게 휴손(虧損)하니 모름지기 다시 사양치 말라."

초후 만만비소원(萬萬非所願)이요, 또 문양 공주의 불현(不賢)함을 아는 고로, 궁금(宮禁)을 결연(結緣)함을 크게 불안하나, 성교 여차하시고 연부마 충후군자(忠厚君子)요, 연한림 등이 개개이 출류(出類)한 옥인가사(玉人佳士)라. 연군주 만일 그 부형을 닮음이 있은즉 그대도록 불인(不仁)치 않을 줄 헤아려, 오사(烏紗)를 숙이고, 옥대(玉帶)를 도도아 미처 말씀을 주(奏)치 못하여서, 상이 내시를 명하시어 연·하 양부에 사혼은지(賜婚恩旨)를 전하라 하시고, 내궁의 들으시니,

초후 즉시 퇴하여 부중(府中)에 돌아오매, 내시 벌써 부중에 이르러 하공께 연군주를 초후의 재실로 사혼하심을 전하니, 공이 불행함을 이기지 못하나, 군상의 굳이 정하신 바를 사양하여 미치지 못할 줄 알고, 성교(聖教)를 봉행(奉行)하옴으로써 회주(回奏)라 하고, 내당에 들어가 부인을 대하여 성상의 사혼하심을 전하고, 미우를 찡겨 왈,

"내 평생 황친국척(皇親國戚)과 교우(交友)함을 피코자 하더니, 어찌

---

192) 여림박빙(如臨薄氷) : 살얼음 밟듯 함.
193) 생녀(甥女) : 생질녀(甥姪女). 누이의 딸.
194) 매매(浼浼)하다 : 창피를 줄 정도로 거절하는 태도가 쌀쌀맞다.

경안공주의 군주가 내 집에 들어올 줄 알리오. 윤현부의 심사 일분이나 불평함이 있은즉, 우리 차마 어찌 자닝하여195) 보리오."

부인이 또한 불열 왈,

"윤씨 용화(容華) 기질(氣質)이 초세특이(超世特異)하매 우리에게 과람(過濫)한 며느리라. 원광의 무고히 박대함을 통한하되, 부부 금슬은 임의로 못하나, 다행이 아부(兒婦) 유태(有胎)하였으니, 혹자 생남하는 경사 있으면, 원광이 자식 사랑하는 마음으로 그 어미를 후대할까 바라더니, 어찌 연군주를 사혼하실 줄 알리오. 원광이 신인에게 침닉(沈溺)하여 윤씨를 더욱 염박할진대, 어찌 불행치 않으리오."

공이 가로되,

"윤씨 잉태함을 보니, 부부의 정이 맥맥치 않음을 알 것이요, 원광의 성정이 중산(重山)의 무거움이 있으니, 백 미인을 모아도 침혹할 아해 아니니, 부인은 부질없는 근심을 말라."

부인이 미소하나, 윤씨를 위하여 근심함을 마지않되, 윤씨 사기 안정하고 면모 화열하여, 세사를 아는 듯, 모르 듯 하니, 공의 부부 더욱 애중하더라.

사혼 은지 경안궁에 이르매, 연군주의 즐거함이 측량없어, 부마를 보채여 어서 택일 성례케 하라 하니, 부마와 공주 해연망측(駭然罔測)하여, 다만 혀 차 가로되,

"저 몹쓸 것을 하가에 성혼하여 긴 날에 무한한 욕을 보리니, 어찌 불행치 않으리오."

연씨 퉁방울196) 같은 눈을 흘기며, 부리197)를 내밀어 왈,

---

195) 자닝하다 : 애처롭고 불쌍하여 차마 보기 어렵다.
196) 퉁방울 : 품질이 낮은 놋쇠로 만든 방울

"남은 남혼녀가(男婚女嫁)하여 아들의 부부와 딸의 내외 화락함을 보면, 두긋길 뿐이요, 몹쓸 것이란 말을 않더니만, 우리 부모는 어찌 자애지정(慈愛之情)이 바이[198] 없어 이러한고."

하니, 부마와 공주 어이없어 다만 말을 않고, 마지못하여 길일을 택하니, 연씨의 마음같이 혼기 신속하여 겨우 수순(數旬)이 가렸는지라. 즉시 하부에 고하고 혼구를 성비하니, 기구의 풍화(豊華)함은 연궁 부귀를 기울여 단장할수록 그 흉면괴상(凶面怪狀)이 더욱 망측하니, 보는 이 다 놀라더라.

길일이 다다르매, 하부에서 비록 기쁘지 않으나 연석을 개장하고, 친척(親戚) 인리(隣里)를 청하여 신랑을 보낼 새, 날이 반오(半午)에 초후 들어와 길복을 찾으매, 윤씨 길복을 다스려 존고 침전에 두었더니, 조부인이 시녀로 길복함(吉服函)을 내어오라 하여 좌중에 이르대,

"첩의 자부 본디 겸손하는 덕이 과하여, 길복을 지었으되 어려이 여겨, 첩의 곳의 두었나니, 좌객은 그 수품(繡品)이 어떠한고 보소서"

제부인이 윤씨의 덕을 칭찬하며, 길복을 보매 침선(針線)의 기이함이 인세간 재주 아니라. 저마다 칭선함을 마지않으니, 하공이 두긋겁고 아름다이 여겨, 윤씨를 나오게 하여 무애(撫愛) 왈,

"네 이미 가부의 재취할 길의(吉衣)를 다스렸으니 모름지기 옷을 입혀 보내라."

소저 배사 수명하고 길복을 들고 일어서니, 초후 길의(吉衣)를 입을 새, 윤씨를 초하동에 데려다가 유씨를 질욕한 후는, 소저 미워함은 없으나 유씨 통해함은 철골(徹骨)한지라. 윤씨를 괴롭게 하여 유씨 증분(憎

憤)하는 마음을 풀고자 하므로, 부모 명하여 채월각에 가라 한즉, 흔연이 수명하여 가는 체하고 외당에서 밤을 지내므로, 윤씨를 가까이 대함이 없어, 혹 정당에서 만날 때라도 부모 보지 못하시는 곳에서는 눈이 뚫어질 듯 흘겨보더니, 이날 길의를 친집함을 아름다이 여기나, 유씨 그 매제를 짓두드리던 바를 생각하면 분한이 풀릴 길이 없는지라.

마지못하여 윤씨 입히는 옷을 입으나, 양안에 찬 기운이 윤씨 신상에 비추니, 타인은 모르나 윤씨 어찌 모르리오마는, 다만 양안을 낮추어 화기(和氣) 자약(自若)199)한 거동이 갖추 기이하여, 이미 골흠200)을 매고 띠를 두른 후, 물러 좌에 들어가매, 사기(辭氣) 여일(如一)하여 화평하니, 구고의 사랑과 좌간(座間)에 칭선함은 이르지도 말고, 초후의 탄복함이 깊되 사색치 않고, 부모께 하직하고 위의를 거느려 연궁에 이르러 전안지례(奠雁之禮))201)를 마치고, 신부의 상교(上轎)를 재촉하여 부중에 돌아올 새, 생소고악(笙簫鼓樂)202)은 진천(振天)하고, 허다 위의 대로를 껴, 왕공후백과 황친국척이 다 요객(繞客)이 되니, 기구의 풍성함과 물색(物色)의 장려(壯麗)함이 금달공주(禁闥公主)203)의 하가하는 버금이라. 노상 제인이 책책 칭선하더라.

이미 부중에 돌아와, 중당(中堂)에 포진(鋪陳)을 정제하고, 허다 시녀

199) 자약(自若) : 큰일을 당해서도 놀라지 아니하고 보통 때처럼 침착함.
200) 골흠 : 고름. 옷고름.
201) 전안지례(奠雁之禮) : 혼인례에서, 신랑이 기러기를 가지고 신부 집에 가서 상 위에 놓고 절하는 의례(儀禮). 기러기는 한번 짝을 지으면 죽을 때까지 짝을 바꾸지 않는다 하여 신랑이 백년해로 하겠다는 서약의 징표로서 신부의 어머니에게 기러기를 드린다. 산 기러기를 쓰기도 하나, 대개는 나무로 만든 것을 쓴다.
202) 생소고악(笙簫鼓樂) : 생황(笙簧)과 통소(簫), 북 등의 악기.
203) 금달공주(禁闥公主) : 임금이나 황제의 딸. 금달(禁闥); 궐내에서 임금이 평소에 거처하는 궁전의 앞문.

양낭이 신부를 붙들어 덩 밖에 내니, 금사면보(錦紗面褓)204)를 가렸음으로 그 얼굴을 보지 못하더니, 예석(禮席)에 임하여 면보(面褓)를 없이 하고, 부부 교배(交拜)205)를 파하매, 금주선(錦珠扇)206)을 반개(半開)하니, 신부의 채장(彩粧)207)이 이목이 현황하되, 그 상모의 험괴망측(險怪罔測)함이 형상키 어려우니, 우두나찰(牛頭羅刹)과 흑살천신(黑煞天神)이 내린 듯한지라.

좌객이 대경실색하여 어린 듯이 말을 못하더니, 예파(禮罷)에 신랑이 밖으로 나가매, 신부 단장을 고쳐 배사당(拜祠堂)208) 현구고(見舅姑)209)할 새, 행보 난잡하여 청사(廳舍)가 움직이고, 숨소리 괴이하여 잠기210) 멘 쇠211)소리 같으며, 양안(兩眼)에 한 조각 영채(靈彩) 없어 검고 둥글며, 양미(兩眉)는 기운212) 쑥밭 같고, 내민 이마엔 큰 혹이 돋고, 양협(兩頰)213)은 푸르러 청화(靑華)214) 같고, 입이 내밀며, 두 귀 아래 쌍으로 혹이 달렸고, 코는 높아 큰 낮에 덮였으며, 허리 퍼지기 안

204) 금사면보(錦紗面褓) : 비단으로 만든 면사포(面紗布). 면사포(面紗布); 궁중에서, 공주의 결혼식 때 공주가 쓰던 붉은 빛깔의 깁으로 만든 장식품. 금박으로 봉황 무늬와 '壽福康寧(수복강녕)'이라는 한자를 수놓았다.
205) 교배(交拜) : 교배례(交拜禮). 전통 혼례식에서 신랑 신부가 서로에게 절을 하고 받는 의식.
206) 금주선(錦珠扇) : 비단으로 폭을 만들고 구슬을 달아 꾸민 부채.
207) 채장(彩粧) : 빛난 단장(丹粧).
208) 배사당(拜祠堂) : 조상의 신위를 모셔둔 사당(祠堂)에 절함.
209) 현구고(見舅姑) : 신부가 예물을 가지고 처음으로 시부모를 뵙는 예절.
210) 잠기 : 쟁기. 논밭을 가는 농기구.
211) 쇠 : 소.
212) 길다 : 자라다.
213) 양협(兩頰) : 두 뺨/볼.
214) 청화(靑華) : ①중국에서 나는 푸른 물감의 하나. ②조선 시대의 도자기에 그려진 파란 빛깔의 그림.

반215) 만하고, 키는 겨우 십세 해아(孩兒)만 하니, 기형괴상(奇形怪狀)
이 갖추 기절(奇絶)한지라.

하공 부부 놀랍고 차악하여 오래도록 말이 없더니, 하공이 날호여 가
로되,

"신부는 연궁 일군주니 존귀함이 금달공주 버금이라. 돈아의 재실로
내 집에 들어오니, 구가(舅家)의 미(微)함을 허물치 말고, 원광의 조강
(糟糠) 윤씨 가장 현철(賢哲)하니 서로 화동(和同)하여 금일 처음 보는
예를 폐치 못할지라. 여자는 색(色)이 불관하고 덕이 으뜸이니, 신부 비
록 용색(容色)이 같지 못하나 황씨(黃氏)216)의 대량(大量)과 맹광(孟
光)217)의 덕(德)이 있을진대, 아름답지 않으리오."

군주 문파(聞罷)에 일분 신부의 수습하는 도리 없어, 둥근 눈을 크게
뜨고 긴 부리를 내밀고, 가로되,

"존구(尊舅)는 식리명공(識理名公)으로 고서를 박남(博覽)하시니 용색
의 해를 몰라 계시니까? 하걸(夏桀)218)의 매희(妹喜)219)와 은주(殷
紂)220)의 달기(妲己)221)는 곱기로 유명하되, 그 요악음일(妖惡淫佚)함

---

215) 안반 : 떡을 칠 때에 쓰는 두껍고 넓은 나무 판.
216) 황씨(黃氏) : 중국 삼국시대 촉의 정치가 제갈량의 처. 용모는 몹시 추(醜)녀였
　　으나 재주가 뛰어났다고 한다.
217) 맹광(孟光) : 후한 때 사람 양홍(梁鴻)의 처. 추녀였으나 남편의 뜻을 잘 섬겨
　　현처로 이름이 알려졌고, 고사 거안제미(擧案齊眉)로 유명하다.
218) 하걸(夏桀) : 중국 하나라의 마지막 왕. 성은 사(姒). 이름은 이계(履癸). 은나
　　라의 탕왕에게 멸망하였다. 은나라의 주왕과 더불어 동양 폭군의 전형으로 불
　　린다.
219) 매희(妹喜) : 중국 하(夏)의 마지막 황제 걸(桀)의 비(妃). 은나라 마지막 황제
　　주(紂)의 비(妃) 달기(妲己)와 함께 포악한 여성의 대표적 인물로 꼽힌다.
220) 은주(殷紂) : 중국 은나라의 마지막 임금. 이름은 제신(帝辛). 주(紂)는 시호(諡
　　號). 지혜와 체력이 뛰어났으나, 주색을 일삼고 포학한 정치를 하여 인심을 잃
　　어 주나라 무왕에게 살해되었다.

이 그 나라를 망하였으니, 이로써 보건대 여자의 용색이 어찌 두렵지 않으리까? 첩이 비록 외모 불미하오나 덕행(德行)인즉 임사(姙似)[222] 반소(班昭)[223]를 상우(尙友)[224]하리니, 가군의 원비 대가고문(大家高門) 숙녀라 하시나, 첩은 선황제 외손이요, 금황제 생질이며, 승상의 친손녀요, 부마도위의 일 군주로, 존귀함이 어찌 능히 첩을 미치리까? 첩이 결단코 하풍(下風)[225]을 감심(甘心)치 않으리니, 아무려나 윤씨 어대 있는고 가르치소서."

하공이 청파에 해연망측(駭然罔測)함을 이기지 못하나 신혼 초일에 불호(不好)한 빛을 나토지 못하여, 다만 차게 웃으며 왈,

"신부 비록 덕행이 임사(姙似) 반소(班昭)와 같다고 하나, 너무 충박(忠朴)[226]하여 겸손지례(謙遜之禮)를 모르고, 부귀를 자랑하여 원비를 섬기지 아니랴 하니, 이는 소년예기(少年銳氣)로 생각지 못함이라. 내 집이 포의지가(布衣之家)로되 예의는 난잡치 못하리니, 신부는 모름지기 온순(溫順) 비약(卑弱)하여 길이 하문 사람 되기를 기약하라."

언파의 소안이 준절하고 위의 씩씩하여 추상열일(秋霜烈日) 같으니,

---

221) 달기(妲己) : 중국 은나라 주왕의 비(妃). 왕의 총애를 믿어 음탕하고 포악하게 행동하였는데, 뒤에 주나라 무왕에게 살해되었다. 하걸(夏桀)의 비 매희(妹喜)와 함께 망국의 악녀로 불린다.

222) 임사(姙似) : 중국 주(周)나라 현모양처(賢母良妻)인 문왕의 어머니 태임(太姙)과 무왕(武王)의 어머니 태사(太姒)를 함께 이르는 말.

223) 반소(班昭) : 중국 후한(後漢)의 시인. 자는 혜희(惠姬). 반고(班固)와 반초(班超)의 여동생으로, 남편이 죽은 후 궁정에 초청되어 황후·귀인의 스승이 되었으며, 조대가(曹大家)로 불리었다. 반고의 유지(遺志)를 이어 《한서》를 완성하였으며, 저서에 《조대가집》이 있다.

224) 상우(尙友) : 책을 통하여 옛사람을 벗으로 삼는 일.

225) 하풍(下風) : 사람이나 사물의 질이 낮음.

226) 충박(忠朴) : 진실하고 순박함.

연씨 대답이나 잠깐 무류(無聊)하여227) 다시 말이 없어, 퉁방울 같은
눈을 끔적이다가, 조부인의 가르침을 좇아 윤소저에게 하염없이 재배하
니, 윤씨 또한 좌의 나 답례하여 동서로 좌정하니, 윤씨의 천향월광(天
香月光)과 연씨의 추용누질(醜容陋質)이 서로 대하매, 명월이 계궁(桂
宮)의 한가한대, 추악(醜惡)한 풍색(風色)이 비할 데 없으니, 좌객이 어
린 듯이 양인을 바라보아, 작인(作人)의 현격함을 탄하여 하언(賀言)을
잊었더니, 하공이 윤씨 현미함을 새로이 두굿겨, 웃고 조부인을 돌아보
아 왈,

"원광이 윤현부 같은 숙녀를 두었으니 내조를 근심할 것이 없고, 군주
또한 현숙하여 윤현부의 덕행을 본받으면 거의 가사(家事)가 난(亂)치
않을까 하나니, 부인은 자부를 계칙(戒飭)하여 법도를 세우고, 신부를
가르쳐 소년 예기를 주리잡게228) 하소서."

부인이 답왈,

"윤현부는 다시 가르칠 것이 없어 첩 같은 시어미 그 사덕(四德)을 따
를 길이 없거니와, 신부는 경안공주와 연도위께서 사덕(四德)을 범연이
훈교치 않아 계실지라. 비록 외모 염미(艶美)치 못하나, 오히려 유덕하여
뵈는 곳이 많으니, 첩이 환난(患亂)에 상함으로써 수고로이 가르치리까?"

하공이 잠소무언이요, 만좌(滿座)가 조부인 말씀으로 좇아 신부의 유
덕함을 칭하여, 마음에 없는 하언(賀言)을 작위하니, 공의 부부 좌수
우응(左酬右應)에 흔연히 사사할 뿐이요, 신부는 윤씨의 용화기질(容華
氣質)을 보고 황홀(恍惚) 기이(奇異)하여, 하 후(侯)의 은정이 중한 줄을

---

227) 무류(無聊)하다 : 겸연쩍다.
228) 주리잡다 : ①줄잡다. 생각이나 기대 따위를 표준 보다 줄여서 헤아려보다.
　　②가다듬다. 정신, 생각, 마음 따위를 바로 차리거나 다잡다.

지기(知機)하매, 우패(愚悖)한 성정의 애달음 없지 않으나, 간교치 못하니 해할 뜻은 없더라.

종일진환(終日盡歡)에 제객이 각산(各散)하고, 신부 숙소를 해원각에 정한 후, 조부인이 촉을 이어 원상 등 삼자를 앞에 두어 그 옥모영풍을 두긋기나, 금일 연석에 여아 참예치 못하고, 별춘정에서 천일을 보지 못함을 탄하더니, 초후 들어와 혼정할 새 하공 왈,

"금일 신부를 보매, 네 아비 실로 근심하나니, 제가(齊家)는 치국평천하지본(治國平天下之本)이라, 모름지기 공정(公正)히 하여 요란함이 없게 하라."

초후 배사 왈,

"엄교(嚴敎) 마땅하시나, 연씨 위인을 스치오니, 추용누질(醜容陋質)이 비위(脾胃) 약한 유(類)는 견뎌 보기 어렵삽거니와, 간교한 인물은 아니라 염려는 업도소이다."

공이 아자의 명달한 의논을 들으매 두긋겨 왈,

"너의 앎이 이 같을진대 다시 경계치 않나니, 모름지기 언행을 한결같이 하여 가내를 편케 하라."

초후 순순(順順) 수명하고 신을 끌어 해원각으로 갈 새, 채월각을 지나는지라. 창외에 촉영이 명랑(明朗)함을 보되 들어가지 않고, 신방에 이르러 군주로 상대하매, 험악흉괴함이 보기 어려운지라. 초후 오래 말을 않으니, 연씨 먼저 히아쳐[229] 두어 말을 하는 바, 다 드림즉지 않은지라. 초후 그 염치 상진(喪盡)함을 마땅찮게 여겨 탄왈,

"내 명도 괴이하여 저런 흉물을 취하니 어찌 애달지 않으리오마는, 제

---

229) 히아치다 : 희롱하다. 희(戲)짓다. 헤살하다. 실없는 말을 하거나 짓궂은 말로 놀리다.

옥누항 유씨같이 언능다모(言能多謀)하고 포악간교(暴惡奸巧)한즉 결단코 박대하고, 그렇지 않은즉 어찌 원을 끼치리오. 상두에 윤씨 있어 내사를 찰임하니, 저런 것은 식충(食蟲)으로 한 구석의 들이쳐 두어 무방타."

하여, 야심함으로 촉을 물리고 상요의 나아갈새, 눅눅한 비위를 참고 연씨를 청왈,

"밤이 이미 깊었으니 앉아 새올 바 아니라. 어찌 일침지하(一枕之下)의 만복근원(萬福根源)을 알지 못하느뇨?"

연씨 사양치 않고 쾌히 의상을 끄르고 요금(褥衾)230)에 나아가니, 실성한 음녀가 아니면 이렇지 못할지라. 소년지심에 가소롭기를 이기지 못하여 일장을 쾌히 웃고, 마지못하여 이성지친(二姓之親)을 잠깐 이루매, 연씨의 음참한 거동이 군자가 가까이 할 바 아니라. 초후 아니꼬움을 이기지 못하여 즉시 연씨의 몸을 밀어 가로되,

"생이 잠들기를 당하여는 사람이 곁에 있은즉 놀라와 자지 못하나니, 그대는 괴이히 여기지 말고 편히 자라."

언파에 돌아 누어 새도록 측하여231) 잠을 이루지 못하나, 마침내 연씨를 박대할 뜻이 없어 한 구석에 두려하니, 이 또 연씨 팔자 남달리 유복하여, 경안공주의 일녀로 하원광 같은 대현군자를 맞아, 종신토록 부귀복록을 누리고 옥동화녀를 생산하여 영화가 중첩할 명도(命途)라. 이러므로 여자의 팔자 색용(色容)에 달리지 않았음을 알지라.

인하여 구가에 머무나, 한 일도 취할만한 일이 없고 날로 광망우패(狂妄愚悖)하기가 아니 미친 곳이 없으며, 윤부인을 항형(抗衡)하여 욕된 말로 비소하며 욕하기를 마지않되, 윤씨 사기 단엄하며 안모 씩씩하여

---

230) 요금(褥衾) ; 요(褥)와 이불(衾).
231) 측하다 : 언짢다. 보기 싫다.

해괴한 거동을 시이불견(視而不見)232)하더니, 일야는 윤씨 유태지중(有
胎之中)에 곤뇌하여 누었더니, 홀연 연군주 이르러 고성 왈,

"무위궁사(無爲窮奢)233)하고 숙흥야매(夙興夜寐)함이 옳거늘, 혼정
(昏定)을 파하였으나 정당에서 취침치 않아계시거늘, 무슨 일 이리 일찍
이 들어 누었느뇨? 초후의 들어옴을 아무리 기다려도 홍안박명(紅顔薄
命)이란 말이 실로 옳도다! 우리 상공이 나의 검은 낯과 퍼진 허리를 좋
이 여기고, 그대의 고은 용안과 빛난 태도를 염(厭)하니 그대 얼굴이 신
상의 해를 이뤄, 마침내 유복(有福)지 못하리니, 그대 부모는 딸을 얼굴
곱게 낳았으되, 유복함은 우리 부모의 딸만치 못 낳았으니, '하가가 무
슨 복으로 나를 며느리를 삼았는고?' 아무리 생각하여도 기특하도다."

윤씨 어이없어 무언침와(無言寢臥)러니, 연씨 광잡지설(狂雜之說)이
그치지 않아 윤씨를 매달(妹妲)234) 같다 하며, 여후(呂后)235) 측천(則
天)236) 같다 하여 즐욕이 무궁하니, 윤부인이 날마다 이런 욕설을 듣기
괴롭고 분하여, 침금을 물리치고 발연이 일어나 정색 왈,

"첩이 비록 부인의 부귀를 미치지 못하나 하군의 조강이니, 부인의

---

232) 시이불견(視而不見) : ①보아도 보이지 아니함. 시선은 대상을 향하고 있지만 마
음이 딴 곳에 있어 그것이 눈에 들어오지 않음을 이른다. ②보고도 못 본체함.

233) 무위궁사(無爲窮奢) : 지나치게 사치하지 않음.

234) 매달(妹妲) : 중국의 대표적인 악녀(惡女)인 하(夏)나라 걸(桀)의 비(妃)인 매희
(妹喜)와 주(周)나라 주(紂)의 비(妃) 달기(妲己)를 함께 이르는 말.

235) 여후(呂后) : 중국 한고조의 황후. 성은 여(呂). 이름은 치(雉). 고조를 보좌하
여 진(秦)나라 말기・한(漢)나라 초기의 국난을 수습하였으나, 고조가 죽은 뒤
실권을 장악하여 유씨 일족을 압박하여 그의 사후에 여씨(呂氏)의 난을 초래하
였다.

236) 측천(則天) : 624-705. 당(唐)나라 고종의 황후 측천무후(則天武后). 이름 무
조(武曌). 중국의 대표적인 여성권력자의 한 사람으로, 아들 중종(中宗)을 폐
위하고 스스로 황위에 올라 국호를 '주(周)'로 고치고 성신황제(聖神皇帝)라 칭
했다.

도리 이다지도 즐욕 능만함이 불가한지라. 첩이 진정으로 부인의 덕을 돕고자 하나니, 첩이 부인으로 더불어 동렬지의(同列之義) 있으며, 백년 안항(雁行)의 골육 같은 정이 있고, 일택지상에 한 사람을 섬겨, 살아서는 어깨를 가루고237), 사후에는 동혈(同穴)238)하여, 신주(神主) 한 탑(榻)239)의 오르리니, 이를 생각할진대, 어찌 적인(敵人) 두 자를 일컬어 상한 천류의 쟁투하는 더러운 행실을 하리오. 부인이 비록 부귀 극함을 자랑하나, 성행인즉 부도에 어기어 패악을 숭상하니, 첩이 가장 애달아 이렇듯 이르나니, 모름지기 유순화열키(柔順和悅)를 위주하여, 위로 구고의 명을 받들고, 아래로 첩의 말을 청납함이 옳은지라, 첩이 부인을 위하여 가내 화평함을 권함이니, 어찌 그대를 두려 잠잠하리오마는, 전후에 부인이 첩을 질욕함이 한두 번이 아니요, 또 이같이 요란이 구니, 이 무슨 행사오? 한심함을 이기지 못하나니, 나의 말을 노하지 말고, 삼가 조심할지어다."

언파의 손을 들어 연씨의 나상(羅裳)을 당겨 안기를 청하니, 연씨 윤부인 말씀을 들으매, 다시 질욕할 말이 없고 머리를 숙여 묵묵하니, 비록 토목심장이나 윤부인의 춘풍화기로 어질게 훈교함을 들으매, 일단 자괴지심(自愧之心)이 일어나, 다시 말이 없으니, 윤씨 재삼 어진 덕성으로 경계하매, 연씨 감격하여 밤이 반이 된 후 침소로 돌아오다.

차시 초후 해월각 흥상을 보려다가, 채월각에서 연씨의 장난이 심함을 보고, 가만히 합문 밑에서 양인의 거동을 다 보매, 윤씨를 탄복하는 의사 더욱 깊고, 연씨를 측히 여기는 마음이 더욱 심하여, 해월각으로

---

237) 가루다 : 나란히 하다.
238) 동혈(同穴) : 죽어서 한 무덤에 묻힘.
239) 탑(榻) : 길고 좁게 만든 평상.

가려하던 마음이 없어 외헌으로 나가니, 연씨 차후 윤부인 질욕함을 영영 그쳤더라.

명효(明曉)에 윤씨 신성(晨省)하라 들어가다가 중당에서 연씨를 만나니, 윤씨는 재전(在前)하고, 연씨는 재후(在後)한지라. 연씨 윤부인이 먼저 가 야간 사를 존고께 고할까 하여, 급급히 윤부인을 따라오니, 행보 요란하여 청사가 움직이는지라. 윤씨 저 거동을 보고 놀라 연보(蓮步)240)를 멈추니, 연씨 호흡이 천촉(喘促)241)하여 숨을 길게 쉬고 이르대,

"부인은 야간 사를 구고와 상공께 고치 마소서."

윤부인이 심하에 더욱 우습게 여겨 잠소왈,

"원간 대사 아니라. 첩은 본디 암매하여 아까 일도 남이 일깨오지 아니하면 즉시 잊는 성정이라. 하물며 밤이 지난 일을 기억하리오. 부인은 무익지려(無益之慮)를 마소서."

언파에 연씨와 한가지로 정당의 들어가니, 초후 또 삼제로 더불어 들어와 남좌녀우(男左女右)로 분(分)하니, 하공과 조부인이 제자(弟子) 양부(兩婦)를 좌우에 벌이고 보건대, 초후와 윤씨의 남풍여모(男風女貌) 천정일대(天定一對)242)요, 백세양필(百世良匹)243)이거늘, 조화옹(造化翁)이 흙성궂어244) 연씨의 추용누질(醜容陋質)로써 윤씨의 동렬(同列)이 되매 그윽이 애달아하더라.

연씨 좌우로 고면(顧眄)하여 초후의 화풍(華風)과 윤씨의 월용선채(月

---

240) 연보(蓮步) : 금련보(金蓮步). 미인의 정숙하고 아름다운 걸음걸이를 비유적으로 이르는 말.

241) 천촉(喘促) : 숨을 몹시 헐떡거림.

242) 천정일대(天定一對) : 하늘이 정한 한 쌍.

243) 백세양필(百世良匹) : 길이 함께할 어진 배필.

244) 흙성궂다 : 심술궂다. 남을 성가시게 하는 것을 좋아하거나 남이 잘못되는 것을 좋아하는 마음이 매우 많다.

容仙彩)를 우러러, 큰 눈을 끔적이고 두 아귀[245]에 침을 흘리며, 어지 러이 칭찬 왈,

"건곤의 일편 된 조화는 우리 상공과 윤부인이 오로지 품수하였으니, 혈육지신(血肉之身)이 저같이 갖추 삼기실사! 첩이 옛 말씀을 들으니, 자식의 출류(出類)함은 자모의 십 삭 태교의 어짊에서 비롯한다 하니, 우리 존고의 성덕혜화(聖德惠化)로 군자의 비상하심은 옳거니와, 왕일(往日) 윤어사 형제 강상대죄인(綱常大罪人)으로 적거할 제, 분운(紛紜) 한 말을 들으매, 위·유 같은 악인이 없다 하던지라. 이제 윤부인이 유부인 같은 악인의 태교로 저렇듯 특이함은, 반드시 고수지자(瞽瞍之子) 에 순(舜)이 있음 같도소이다."

하공 부부 청파에 해연망측하여, 조부인은 환란여생(患亂餘生)[246]이 라, 백사(百事)에 주견이 없는 사람 같아서 일찍 소소(小小)한 일에도 간예함이 없는 고로, 이 말을 들으나 묵연불어(黙然不語)하고, 하공이 정색 왈,

"식부 비록 존함이 황손이요, 귀함이 연궁 일군주나, 이미 원광의 처 실이 되니 가히 구가를 한미(寒微)타 하여 기세로 엎누르지 못하리니, 부녀의 사덕(四德)은 정정(貞靜)함이 으뜸이라. 어찌 실없이 남의 가사 의 말을 하며, 하물며 그 자식을 대(對)하여 그 친위(親位)의 허물을 들 놓으니, 많이 사덕(四德)에 유해(有害)한지라. 차후 근신겸공(謹愼謙恭) 하여, 말은 신용이 있게 하고, 행동은 살펴 잘못이 없게 하라. 진실로 이렇듯 광망(狂妄)한 행사를 버리지 않을진대, 한갓 연궁 기세는 이르지 말고, 금달공주(禁闥公主)라도 마침내 하문 사람 되지 못하리라."

---

245) 아귀 : 입아귀. 입꼬리. 입의 양쪽 구석.
246) 환란여생(患亂餘生). 온갖 환란을 겪고 살아남은 목숨.

설파의 기위(氣威) 씩씩하여 견자로 하여금 송구케 하는지라. 윤소저 연씨의 말을 듣되, 옥모(玉貌) 자약하고 성안(星眼)이 나직하여 못듣는 듯하니, 구고 새로이 애중하며, 초후는 연·윤 양인의 내도함을 탄식무언(歎息無言)이러라.

연씨 엄구의 책언을 듣자오매 일단 무안함이 없지 않아 일언을 불개(不開)하고, 천동(天動)247)에 떨러진 잠충(蠶蟲)같이 두 눈을 끔적이며 고개를 늘여 빼고 앉았다가, 홀연 용심248)을 내어 넓더나며249) 긴 부리를 내밀고 중중거리며250),

"현우귀천(賢愚貴賤)은 모르고 나의 무용(無容)251)만 나무라 윤씨만치 못 여기니 어찌 통원치 않으리오. 상담(常談)252)에 '시집살이 고공(雇工)살이라'253) 하니 과연 올토다. 이후는 아무리 하여도 아른 체 말고 굿254)이나 보리라.

설파의 크게 걸어 돌아가니, 삼공자는 아소지심(兒小之心)이라 낭소(朗笑)하기를 마지않고, 조부인이 미소하며 탄 왈,

"우리의 팔자 사오나와 일찍 옥수신월(玉樹新月) 같은 숙완을 얻어 원이 족하매 다시 바람이 없더니, 괴이한 여자 들어와 심우(心憂)를 끼치니 사사에 괴이치 않으리오."

---

247) 천동(天動) : '천둥'의 원말.
248) 용심 : 남을 시기하는 심술궂은 마음.
249) 넓더나다 : 들입다 일어나다. 벌떡 일어나다. *넓더; 들입다. 세차게 마구.
250) 중중거리다 : 몹시 원망하듯 남이 알아들을 수 없는 군소리로 자꾸 중얼거리다. 늑중중대다.
251) 무용(無容) : 무염(無艶). 아름답지 못함.
252) 상담(常談) : 상스러운 말.
253) 시집살이 고공살이라 : 시집살이가 머슴살이나 같다는 말. 며느리가 시집의 가족 구성원으로서 집안일에 참여하지 못하고 소외되는 현실을 비꼰 말.
254) 굿 : 구경.

하공이 침음 불쾌하여 묵묵무언하니, 초후 부모의 즐기지 않으심을 민망하여, 이성화기(怡聲和氣)로 웃고 주왈,

"대인과 자위는 남다르신 상명지탄(喪明之嘆)[255]에 성심(聖心)이 수약(瘦弱)하시어 이만 적은 일에 다 성려(聖慮)를 허비하시니 어찌 해아(孩兒)의 우민함이 적으리까? 저 연씨 비록 불초 무상하오나, 마침내 여무매달(呂武妹妲)[256]의 악착 간교함은 없사오니, 문호에 화란을 빚어내지 않을 인물이라. 스스로 저의 행신이 남에게 비웃음을 받을 따름이오니, 복원 대인과 자위는 그 무행무례함을 족가[257]치 마소서."

하공 부부 아자의 하해 같은 역량을 기특히 여겨 가로되,

"오아(吾兒)는 갈수록 제가를 화평히 하여, 불미한 여자를 잘 거느리라."

초후 배사 수명하더라.

차후 연씨 감히 윤부인에게 전같이 불순치 못하여, 그런 욕설과 광언 망설을 그치나, 일없이 너른 당사로 두루 돌며 아니 아는 체하는 일이 없으니, 차환(叉鬟)[258] 복부(僕夫)[259]와 소장(少臧)[260] 미확(美獲)[261]의 놀음놀이[262]에 다 아는 체하여 부딪히니, 그 위인이 취신(取信)할

---

255) 상명지탄(喪明之嘆) : 아들을 잃은 탄식. 옛날 중국의 자하(子夏)가 아들을 잃고 슬피 운 끝에 눈이 멀었다는 데서 유래한다.

256) 여무매달(呂武妹妲) : 중국의 대표적인 여성권력자인 한(漢)나라 고조(高祖)의 황후 여후(呂后)와 당(唐)나라 고종의 황후 측천무후(則天武后), 그리고 중국의 대표적인 악녀(惡女)들인 하(夏)나라 걸(桀)의 비(妃)인 매희(妹喜)와 주(周)나라 주(紂)의 비(妃) 달기(妲己), 이 4인을 함께 이르는 말.

257) 족가하다 : 시비(是非)하다. 따지다. 마음에 두다. 거리끼다.

258) 차환(叉鬟) : 주인을 가까이에서 모시는 젊은 계집종.

259) 복부(僕夫) : 종으로 부리는 남자.

260) 소장(少臧) : 젊은 사내종. 장(臧); 사내 종. 노(奴)를 욕해서 이르는 말.

261) 미확(美獲) : 얼굴이 예쁜 여자종. 확(獲) : 여자종. 비(婢)를 욕해서 이르는 말.

262) 놀음놀이 : ①여러 사람이 모여서 즐겁게 노는 일. 또는 그런 활동. ②굿, 풍물, 인형극 따위의 우리나라 전통적인 연희를 통틀어 이르는 말.

것이 없어, 어린 시녀와 소장 미확의 무리 서로 따라 다니며 제 벗만 여기니, 하공 부부와 초후 등이 사사에 기괴함을 이기지 못하더라.

하공 부부 아자(兒子)의 공변되고[263] 관홍함을 두굿겨 다시 근심치 않되, 소흠사(所欠事)[264]는 천금여서(千金女婿)의 적거(謫居)와 여아의 별춘정 가운데 망명폐륜지인(亡命廢倫之人)[265]으로 죄를 자처(自處)하여 심당(深堂)에 깊이 숨음을 슬퍼함이더라.

차설 정부에서 순태부인이 윤·양·이 삼부의 떠남으로부터, 일야(日夜)[266]에 우심(憂心)이 간절한 가운데, 손녀 부부의 적지(謫地) 고초를 과도히 우려하더니, 경소저 입문(入門)하매, 이 문득 잠영거족(簪纓巨族)의 요조숙녀(窈窕淑女)로 색덕(色德)의 가즉함[267]이 윤·양 등에 내리지 않으니, 존당 구고 불행한 가운데나 이로써 위로함이 되고, 평남후 또한 전일 풍류호기(風流豪氣) 없으나, 조사(朝事) 여가에는 자연 숙녀의 현미함을 잊기 어려워 선화정에 자취 빈빈하니, 문양공주 대로(大怒) 절치(切齒)하여 경소저를 시각(時刻)[268]에 서릇지 못함을 한하니, 비록 존당 합문의 예성(譽聲)을 요구하여 중목(衆目) 소시(所視)에는 톱[269]을 감추고 엄[270]을 악물어, 청안(靑眼)[271]에 이검(利劍)을 장(藏)하고, 일

---

263) 공변되다 : 공변되다, 행동이나 일 처리가 사사롭거나 한쪽으로 치우치지 않고 공평하다. 늑공공(公公)하다.
264) 소흠사(所欠事) : 아쉬운 일. 안타까운 일.
265) 망명폐륜지인(亡命廢倫之人) : 몸을 피해 부부의 윤의(倫義)를 끊은 사람.
266) 일야(日夜) : 밤낮.
267) 가즉하다 : 가지런하다. 고루 다 갖추다.
268) 시각(時刻) : 짧은 시간.
269) 톱 : 손톱과 발톱을 통틀어 이르는 말.
270) 엄 : 어금니.
271) 청안(靑眼) : 좋은 마음으로 남을 보는 눈.

단 애연(藹然)272)한 화기로 겸손하는 덕을 나타내, 경소저 사랑함이 골육자매 같고, 운영과 구창 같은 유(類)라도 흔연 관접(款接)하니, 합문의 예성이 가득하더라.

공주 이같이 은악양선(隱惡佯善)하니, 범태육안(凡胎肉眼)273)은 속으려니와, 식자(識者)와 철인(哲人)이 어찌 그 구밀복검(口蜜腹劍)274)을 알지 못하리오. 존당 구고 크게 근심하고, 평남후 경소저를 위하여 그윽한 염려 방하(放下)치 못하더니, 이렇듯 하여 자연이 여러 달이 되니, 공주 행여 경씨를 절제(切除)치 못할까 초황절민(焦惶切憫)하여, 능히 밥 먹지 못하고 잠자지 못하니, 최녀 흉인으로 더불어 궁모곡계(窮謀曲計) 아니 미친 곳이 없는지라.

김귀비 또한 경씨 입현구문(入見舅門)275)함을 듣고, 대경대로(大驚大怒)하여 신묘랑으로 상의하니, 묘랑이 한 계교를 가르치니, 귀비 대희하여 가만히 문양궁에 기별하니, 공주 대열하여 수일 후 정부의 나아가 문안하고, 나직이 구고께 고 왈,

"첩이 재작(再昨)276)에 궐중 소식을 듣자오니, 모비(母妃) 낭랑이 외구의 연좌로 심궁에 폐치(廢置)하시어, 과도히 비회(悲懷)하시므로 병후(病候) 미류(彌留)하시다 하오니, 문후코자 하오되 감히 자전(自專)치 못하와 존당 구고께 감품(敢稟)하나이다."

존당 구고 흔연 쾌허 왈,

---

272) 애연(藹然) : 화기롭고 온화함.
273) 범태육안(凡胎肉眼) : 평범한 사람의 맨눈.
274) 구밀복검(口蜜腹劍) : 입에는 꿀이 있고 배 속에는 칼이 있다는 뜻으로, 말로는 친한 척 하나 속으로는 해칠 생각이 있음을 이르는 말.
275) 입현구문(入見舅門) : 신부가 시집에 들어와 시집 가족들에게 처음 뵙는 예(禮)를 행함.
276) 재작(再昨) : 엊그제.

"낭랑 병후 여차하시면 옥주 어찌 물러 있으리까?"

공주 배사하고 궁아(宮娥)277)로 외헌에 품처(稟處)하니 남후 허하는 지라. 공주 깃거, 즉시 채거금륜(彩車金輪)을 갖추어 이 날 입궐하니, 아지못게라! 이로 좇아 경소저의 화액이 어느 곳에 미친고? 하회(下回) 를 분석하라.

공주 입궐하니 귀비 여아를 보고 반기며 사랑함을 이기지 못하여, 평 남후의 박대를 일컬어 원입골수(怨入骨髓)하니, 경씨를 절제함이 행여 시각이 더딜까 근심하더라

공주 제후께 조현(朝見)하오니, 상(上)과 후(后) 또한 반기시며 사랑 하시어, 황후낭랑은 새로이 부덕을 경계하시고, 공주를 무애(撫愛)하심 이 친생 공주와 다름이 없으시니, 공주 성은을 배사하고 이 날 출궁치 않고 물러와 북궁에서 귀비를 모셔 숙침할 새, 차야에 신묘랑이 취운산 정부에 들어가 경소저를 착래(捉來)할 새, 차시 경소저 존당 구고께 혼 정지례(昏定之禮)를 파하고, 선화정에 돌아와 단장(端裝)을 끄르고, 단 의홍군(單衣紅裙)으로 사창(紗窓)에 의지하여 스스로 호사난려(胡思亂 慮)278) 백출하니, 때 정히 시당초하(時當初夏)279)라. 일기 처음으로 훈 염(薰炎)하니, 꽃답게 맑은 경물(景物)에 혜풍(蕙風)에 한가하고, 초생 미월(初生微月)280)이 몽롱한대, 만리은하(萬里銀河)에 일점(一點) 편운

---

277) 궁아(宮娥) : 나인. 고려·조선 시대에, 궁궐 안에서 왕과 왕비를 가까이 모시 는 내명부를 통틀어 이르던 말. 엄한 규칙이 있어 환관(宦官) 이외의 남자와 절대로 접촉하지 못하며, 평생을 수절하여야만 하였다.
278) 호사난려(胡思亂慮) : =호사난상(胡事亂想). 이런저런 잡생각을 함. 허튼 생각 을 하다.
279) 시당초하(時當初夏) : 때는 초여름이다.
280) 초생미월(初生微月) : 가늘게 빛나는 초승달.

(片雲)이 없고, 천기 화창하니, 계전(階前) 임하(林下)에 늦은 화향(花香)은 향기를 나토아 자랑하고, 옥분(玉盆)의 계화(桂花)는 가지마다 춤추니, 경씨 홀연 유자(乳子)의 교연수발(嬌然秀拔)함을 생각고, 심회 비월(飛越)함을 깨닫지 못하여, 희허(唏噓) 탄식 왈,

"아자(兒子) 강보유치(襁褓幼稚)니 차라리 앞에서 죽어 저의 빙자옥골(氷姿玉骨)을 지중(地中)에 장(葬)하였으면, 내 나이 청춘이요, 이미 끝난 일이라. 현마281) 어찌 하리요마는, 이는 그렇지 않아, 무인모야(無人暮夜)에 무고히 실산(失散)함이 가장 이상한 변괴라. 요악한 유(類)가 살리려면 어찌 잡아갔으리오. 강보유아의 창승(蒼蠅) 같은 목숨이 죽음은 묻지 않아 알려니와, 천하 사서인(士庶人)이 뉘아니 자식을 죽여 역리지탄(逆理之嘆)282)과 단장지곡(斷腸之哭)283)이 없으리오마는, 정군의 네 낱 자녀 잃음 같은 변고는 없는지라."

추연자차(惆然咨嗟)하여 비회를 관억(寬抑)지 못하여, 옥루(玉淚) 상연(傷然)한지라. 또한 총명이 여신(如神)한 고로, 문양공주 결단코 현인이 아니니 자기 마침내 무사키를 바라지 못할지라. 연즉 윤·양 양부인의 참화를 당할진대, 청춘홍안이 독수(毒手)에 마침도 슬프거니와, 부모의 천금일녀로 불효막대(不孝莫大)할 바를 생각하매, 송구함을 이기지 못하여, 스스로 심회 악연(愕然)하여 머리를 숙이고 정히 우민(憂悶)하더라.

---

281) 현마 : 설마, 차마.
282) 역리지탄(逆理之嘆) : 순리(順理)를 거스르는 일을 탄식한다는 말로, 자식을 잃은 부모의 슬픔을 말함.
283) 단장지곡(斷腸之哭) : 창자가 끊어지는 듯한 처절한 울음.

명주보월빙 권지오십사

익설 경소저 심사 악연(愕然) 상비(傷悲) 하고 송구함을 이기지 못하여, 스스로 심회 초창하여 머리를 숙이고 정히 우민하더니, 문득 서남 다히[284]로서 괴이한 기운이 일어나며, 비린 바람과 음운(陰雲)이 사방에서 일어나 당중(堂中)으로 향하니, 소저와 모든 복첩이 놀라 급히 피하고자 하더니, 음풍 사이로서 나는 범이 날개를 벌리고 횃불 같은 두 눈을 부릅뜨고 달려드니, 소저 비주(婢主) 혼불부체(魂不附體)[285] 하여 아무리 할 줄 모르더니, 그 호표(虎豹)가 달려들어 소저를 활착(活捉)하여 공중으로 치달으니, 유랑(乳娘)과 복첩(僕妾)[286]이 일시에 가슴을 치고 내달아 보니, 범이 한번 날아 공중에 오르매 순식간에 거처가 없는지라.

제녀가 하릴없어 정당의 아뢰니, 금후 대경하여 제자를 거느려 선화정의 이르러 보니, 경소저의 그림자도 없는지라. 이러구러 가중이 진경하여 금후 장탄 왈,

"경씨로 하여금 이 변(變)을 보게 함은 나의 불명함이라. 경공이 처음부터 윤·양의 화변을 알고 그 딸을 아니 보내려 하는 것을, 내 데려와

---

284) 다히 : 쪽. 편. 방향. 닿은 곳. 부근.
285) 혼불부체(魂不附體) : 놀라 혼이 몸에 붙어 있지 않음. 정신을 잃음.
286) 복첩(僕妾) : 남종(男從)과 여종(女從). 또는 남종의 아내 곧 여종.

이 변을 만나니, 인심의 참연함은 이르도 말고, 우리 부자가 경공을 보고 무엇이라 하리오."

예부 등이 부교(父敎)를 듣잡고 묵묵 차악하여 면면상고(面面相顧)하며, 남후는 어이없어 삼처와 네 자식을 금옥(金玉) 도장287) 가운데서 공연이 일타 함이 진실로 남이 알까 두려운 일이라. 역시 묵묵무언이러니, 부교를 듣잡고 날호여 고 왈,

"오가(吾家) 가변은 실로 괴이하이다. 호환(虎患)이 있다하온들, 경성(京城)288) 허다 갑제(甲第)289)에 소자의 처자만 잡아 가리까? 그 요악한 정적을 알기 쉬우니, 경씨 집 아니라 천만리 밖에 있어도, 소자의 처실이라, 한번 사화(死禍)는 면치 못할 것이요, 경가에서 들으매 사정이 참절하오나, 소자 스스로 오기(吳起)290)의 박행(薄行)으로 그 딸을 죽이지 않았사오니, 대인이 어찌 저를 보시매 무안(無顔)하심이 있으리까? 혹자 윤·양·경 등이 생존하여 후일 돌아올 날이 있을까 하옵나니, 원컨대 대인은 물우(勿憂)하소서."

금후 아자의 말이 유리함을 알고 묵묵하나 다만 추연(惆然) 불락(不樂)하니, 경씨의 유랑(乳娘) 시아(侍兒)가 부르짖으며 울어 왈,

"아등이 소저를 모셔 정문에 오매, 이런 참변을 만나니 어찌 참혹지

---

287) 도장 : 규방(閨房). 부녀자가 거처하는 방.
288) 경성(京城) : 도읍(都邑)의 성(城).
289) 갑제(甲第) : 크고 넓게 아주 잘 지은 집.
290) 오기(吳起) : 중국 전국 시대(戰國時代)의 병법가(B.C.440~B.C.381). '오기살처(吳起殺妻)'의 고사로 유명하다. 즉, 오기가 노(魯)나라에서 관직생활을 하던 때, 제(齊)나라가 침공해오자, 노나라가 그를 장수로 임명하여 제를 막게 하려다가, 그의 처(妻)가 제나라 사람인 것을 알고 임명을 주저하자, 처를 죽이고 노나라 장수가 되어 제를 무찌른 일이 있다. 저서에 병법서 ≪오자(吳子)≫가 있다.

않으리오."

이렇듯 비읍(悲泣)하니, 남후 그 요요(擾擾)함을 금하여 그친 후, 날
이 밝으매 금후 제자로 더불어 정당의 들어가니, 진부인이 또 이·양 양
부와 아주로 더불어 모였는지라. 태부인이 문 왈,

"경소부 어찌 금일 신성에 불참하뇨?"

진부인이 안색이 척척(慽慽)하여 옥루(玉淚)를 드리우고 쉬이 대치 못
하니, 금후 이에 작야 변고를 고할 새, 경씨의 거처 없음을 고하니, 태
부인이 대경차악하여 실성유체 왈,

"이 무슨 변괴(變怪)뇨? 문운이 불행함이냐? 노모의 박복함이냐? 노
모 윤·양·이를 잃음으로 심회 울읍(鬱邑)291)하다가 경씨 이르니, 용
화 기질이 윤·양의 하품(下品)이 아니매, 노모의 안전기화(眼前奇花)를
삼았더니, 이제 옥부방신(玉膚芳身)이 요정의 그물에 걸려 자취 묘연하
니, 쇄옥낙화(碎玉落花)함은 묻지 않아 알지라. 어찌 참담치 않으리오.
또 저 집에서 안 보내려 하는 것을 우리 데려와 이 변을 만났으니, 여등
이 경공을 보매 무엇이라 하리오. 차희(嗟噫)라, 경씨의 빙자옥골(氷姿
玉骨)이 어느 곳에 떨어져 사생(死生)이 어찌 된고?"

언파의 오열(嗚咽) 비상(悲傷)하니, 진부인은 청루(淸淚) 환난(汍亂)하
여 능히 존고를 위로하올 말씀이 없고, 이·양 양소저(兩小姐)와 아주소
저 탄성(歎聲) 읍하(泣下)함을 이기지 못하니, 병부 왕모와 모친의 이렇
듯 참상(慘傷)하심을 보매, 이 다 자기의 호신(豪身)한 허물로 부모 존
당의 가없는 불효를 끼침을 헤아리매, 심회 불호(不好)하나, 사색치 않
고, 이성화기(怡聲和氣)로 주왈,

"만사가 하늘의 뜻이라. 금일 경씨의 화변이 양씨와 흡사하오나, 윤·

---

291) 울읍(鬱邑) : 수심에 찬 상태에 있음.

양·경 등이 본디 청춘에 조요(早夭)할 상모 아니오니, 일시 변괴 놀랍
사오나, 혹자 면사(免死)할동292) 어찌 알리까? 이렇듯 과회(過懷)하시
어 성체를 상해(傷害)오지 마소서.”

태부인이 묵묵 양구에 왈,

“남자의 무신(無信) 박정(薄情)함이 어찌 이렇듯 하며, 또 윤·양·경
삼소부(三小婦)의 유한숙요(幽閑淑窈)함은 ‘성인도 하주(河洲)에 구하실
바’293)라. 하물며 사람이 집에 평안이 있으며 천명에 죽어도 부모 동기
의 참비(慘悲)함이 인정에 참지 못할 것이거늘, 성세풍화(盛世風化)에 해
괴한 변을 만나, 옥골방신(玉骨芳身)이 어느 곳에 유락(流落)함을 모르
니, 벅벅이 쇄골표풍(碎骨飄風)294) 하였거나, 척희(戚姬)295)의 인체지
변(人彘之變)296)을 만나 참혹히 마쳤으리니, 이를 생각하면 아심(我心)
이 비석(非石)이며 역비철(亦非鐵)이라. 능히 견디며 참을 수 있겠는가?”

설파에 눈물이 비 오듯 하여 백수노면(白首老面)에 젖으니, 진부인이

---

292) -ㄹ동 : ‘-ㄹ지’의 뜻을 나타내는 어미로 무지(無知), 미확인의 경우에 흔히
쓰인다.
293) ‘성인도 하주(河洲)에 구하실 바’ : 여기서 성인은 중국 주(周)나라 문왕(文王)
을, 하주(河洲)는 『시경』〈관저(關雎)〉장의 “관관저구 재하지주 요조숙녀 군
자호구(關關雎鳩 在河之洲 窈窕淑女 君子好逑: 꾸우꾸우 물수리 모래톱에 있
네, 정숙한 아가씨 군자의 좋은 짝이네)” 구(句)의 물 가운데에 있는 모래톱을
이르는 말로, 본문의 ‘하주의 구하실 바’ 숙녀는 곧 문왕의 비(妃)인 태사(太姒)
를 말한다.
294) 쇄골표풍(碎骨飄風) : 뼈가 부서져 바람에 날려 사라짐.
295) 척희(戚姬) : 척부인(戚夫人). 중국 한 고조의 후궁. 고조의 사랑을 받아 아들
조왕(趙王)을 두었으나, 고조가 죽은 뒤, 여후(呂后)에게 조왕은 독살당하고,
그녀는 팔다리를 잘리고 눈을 뽑히는 악형을 당하고 ‘인간돼지(人彘)’로 학대
를 받으며 변소에 갇혀 지내다 죽었다.
296) 인체지변(人彘之變) : 중국 한(漢) 고조(高祖)의 애첩 척부인이 고조의 비(妃)
여후(呂后)에게 팔다리를 잘리고 눈을 뽑히는 혹형을 당한 후, 변소에 떨어뜨
려져 ‘인간돼지’로 조롱을 받다 죽은 변.

천금 자부의 실산함을 각골 통상하나, 존고의 비회를 돕지 못하여 누수를 거두고, 화기를 작위(作爲)하여 존고를 위로하며, 금후 또 화성유어로 만단(萬端) 해위(解慰)하더라.

이에 사람을 경부에 보내어 야간변고를 이르니, 경공 부부 천만 의외(意外)예 여아의 참화를 들으매, 참통(慘痛) 비상(悲傷)함이 비할 데 없어 일장을 통곡하니, 부인은 자주 혼도(昏倒)하는지라. 경공이 오래도록 통도(痛悼)하다, 시랑을 명하여 부인을 모셔 보호하라 하고, 거륜(車輪)을 밀어 정부(府)에 이르러 금후 부자를 보니, 금후 경공을 보매, 비회(悲懷) 일층이 더하여 경공의 손을 잡고, 추연 장탄 왈,

"소제 형을 대하매 다못297) 현형과 존부인의 별륜(別倫)298) 자애로 상도(傷悼) 비통하심을 묻지 않아 알지라. 어찌 감오(感悟)치 않으며, 식부의 초세(超世)한 사덕 성행으로 힘힘히 독수에 마침이 된즉 어찌 비절통박(悲絶痛迫)지 않으리오. 아심(我心)이 여차하니 현형(賢兄)의 마음 다시 이르랴."

설파에 수운(愁雲)이 함집(咸集)하고 봉안에 항누(行淚) 삼삼하고299) 병부 재좌(在坐)하여 경공에게 치위(致慰)하고, 부군을 위로하매, 일단 화기를 변치 않으나, 희미한 수운(愁雲)이 광미(廣眉)를 침노하더라.

경공이 금후와 병부의 손을 잡고 실성 유체 왈,

"소제 외람히 소녀의 봉비하채(菶菲下體)300)로 난봉(鸞鳳)의 짝이 아

---

297) 다못 : 더불어, 함께.
298) 별륜(別倫) : 별륜(別倫). 특별함. 다른 사람과 매우 다름.
299) 삼삼하다 : 산산(潸潸)하다. 눈물 따위가 줄줄 흐르다.
300) 봉비하채(菶菲下體) : '무의 밑 둥'이란 뜻으로 못생긴 사람의 비유로 쓰인다. 『시경』〈패풍(邶風)〉곡풍(谷風)편의 "채봉채비 무이하체(採菶採菲 無以下體; 무를 뽑을 때 밑 둥만 보고 뽑지 말라)"에서 온 말로, 무를 뽑을 때 무의 밑 둥이 비록 잘 생기지 못하였을지라도 맛이 좋을 수도 있고 또 잎을 요긴하게 쓸

님을 알되, 천연(天緣)이 괴이하여 창백이 운남을 정벌하고 회군할 때에, 우연이 기연(奇緣)을 성전(成全)하니, 소녀 불민하나 소제의 하나밖에 없는 딸이라. 차마 남의 여러 째 처실을 감심(甘心)치 못할 것이로되, 천연을 베지 못하여 이미 배위된 후는, 부모의 구구한 정리(情理), 자식의 불미함을 모르고, 저의 부부 백수동락(白壽同樂)하며 유자생녀(有子生女)하여 영화(榮華)가 제미(齊美)할까 바랐더니, 호사다마(好事多魔)하여 이런 변괴가 목전(目前)에 있을 줄 어이 알았으리오. 이는 다 여아의 박복이요, 나의 운수 불미함이라, 수원수한(誰怨誰恨)이리요마는, 사정의 통박함이, 차라리 저의 향신(香身)을 '풍진(風塵)에 안장(安葬)'301)하였음을 보아시면 이렇지 않을지라. 이 슬픔이 미사지전(未死之前)에 잊기 어려울까 하노라."

언파에 양항루(兩行淚) 광수(廣袖)를 잠그니, 금후 부자가 다만 인명(人命)이 재천(在天)하고 화복(禍福)이 관수(關數)하니, 경씨는 복이 하원(遐遠)하매 반드시 요인의 독수에 마치지 않을 바를 일러 위로하니, 경공이 금후 부자를 대하여 여아 이미 사생을 판단하였으니, 허위(虛位)302)를 이루고 초혼(招魂)303)하여 상사(喪事)를 차리자 하니, 금후 말려 왈,

---

수도 있는 만큼, 겉만 보고, 또는 부분만 보고, 전체를 평가하지 말라는 말. '봉(葑)', '비(菲)'는 둘 다 무의 일종.
301) 풍진(風塵)에 안장(安葬)함 : 장사법(葬事法) 중 풍장(風葬)과 매장(埋葬)을 함께 이른 말. *풍장(風葬); 시체를 한데 버려두어 비바람에 자연히 없어지게 하는 장사법. 늑한뎃장사. *매장(埋葬); 시체나 유골 따위를 땅속에 묻는 장사법.
302) 허위(虛位) : 시신이 없는 빈 관(棺).
303) 초혼(招魂) : 사람이 죽었을 때에, 그 혼을 소리쳐 부르는 일. 죽은 사람이 생시에 입던 윗옷을 갖고 지붕에 올라서거나 마당에 서서, 왼손으로는 옷깃을 잡고 오른손으로는 옷의 허리 부분을 잡은 뒤 북쪽을 향하여 '아무 동네 아무개 복(復)'이라고 세 번 부른다.

"소제 비록 지인(知人)하는 안총(眼聰)이 없으나 식부 조요박덕지상(早夭薄德之相)304)이 아니요, 또 일월이 오래면 사생이 자연 현루(現漏)하리니, 이제 그 존망을 적실이 모르고 먼저 상사를 다스림이 불가하니, 형은 익히 생각하여, 그 사생을 쾌히 안 후 결단함이 늦지 않으니, 두 집 노복을 흩어 자취를 심방함이 옳으니라."

병부 또한 그렇지 않음을 들어 말리니, 경공이 금후 부자의 말림을 듣고, 우기지 못하여 집으로 돌아 가니라.

이때 묘랑이 경소저를 활착(活捉)하여 바로 북궁에 이르니, 귀비와 공주 당상에 촉을 밝히고 정히 묘랑을 기다리더니, 밤이 삼경(三更)이나 하여 묘랑이 경씨를 활착하여 이르러, 계하의 다다라는 내려놓고, 즉시 변하여 청수한 여승이 되니, 백라장삼(白羅長衫)과 백의운납(白衣雲衲)305)이 가장 공교하더라.

경소저 아득한 정신을 거두어 보니 차아(嵯峨)한 전상(殿上)에 등촉(燈燭)이 휘황한 데, 허다한 시위 궁인이 수풀 같이 벌여있고, 자기 잡아 온 호표는 본디 짐승이 아니요, 일개 여승이라. 정히 아무 곳인 줄 모르더니 문득 전상에서 크게 소리하여 꾸짖되,

"요음찰녀(妖淫刹女)는 나를 아는다? 네 본디 사문 규수거늘, 정부마 운남을 파하고 절강을 지날 때에, 요녀 불과 십여 세 유녀(乳女)로 음욕이 방자하여, 외간 남자에게 얼굴을 뵈며, 자색을 자랑하니, 경가 노축(老畜)이 식리명상(識理名相)으로 예의를 알진대, 자식의 음행을 금치

---

304) 조요박덕지상(早夭薄德之相) : 덕이 얇고 일찍 죽을 관상.
305) 백의운납(白衣雲衲) : 중이 머리에 쓰는 하얀 천으로 만든 모자. *운납(雲衲) : 중이 머리에 쓰는 모자.

못하고, 어느 곳에 옥인가사(玉人佳士)가 없어, 구태여 여러 처실 있는
정부마를 맞으리오. 종시 구가를 속이고 가만히 부마를 장악(掌握)에 넣
어, 백계모책(百計謀策)으로 적인(敵人)을 모함하고, 나를 또 마저 없앤
후, 구가에 입현(入見)하려 하다가, 하늘의 미움을 받아 일점 유치를 평
시(平時)에 실리(失離)하고, 구가의 들어오매 교언영색(巧言令色)으로
존당 구고의 자애를 엿보며, 부마의 은애를 낚아 감히 나를 항형(抗衡)
코자 하니, 내 미세하나 당당한 만승천자의 소교 (小嬌)라. 어찌 너 경
가 천녀에게 관속(關束)306)하리오. 내 함분인한(含憤忍恨)함이 오래인
지라. 금야에 요녀의 전후 죄상을 다스리려 하나니, 너는 지하에서 나를
원치 말라.”

　설파에 좌우로 하수(下手)307)하기를 재촉하니, 경씨 말로 좇아 자세
히 살피니, 이 다른 이 아닌 문양공주라. 귀비 경씨의 재용이 초세(超
世)함을 보매, 미운 마음이 맹동(萌動)하여 급히 하수하라 하니, 최상궁
이 철여의(鐵如意)308)를 들고 일어서며, 수십 궁아가 큰 매를 들고 일
시의 집장(執杖)할 새, 공주 예복(禮服)을 벗어 후리치고 내리달아, 경
소저의 녹발을 풀쳐 높은 기둥에 매어 달고, 제녀(諸女)를 지휘하여 만
신을 혜지 않고 두드릴 새, 경소저의 옥골 설부 경각에 으깨져 혈광(血
光)이 만신(滿身)하니, 장차 한 매에 마치려 하매, 살기등등(殺氣騰騰)
한지라.

　경소저 생세 십오의 생어부귀(生於富貴)하고 장어교애(長於嬌愛)하여
일분 괴로움을 모르다가, 이런 흉한 형벌을 당하매 아픔을 이기지 못하

---

306) 관속(關束) : 막고 묶고 하여 억누름.
307) 하수(下手) : 손을 대어 사람을 죽임.
308) 철여의(鐵如意) : 자기 마음대로 휘두를 수 있는 쇠몽둥이.

니, 어찌 살기를 바라리오. 자연 옥성이 맹렬하여 일쌍유미(一雙柳眉)309)를 거스르고, 봉안을 높이 떠, 여성 질왈,

"오수불혜(吾雖不慧)310)나 일찍 예교를 섭렵하였으니, 음악간교는 듣고 보지 않은 바라. 공주 구중궁궐(九重宮闕)에 생장하니, 외간(外間)이 천리라. 나의 행사를 저같이 아느뇨? 내 죄 있으매, 양가 친위(親位)와 가부(家夫) 알아 죄를 다스림이 옳은지라. 공주가 무인심야(無人深夜)에 산중 요도(妖道)를 보내어 무죄한 여자를 데려와 쳐 죽이려 하니, 이는 여무(呂武)311)에 더한 투악(妬惡)이라. 태사(太姒)312)는 어떤 여자시기에 삼천후비(三千后妃)를 형제같이 하시고, 여치(呂雉)313)는 또 어떤 사람이기에 척희(戚姬)를 인체(人彘)를 만들었으니, 공주 고서를 널리 보았을 것이거늘, 임사(姙似)의 어진 덕은 잊고, 투부(妬婦)의 악행을 본받고자 하니, 후세의 매명(罵名)을 어찌 하고자 하느뇨? 내 몸에 이(利)하게 하려 무죄한 인명을 해코자 하매, 사람이 알 이 없으리라 하나, 나는 보건대, 귀비와 공주 좌하에 시위 궁아가 있고, 위로 신명(神明)이 재방(在傍)하고 명촉(明燭)이 광휘하였으니, 천지 귀신이 어찌 두렵지 않으며, 앙화(殃禍)가 없을까 여기느뇨? 내 이미 호구낭혈(虎口狼穴)에 임하였으니, 사생을 판단하였는지라. 일루잔천(一縷殘喘)314)은

---

309) 일쌍유미(一雙柳眉) : 한 쌍의 버들강아지 같은 눈썹.
310) 오수불혜(吾雖不慧) : 내 비록 총명하지 못하지만.
311) 여무(呂武) : 중국의 대표적인 여성권력자인 한(漢)나라 고조(高祖)의 황후 여후(呂后) 여치(呂雉?-BC108)와 당(唐)나라 고종의 황후 측천무후(則天武后) 무조(武曌 : 624-705)를 함께 이르는 말.
312) 태사(太姒) : 중국 주(周)나라 문왕의 비(妃) 태사(太姒). 현모양처(賢母良妻)로 이름이 높음.
313) 여치(呂雉) : 중국 한(漢)나라 고조(高祖)의 황후.
314) 일루잔천(一縷殘喘) : 아주 끊어지지 않고 겨우 붙어 있는 한 가닥 숨 또는 목숨.

족히 아깝지 않으나, 이로써 공주의 전정이 유해함이 많으리니, 자신의 지은 죄로 상천이 벌하매, 재앙이 반드시 그 몸에 미침을 면하랴?"

설파의 분노가 맹렬하여 이미 혼도하니, 맞기를 많이 하여 만면(滿面)이 혈광(血光)이 되었고, 옥골설부(玉骨雪膚) 한 곳도 성한 곳이 없는지라. 귀비와 공주 그 강렬한 언사를 더욱 분노하여, 급히 서릊고자 어지럽게 두드리니, 이미 한 시신이 기둥에 달렸으니 생도 망연하고, 아자(俄者)315)에 절염 미소저(美小姐)더니, 경각에 한 덩이 육괴(肉塊) 되었으니, 인심 있는 자는 그 참혹한 경상을 차마 보지 못하리니, 견자(見者)로하여금 눈물 흘림을 금치 못하게 하더라.

귀비와 공주 그 죽었음을 알고 좌우로 끌어내라 하니, 최녀 흉인이 경씨 혹자 생도 있을까 저허316) 태섬으로 보라 하니, 이때 태섬이 한 가에서 공주 모녀와 최녀의 흉패 극악함이 사람을 태연이 죽임을 보고 흉히 여기며, 경소저의 옥용화태(玉容花態)와 빙자아질(氷姿雅質)이, 의연히 석년 윤·양 두 부인으로 차등치 않거늘, 청춘녹발에 힘힘히 독수(毒手)를 입어 꽃이 떨어지고 옥이 바아지는 경계를 당하여, 옥부방신이 속절없이 유명(幽明)을 즈음친지라317). 참혹 자닝함을 이기지 못하나, 구할 계교 없어 가만히 눈물을 흘리며 슬퍼하더니, 최상궁의 말을 듣고 나아가보니, 일신이 이미 핏덩이 되었으매 다시 바랄 것이 없으되, 가슴에 온기 잠깐 있는지라. 태섬이 일분 가망(可望)이 있음을 깃거, 가만히 일계(一計)를 내어 귀비와 공주께 고하되,

"경씨 이미 죽었나이다."

---

315) 아자(俄者) : 이전, 지난번, 조금 전, 갑자기.
316) 저허하다 : 두려워하다.
317) 즈음치다 : 격(隔)하다. 사이를 두다. 가로막히다.

하니, 최녀 경씨의 청운녹발을 칼로 베어 내려 한 잎 돗318)채 휘말고
한 거리319) 바320)로 동여매기를 마친 후, 처치함을 의논할 새, 태섬이
가로되,

"이미 밤이 깊고 만뢰구적(萬籟俱寂)하니 요란히 궁노배를 알게 함이
불가한지라. 첩의 오라비가 동산지기321)니 원문을 열나 하고, 경씨를
추경지 물에 넣어 아주 흔적을 없이하면 사람이 알 이 없으리이다."

최녀 대희하여 왈,

"태섬이 극히 건장하니 족히 수운하리라."

한대, 귀비와 공주 깃거 즉시 경씨의 신체를 태섬을 맡기니, 태섬이
가벼이 들고 밖으로 나가니, 공주 모녀와 최흥이 태섬의 깊은 뜻을 모르
고, 경씨를 마저 죽임을 만심환희하여, 묘랑으로 더불어 침당에 돌아와
주육(酒肉)을 벌이고 묘랑을 권하며, 그 신기묘술(神技妙術)을 칭찬하고
허다 기진이보(奇珍異寶)를 내어 묘랑을 상사하고, 운영과 구창(九娼)을
마저 제거하면 만무일흠(萬無一欠)하리라 하니, 그 요악함이 이 같더라.

태섬이 경씨의 시체를 옮겨 제 방으로 오니, 섬의 어미 강씨 일찍 일
자일녀를 두고 과거(寡居)하고, 형세 또 간곤(艱困)하매, 섬이 자원하여
궁비에 충수하고, 그 아들 한책이 궐내 구실322)을 하였더니, 강씨 이따
금 대내(大內)323)의 출입하여 섬의 방에서 자더니, 이날 입궐하여 밤을

---

318) 돗 : 돗자리. 왕골이나 골풀의 줄기를 재료로 하여 만든 자리.
319) 거리 : (명사 뒤에 붙거나 어미 '−을' 뒤에 쓰여)내용이 될 만한 재료를 뜻하는
    말. 여기서는 '한 묶음' 또는 '시신을 묶을 만큼의 분량'을 뜻한다.
320) 바 : 줄. 끈. 주로 삼이나 칡 따위로 굵다랗게 꼬아 만든 줄을 말함.
321) 동산지기 : 동산을 지키는 사람. *지기; 그것을 지키는 사람'의 뜻을 더하는
    접미사
322) 구실 : 관청의 맡은 일.
323) 대내(大內) : 대궐 또는 대전(大殿)의 안.

지내다가 잠결의 놀라 깨어 문 왈,

"낭랑을 어찌 시침치 않고, 반야(半夜)에 분주하며 저 가진 것은 무엇이뇨?"

섬이 소리를 금하고 가만히 허다 사고를 이른 후,

"경소저 혹자 생도 있으면 만행이니, 모친이 명일 교중에 한가지로 나가 집에 머무르고 구호하여, 가가(哥哥)로 경참정을 청하여 이 곡절을 일러 돌아 보내고, 불행할지라도 그 시체를 찾아 부모를 주면 적선(積善)이 아니리까?"

강씨 청파에 모골이 송연하여 말을 못하고, 급히 바를 끄르고 경소저를 붙들어 더운 데 뉘니, 이미 한 덩이 고기라. 보매 금즉하고324) 또 의상이 편편(片片)하여325) 남은 것이 없으니, 강씨 견파(見罷)에 탄성(歎聲) 유체(流涕)하며, 섬으로 더불어 밤이 새도록 온차(溫茶)에 회생단(回生丹)326)을 화(和)하여 입의 흘리고 지성 구호하니, 날이 새고자 할 때에 경소저 바야흐로 숨소리 있어 애애(哀哀) 비읍(悲泣)하는지라. 강씨 모녀 대희하여 소리를 나직이하여 왈,

"부인은 정신을 수습하여 보미327)를 진음하소서. 첩은 해로운 사람이 아니라, 부인이 작야에 요괴에게 착래(捉來)하여 하마 독수에 마치게 되었는 고로, 첩이 여차여차하여 모셔 이에 이르렀으니, 안심(安心) 조호(調護)하시면 당당이 친측(親側)에 돌아가시게 하리이다."

---

324) 금즉하다 : 끔찍하다.
325) 편편(片片)하다 : 옷 따위가 조각조각 찢겨지다.
326) 회생단(回生丹) : 죽은 사람을 살아나게 하는 신이한 약으로, 고소설에 흔히 등장하는 약류(藥類)의 하나.
327) 보미 : 미음. 입쌀이나 좁쌀에 물을 충분히 붓고 푹 끓여 체에 걸러 낸 걸쭉한 음식. 흔히 환자나 어린아이들이 먹는다.

경소저 본디 약질로 독형에 상하고 또 비분이 흉격(胸膈)에 막혀 혼도하나, 육맥(六脈)328)은 완전하니 어찌 죽기에 미치리오. 겨우 인사를 차리나 오히려 인사를 모르더니, 차언을 듣고 눈을 떠 보니, 두 여자 구호하매 위인이 다 순후(淳厚)한지라. 소저 이에 칭사왈,

"일찍 일면지분(一面之分)이 없으나 박명인생을 사지의 구하니, 은혜 태산 같은지라. 원컨대 성명을 알고자 하노라."

태섬 왈,

"첩은 김귀비낭랑 궁비 태섬이라. 첩이 비록 명박하여 귀비의 궁비 되었으나, 낭랑과 공주의 불현하심을 불복하더니, 의외에 부인이 액회 비상하시어 참화를 만나 사생이 수유에 계시니, 주인을 속이고 모셔왔나이다."

소저 청파에 그 의기 현심을 감은 각골하여 수루(垂淚) 칭사 왈,

"생아자(生我者)는 부모요, 재생자(再生者)는 궁인이라. 첩이 친측에 돌아간 후, 그대의 산고해활지은(山高海闊之恩)329)을 잊지 않으리라."

섬이 만만 불감함을 일컫고, 가로되,

"이곳이 소저가 오래 머무르실 곳이 아니니, 혹자 허다 이목이 만일 누설함이 있으면, 부인의 귀체 다시 위태하시고 첩이 또 무사치 못하리니, 첩의 모(母) 마침 들어왔사오니 청신(淸晨)에 부인으로 한 교자에 타, 첩의 집에 가 안둔(安屯)하시다가, 종용이 선처하여 존부로 돌아가심이 무방하도소이다."

소저 사왈,

---

328) 육맥(六脈) : 여섯 가지 맥박. 부(浮), 침(沈), 지(遲), 삭(數), 허(虛), 실(實)의 맥을 이른다.
329) 산고해활지은(山高海闊之恩) : 산처럼 높고 바다처럼 넓은 은혜.

"삼가 은인의 지휘대로 하리라."

하더라.

날이 채 밝지 않아서 강씨 거짓 복통을 앓노라 하고, 거교(車轎)를 수습하여 나갈 새, 병장(屛帳)을 두르고, 강씨 경소저를 안고 교중의 오르니 알 이 없더라.

소저 태섬에게 구생지은(求生之恩)을 못내 칭사하고, 강씨의 교중의 들어 궐문을 무사히 나와 한책의 집에 이르니, 맞추어 책이 나가고 책의 처가 고모(姑母)330)를 맞으니, 강시 소저를 붙들어 방중의 드리고, 미좇아331) 책이 들어오니, 강시 자부를 대하여 허다 곡절을 이르고, 부인의 상체 가장 대단하고, 병세 만분위악(萬分危惡)함을 이르고, 읍(泣)왈,

"소저는 경참정의 만금 농주(弄珠)로 문양공주께 이렇듯 참욕을 바들자가 아니요, 또 색모재예(色貌才藝) 금세에 희한한 숙녀거늘, 양가 부모와 정부마가 막연히 모르고 한갓 호표의 작용만 여기리니, 어찌 참혹치 않으리오."

책이 청파에 공주 모녀와 최녀의 궁흉대악을 크게 놀라고, 경소저의 화액을 자닝히 여겨, 그 모(母)와 처자로 하여금 약음과 보미를 갖추어 지성으로 구완하나, 수삼일에 이르도록 일양(一樣)이라.

한가 모자 부부 민망함을 이기지 못하니, 소저 강씨를 대하여 이르대,

"나의 약질로 위경을 지내매 병세 가볍지 않은지라. 오래 이곳에 유처(留處)하여 종시 생도를 얻지 못한즉, 부모를 산 낯으로 반기지 못하리

---

330) 고모(姑母) : ①시어머니. ②고모(아버지의 누이). 여기서는 '①시어머니'를 말함.
331) 미좇다 : 뒤미처 좇다.

니, 본부에 소식을 통키를 바라노라."

강씨 그 아들로 상의하니, 책이 즉시 경부에 이르러 명함을 드리니, 경공이 여아를 실산하고 소식을 듣지 못하니, 공이 숙식을 폐하고 매운 술로 장위(腸胃)를 적실 따름이러니, 한책의 명함을 보고 외헌의 나와 불러보니, 책이 추창(趨蹌)332) 배알하고,

"소인이 비밀지사(秘密之事)를 고할 말씀이 있사오니 원인(遠人)333) 벽좌우(辟左右)334) 하소서."

공이 의아하여 즉시 좌우를 물리친대, 가만히 고 왈,

"소인은 궁속(宮屬) 한책이라. 거일(去日)에 여차여차 하여 모(母) 강씨 누이를 보러 궐내에 들어갔었더니, 소부인(小婦人)이 여차 참화를 만나시어 사생이 위태하실 뿐 아니라, 옥주 죽은 줄로 알아 누이를 맡겨 추경지 연못에 넣으라 하매, 누이 또 여차여차하여 옥주와 낭랑을 기망하고, 가만히 어미의 교중에 넣어 천가(賤家)에 오신 지 삼일에, 지성 원호(援護)335)하오되 병세 위악하시니, 와서 고하옵나니, 노야는 차사를 구외(口外) 불출(不出)하시어, 행여 전설(傳說)하면 소인 모자 남매 보전치 못 하오리니, 선처하소서."

공이 청미(聽未)에 차경차희(且驚且喜)하여 칭사 왈,

"여아 사생이 누란(累卵)의 급함이 있거늘, 여등 남매 해활지은(海闊之恩)으로 목숨을 보전타 하니, 어찌 이런 중난한 말을 경설(輕說)하여 은인의 덕을 잊으리오."

하고, 심사 착급하여 여아를 봄이 시각이 바빠, 급히 심복가인 오륙인

---

332) 추창(趨蹌) : 예도(禮度)에 맞게 허리를 굽히고 빨리 걸어감.
333) 원인(遠人) : 사람을 멀리 물리침.
334) 벽좌우(辟左右) : 밀담을 하려고 곁에 있는 사람을 물리침
335) 원호(援護) : 돕고 보살펴 줌.

으로 더불어 한책과 한가지로 책의 집의 이르니, 강씨 고식이 피하고, 책이 참정을 인도하여 소저 있는 방을 가르치니, 경공이 들어와 소저 누운 방의 가 소저를 보매, 한 덩이 육괴라. 타인지심(他人之心)도 자닝함을 이기지 못하려든, 경공의 별륜(別倫) 자애(慈愛)로써 어떠하리오. 일견에 실색대경(失色大驚)하여 유체(流涕)함을 깨닫지 못하니, 소저 야야를 보매 애읍(哀泣)함을 마지않는지라. 공이 여아의 옥수를 잡고 유체 왈,

"이 무슨 꼴인가? 노부(老父) 행년 오십에 이런 혹형을 보지 않았으니, 문양공주 금지옥엽(金枝玉葉)으로 차마 이런 일을 행하뇨? 연이나 너로 하여금 이리 함은 다 노부의 불찰이라. 수원수한(誰怨誰恨)이리오."

소저 대왈,

"소녀의 변란은 처음부터 알았사옵거니와, 원컨대 대인은 행여도 존구와 정군더러 전설치 마시고, 소녀를 강정(江亭)에 옮기사 조병케 하시고, 심당에 깊이 들어 여년을 마치게 하소서."

공이 여아의 위위(危危)한 경색을 보고 심장이 베는 듯하나, 처음 잃고 탄도(嘆悼) 비황(悲遑)하던 바로 비컨대, 비록 육괴(肉塊)라도 찾음이 기쁘고 다행한지라. 언언이 응낙하고, 종일 이에 있어 여아를 완호하며, 심복가인으로 소교(小轎)를 대령하여 날이 저물기를 기다려 강정으로 옮기고, 돌아와 허다 사연을 다 이르고, 작석(昨夕)에 여아를 데려다 강정(江亭)에 감추었음을 이르니, 경시랑 부부 불행 중 기쁨을 일컫고, 부인이 그 생존함을 기뻐하나, 그 상체 대단하며 병세 위악함을 슬퍼하니, 공이 위로 왈,

"차역명야(此亦命也)라 현마 어찌 하리오. 처음 아주 잃었던 경색에 비컨대 어찌 다행치 않으리오. 부인은 안심 물우(勿憂)하고 여아의 병심을 어지럽히지 마소서."

부인이 공의 말씀을 옳이 여겨, 비회를 금억하고 가중(家中)에 말을

내되, 강정으로 피우(避憂)하여 심회를 소설(掃雪)하련다[336]하고, 소저
의 시비(侍婢)를 다 거느리고 강정에 가, 소저를 보매, 환형(換形)함이
한낱 육괴(肉塊)라. 부인과 제녀 다 실색(失色) 차악(嗟愕)하여 말을 못
하더니, 부인이 양구읍체(良久泣涕) 왈,

"차하경색(此何景色)이뇨? 여모 일찍 적악(積惡)함이 없거늘, 일녀의
신세 험난함이 여차하니 어찌 슬프지 않으리오."

소저 모친의 손을 받들어 반기고, 슬픔이 교집하여 희허(唏噓) 양구에
위로 왈,

"이 다 소녀의 명도 험함이니 수원수한(誰怨誰恨)이리오. 소녀 이미
일루(一縷)를 보전하였으니 결단코 죽든 않을지라. 원(願) 부모는 성녀
를 허비치 마시어, 해아의 불효를 더하지 마소서."

부인이 심회 자못 비절하나, 여아의 병회를 요동치 않으려 하여 다시
비색을 나타내지 않고, 이에 머물러 주야 소저를 구호하매, 소저의 상처
월여에 비로소 차경(差境)하니, 부모 깃거하며 자기 부부 너무 오래 있
으면 혹자 번거할까 하여, 모든 시녀로 소저를 보호하라 하고 부중에 돌
아오니, 취운산 정부에서도 모르더라.

차시 문양이 경소저를 짓쳐 죽인 후, 익일 모비를 하직하고 궁에 돌아
와 정부의 이르러 존당 구고께 현알한 후, 수일 존후를 묻자오며 경씨의
호환(虎患) 만남을 치위(致慰)하매, 놀라고 슬퍼함이 지극하니, 존당 구
고 다만 가변의 괴이함을 일컫고, 부마는 투목(偸目)으로 그 내외 현격
함을 더욱 통해하더라.

공주 이윽히 모셨다가 궁에 돌아오니, 최녀 맞아 정부 기색을 묻고,
비주(婢主) 불승흔희(不勝欣喜)하여 다시 획책하여 운영과 구창을 없애

---

336) 소설(掃雪)하다 : 쓸어내다. 없애다. 제거하다.

고자 할 새, 최녀 헌계(獻計) 왈,

"여차여차 운영을 잡아다가 없이 하려니와, 구창 있는 초실은 정당과 사이 뜨고 왕반이 머니, 비록 야간에 불을 놓아도 알 이 없을 것이니, 또 여차여차 하여 그 거처를 소화하면, 어찌 저 구창 서룻기를 근심하리오."

공주 희왈,

"보모는 나의 자방(子房)337)이라. 내 보모를 두었으니 족히 한고조(漢高祖)338)의 통일사업을 근심하리오."

하더라.

이러구러 순일(旬日)이 지났더니, 공주 묘랑을 청하여 행계할 새, 묘랑이 흔연히 허락하고 차일 중야(中夜)에 또 비호(飛虎)가 되어, 정부에 돌입하여 운영의 침소에 들어가니, 운영이 밤이 깊으매 두어 시비로 더불어 침수(寢睡) 바야히러니339), 묘랑이 부지불각(不知不覺)340)에 날아들어 거두쳐341) 돌아가니, 운영이 꿈 가운데 놀라 깨달으니, 제 몸을 무엇이 수리342) 매343) 차듯하여 벌써 공중에 올랐는지라. 심신이 경황

---

337) 자방(子房) : 중국 한나라의 건국공신 장량(張良)의 자(字).
338) 한고조(漢高祖) : 중국 한(漢)나라의 제1대 황제(B.C.247~B.C.195). 성은 유(劉). 이름은 방(邦). 자는 계(季). 시호는 고황제(高皇帝). 고조는 묘호. 진시황이 죽은 다음 해 항우와 합세하여 진(秦)나라를 멸망시켰다. 그 뒤 해하(垓下)의 싸움에서 항우를 대파하여 중국을 통일하고 제위에 올랐다. 재위 기간은 기원전 206~기원전 195년이다.
339) 바야히다 : 무르녹다. 한창이다.
340) 부지불각(不知不覺) : 자신도 모르는 사이.
341) 거두치다 : 걷어들다. 치켜들다. 거두어서 손에 들다.
342) 수리 : 수릿과의 독수리, 참수리, 흰꼬리수리, 검독수리 따위를 통틀어 이르는 말. 몸이 크고 힘이 세며, 크고 끝이 굽은 부리와 굵고 날카로운 발톱이 있다. 들쥐, 토끼 따위를 잡아먹는다.
343) 매 : 맷과의 새를 통틀어 이르는 말.

하여 크게 소리하니, 숙직 시비 놀라 깨어 보니 문이 열렸고 주인이 간데 없는데, 공중에서 사람을 부르는 소리 은은하니, 이 분명한 운영의 소리라. 실색(失色) 대경(大驚)하여 내달아 공중을 우러러 보니, 벌써 나는 범이 물어 가는지라. 순식간의 자취 없으니 양비자가 대경실색하나, 감히 정당에 고치 못하고 급히 남후에게 고하니, 병부 정히 외헌에서 양제로 더불어 침수 깊더니, 차언을 듣고 역시 대경 차악하나, 이미 끝난 일이라. 윤·양·경 삼부인 같은 숙완 현처와 옥수신월(玉樹新月) 같은 자녀도 실산하여 사생존망을 모르거든, 일개 운영을 이르리오. 연(然)이나 인명이 관중(款重)함을 경악하나 하릴없어 시비를 분부하여, 가로되,

"여주(汝主)의 만난 바 참변이 인심에 차악하되, 사이이의(事而已矣)라. 이미 밤이 깊었으니 정당이 아시면 놀라실 것이니, 아직 고치 말고 새기를 기다려 심방(尋訪)하여 보게 하라."

하니, 양비 청령(聽令)하고 물러나다.

시시에 묘랑이 운영을 후려 문양궁에 이르니, 공주 청상에 촉을 밝히고 운영을 잡아들일 새, 운영이 본디 속옷을 입고 자는 고로 겨우 단삼단의(單衫單衣)가 살을 가렸으나, 복색을 갖추지 못하였고, 정신이 황홀하여 자세히 보니, 이 다른 데 아니라 문양궁 후정이오, 공주 청중(廳中)에 앉아 독안(毒眼)을 부릅뜨고 운영의 두발을 추켜들어 손에 감고, 최녀로 더불어 철편을 들어 일신을 어지러이 두드리며, 꾸짖되,

"네 천승공주로 옥면군자 어디에 없어 구차히 타국 남자를 따라 이르러, 반계곡경(盤溪曲徑)344)으로 좇아 나의 심우(心憂)를 끼치니, 내 마

---

344) 반계곡경(盤溪曲徑) : 서려 있는 계곡과 구불구불한 길이라는 뜻으로, 일을 순

땅히 너의 죄를 다스리리라."

설파에 독히 치기를 마지않으니, 한 매에 가죽이 으깨지고 성혈이 낭자하니, 운영이 본디 운남왕의 일공주로 부귀 중 생장하였으니, 이런 독형을 견뎌 보았으리요. 일신에 피 흐르고 얼굴을 쥐어뜯기에 이르르는, 아픔을 이기지 못하여 울며 애걸하여 잔명을 살려지라 하나, 공주 일분 측은함이 없어 죽게 치니, 운영이 기절하여 인사를 모르는지라. 공주 그제야 치기를 그치고 손에 감았던 머리를 풀어 놓으매, 최녀 급급히 큰 삿자리345)에 휘말고 한 거리 바로 긴긴히 동여, 군관 한충을 불러 주되, 멀리 버리거나 물에 띄우거나 하라하고, 또 금백을 상하니 한충이 그 불의지사인 줄 알고, 급히 가지고 제집에 돌아가 처자더러 왈,

"이 속에 사람이 있으니 진심 구호하여 살게 하라."

그 처가 응낙하고 삿자리를 헤치고 보니, 비록 맞기를 많이 하였으나 죽든 않아 미미한 통성이 있는지라. 그 상처가 끔찍함을 자닝히 여겨, 눈물을 뿌리고 붙들어 방중에 뉘인 후, 온차에 회생단을 화(和)하여346) 연하여 입에 떠 넣으니, 날이 새기에 미쳐 바야흐로 정신을 수습하여 좌우를 살피고, 누수 여우하여 말을 못하니, 양씨 크게 자닝히 여겨 위로 왈,

"낭자는 슬퍼 마소서. 이곳이 종용하여 오래 머물기에 무방하며, 부마 노야의 삼공자와 아소저 다 면사(免死)하여 이곳에 있으니, 낭자가 공자 남매를 무휼(撫恤)하시다가 돌아가소서."

운영이 청파에 경동(驚動)하여 눈물을 거두고 가로되,

"원래 이 집이 어디며 그대는 어떤 사람인고? 내 아까 문양 공주의 독

서대로 정당하게 하지 않고 그릇된 수단을 써서 억지로 함을 이르는 말.
345) 삿자리 : 갈대를 엮어서 만든 자리.
346) 화(和)하다 : 무엇을 타거나 섞다.

수에 죽게 되었더니, 무슨 연고로 이에 오며, 아공자와 아소저 또 어찌 이곳에 있다 하느뇨? 자세히 일러 의심을 해석(解釋)게 하라."

양씨 대왈,

"이 집은 문양궁 궁감(宮監) 한충의 집이라. 가부(家夫) 문양궁 궁속(宮屬)이나 본디 의기 있고 슬하 적막하매 부부가 매양 슬퍼하더니, 모월모일에 문양공주 여차여차 아공자와 아소저를 멀리 버리라 하시매, 첩의 부처 보호하여 이곳의 있는지라. 거야의 또 낭자 여차여차 하시매, 첩의 가부 이곳으로 가져와 첩이 또 구하였으니, 아직 이곳에 안거하여 계시다가, 타일 풍운의 길시를 만나 공자와 소저를 데리고 빛내 돌아가소서."

운영이 청파의 기뻐 도리어 사례 왈,

"한 내관(內官)과 잉잉(奶奶)[347]의 은덕이 여차하니, 어찌 감사치 않으며, 더욱 소공자와 아소저 있다 하니, 타일 정부에서 아실진대 은혜 갚음이 적지 않으리로다."

한파가 불감(不堪) 사사(謝辭)하고, 즉시 현기, 운기, 자염과 경씨 유자를 데려와 운영을 뵌대, 양 공자와 자염이 낯이 의희(依俙)하여[348] 문득 반기고, 운영이 그 생존함을 기특히 여기며, 그 사이 장성(長成) 수미(秀美)함을 더욱 기뻐하고, 경씨 유자(乳子)는 처음 보는지라. 체형이 석대하며 기질이 아름다움을 크게 사랑하더라.

한충 부처가 운영을 그윽한 당사에 옮겨 지성 구호하여 월여에 흠질(欠疾)이 쾌차하니, 영이 한충 부처의 대은을 못내 사례하고, 차후 고요

---

347) 잉잉(奶奶) : 중국어 '내내(奶奶)'를 잘 못 독음(讀音)한 것으로, '할머니' '부인' '형수' 등의 호칭어 또는 지칭어로 쓰임.
348) 의희(依俙)하다 : 거의 비슷하다.

히 처하여 적자녀(嫡子女)를 보호하며, 스스로 신세를 슬퍼하더라.

이때 정부에서 운영의 시비가, 이튿날 태원전에 들어가 작야에 운영의 봉변한 사연을 고하니, 일가가 차악하고 태부인이 참연 수루(垂淚) 왈,

"운영이 만리에 이친(離親)하여 정리(情理) 가긍하거늘, 요정에게 홀려 원억히 죽으니 어찌 참혹하고 자닝치 않으리오."

병부 태모의 비애(悲哀)하심을 보고 이연(怡然)이 웃고 주왈,

"이 다 소손의 팔자라. 궁험함이 극하옵거니와, 천정지수(天定之數)는 인력으로 못하옵나니, 어찌 성려를 이다지도 허비하시리까?"

태부인이 탄 왈,

"어이 팔자 그러하리오. 가운이 불리함이로다."

금후 지기함이 밝으매, 다시 놀라지 않으며, 다만 호언(好言)으로 태부인을 위로하더라.

차시 문양공주 운영을 마저 서릇어 없이하매 기쁨을 이기지 못하여, 또 묘랑을 보채여 쉬이 구창을 마저 없애어 거리낀 근심이 없게 하라 하고 보채니, 묘랑이 가로되,

"구창의 머무는 곳이 내당과 사이 뜨고 성식(聲息)349)이 서로 통치 아니하니, 마땅히 한 자루 불로써 초당을 소화하면, 구창을 일시에 다 서릇으리다.350)"

공주 소왈,

"이 말이 최 보모의 의논과 상합하고 내 뜻과 같으니, 진정 이신일심

349) 성식(聲息) : 소식이나 소문.
350) 서릇다 : 좋지 아니한 것을 쓸어 치우다.

(二身一心)이라. 어찌 한고조(漢高祖)의 장평(張平)351)과 소렬(昭烈)352)의 와룡(臥龍)353)을 족히 부러워하리오."
하더라.

수일 후 충화(衝火)354)할 기구를 갖추어 구창의 거처하는 곳에 나아가 불을 놓으니, 옥앵 등의 성명이 어찌 된고?

이때 구창이 소당에 있어 서로 의지하여 날을 지내나, 윤·양·이 삼부인의 화액을 근심함이 각각 제 몸에 당한 듯 염려하며, 아공자 아소저까지 실산함을 두려워하고 슬퍼하나, 다만 타일 남후의 가사(家事) 정(定)한 후 여군(女君)의 찾기를 기다리더니, 이날 옥앵이 마침 여측(如厠)하러 나오다가, 집 뒤에 인적(人跡)이 은은하거늘, 괴이히 여겨 가만히 주시하니, 한 수미(秀美)한 남자가 무엇을 처마에 틈틈이 끼우고 불을 놓으려 하는 기색이라. 배후(背後) 일인이 이르되,
"일을 소리히 말라. 차녀 등을 마저 없애야 옥주의 전정이 쾌하시리니, 행여 패루하여 부마노야 아시면, 옥주껜들 무엇이 좋으며 우린들 무사하랴?"

351) 장평(張平) : 중국 한(漢)나라 고조의 책사(策士) 장량(張良)과 진평(陳平)을 함께 이르는 말.
352) 소렬(昭烈) : 중국 삼국시대 촉한의 제1대 황제유비(劉備 : 161~223)의 시호. 자는 현덕(玄德). 황건적을 쳐서 공을 세우고, 후에 제갈량의 도움을 받아 오나라의 손권과 함께 조조의 대군을 적벽(赤壁)에서 격파하였다. 후한이 망하자 스스로 제위에 오르고 성도(成都)를 도읍으로 삼았다. 재위 기간은 221~223년이다.
353) 와룡(臥龍) : 중국 삼국시대 촉한의 정치가 제갈량(諸葛亮 : 181-234)의 별호(別號).
354) 충화(衝火) : 일부러 불을 지름.

하니, 어성이 분명한 여자의 성음이라. 옥앵이 청파에 대경실색하여 급히 들어와, 모든 동류로 이 사연을 이르고 빨리 피화하라 하니, 제녀(諸女)가 대경실색하여 급히 들어와 피화할 새, 창졸에 다만 약간 의상과 경보를 가지고 일시에 문을 나, 인가(隣家)에 숨어서 보니, 과연 삼경쯤 하여 불이 크게 일어나니, 화염이 창천(漲天)355)하여 경각(頃刻)에 십여 간 초사(草舍)가 한낱 기둥도 남지 않은지라. 제녀가 망극함을 이기지 못하나 하릴없어 서로 의논하고, 가만히 하부에 나아가 피화한 설화를 고하니, 조부인이 추연이 여기고 또 제창의 자취 현루(現漏)하여 공주의 앎이 될까 염려하여, 깊이 소당에 감추어 두어 가내인도 모르게 하고, 의식을 후휼(厚恤)하니, 구창이 감은각골하여 성덕을 축수하며, 하부에 깊이 숨어 타일을 기다리니, 어찌 될꼬? 하회를 석람(釋覽)하라.

재설 문양공주 운영과 구창을 없애매, 비로소 일통천하(一統天下)한 듯, 기뻐함이 측량없어, 만사 등한(等閑)하더라.

차설 옥화산 조부인이 태우와 학사를 남·양 이주(二州)로 아득히 보내고, 창연한 염려와 훌훌한 심사 녹는 듯, 촉처(觸處)에 고사(古事)를 생각하여 가변의 흉패(凶悖)함이 오로지 유부인의 작악(作惡)이라. 명천공이 일찍이 세상을 버린 탓으로, 유씨 동서(東西)에 두려울 것이 없는 연고라. 일마다 명천공의 앎이 없음을 각골통절하니, 천 가지 수한과 만 가지 슬픔이, 오장이 사윔을356) 면치 못하고, 구파의 슬퍼함이 부인께 지지 않아, 서로 대하여 슬퍼할 따름이로되, 오히려 일분 믿고 바라는

---

355) 창천(漲天) : 하늘에 퍼져 가득함.
356) 사위다 : 다 타버리다. 불이 사그라져서 재가 되다.

바는 태우와 학사의 무양(無恙)히 득달한 소식을 들음이요, 슬하에 손아의 비상 특이함이 난봉(鸞鳳) 교옥(嬌玉) 같아서, 기특한 체격과 용호 기습이 진세에 뛰어나, 속아(俗兒)와 내도하고, 진소저 온화한 사색과 유열한 말씀으로 존고의 참절하신 심회를 위로하니, 조부인의 근심과 염려를 물리치기를 지극히 바라며, 조석 식음에 온냉(溫冷)을 맛보아 동촉(洞屬)한 효성이 진효부(陳孝婦)[357]의 효를 웃을지라.

조부인이 식부의 성효를 돌아보아 감동하며 손아의 기이함을 두굿겨, 스스로 심사를 억제하여 슬픔을 강인(强忍)할 적이 많고, 조공의 우애하는 정이 고인을 효칙(效則)하니, 매제의 심려가 편치 못함을 자닝하여 호언으로 위로하며, 때때 음식을 권하여 수년 후면 태우 형제 환쇄할 것이니, 삼재 춘추를 좋은 듯이 식음을 착실히 나와[358] 몸에 병을 이루지 말라 하더라.

조부인이 하소저에게 시녀를 자주 보내어 평부를 알아 오고, 하소저 날마다 초벽 등을 옥화산에 보내어 존고를 문자오며, 자주 상서를 닦아 하정을 고하여 자부의 도리를 폐치 않으나, 옥화산에 나아가 시측지 못하더라.

이러구러 해 진하고 명년 신세(新歲)를 만나니, 조부인의 비절한 심사는 세월이 바뀔수록 더하고, 하소저의 잉태한 지 십삭이 넘되, 분산의 기미가 없음을 궁금히 여기더라.

윤부인 현애 잉태한 지 십일 삭만에 정월 초순을 당하여 산점이 있으

---

357) 진효부(陳孝婦) : 한(漢)나라 때 진현(陳縣)의 효부. 남편이 변방에 수자리 살러 나가 죽자, 남편과의 약속을 지켜 일생 개가하지 않고 시어머니를 성효로 섬겼다. 『소학』〈제6 선행편〉에 나온다.
358) 나오다 : ①음식을 드리다. 바치다. ②음식을 들다. 먹다. ③나오다. 나오게 하다. ④생기다. 발생하다. ⑤아뢰다.

니, 하공과 조부인이 생남하기를 죄오며 친히 채월각에 이르러 약물을 대후하되, 초후는 관부에 가서 오지 않았으므로, 부인의 산점(産漸)359)을 알지 못할 뿐 아니라, 유부인을 통해함이 극하여 오륙 삭을 채월각에 발그림자도 않되, 윤씨를 진정으로 염박함은 없어, 심리에 그 성행(性行) 사덕(四德)을 흠복함이 무궁하여, 여산중정(如山重情)이 있으되 유부인께 분을 풀지 못하였으므로, 윤씨를 그 딸이라 하여 밖으로 미온한 사색을 지음이라.

하공이 사람을 관부의 보내어 윤씨의 산점이 있음을 일러 초후를 부르니, 사마(司馬) 부명을 어기지 못하여 공사를 급급히 처결하고 부중에 돌아와 정당에 들어가매, 원상 등이 부모 채월각의 가심을 고하는지라. 초후 마지 못하여 채월각에 들어가매, 모친은 방중의 계시고 부친은 청사에서 약탕을 만드시는지라. 초후 민망하여 곁에 나아가 고하되,

"약은 시녀라도 족히 달일 것이거늘, 어찌 성체를 잇부시게360) 하리까? 소자 약을 보살피오리니, 어찌 대인이 근로하심을 이렇듯 하시어, 저의 약탕에 불을 넣으시리까? 일기 한랭하오니 정당으로 드소서."

공이 정색 왈,

"아부의 산월이 기한이 넘었으되 분산할 기미 없으니, 내 주야 염려하는 바더니, 이제 산점이 있으니 분산의 근심이 없지 않아, 약을 맞추어 쓰고자 달이니라."

정언간에 윤씨 순산 생남하여 아해 울음소리 청고 웅장하여 집 마루361)가 울리는 듯하니, 공이 창외에서 아히 울음소리를 듣고, 남아임

---

359) 산점(産漸) : 산기(産氣). 달이 찬 임신부가 아이를 낳으려는 기미.
360) 잇부다 : 힘들다. 피곤하다.
361) 집 마루 : 지붕의 꼭대기.

을 짐작하여 희출망외(喜出望外)하니, 인세간(人世間) 경사 이 밖에 없는 듯하고, 조부인이 산모를 붙들어 구호하며 눈으로 생아를 살피니, 그 비상하고 기이함을 자세히 보매, 환환희희(歡歡喜喜)함이 모양하여 견줄 곳이 없으되, 윤씨 급한 복통이 한결같아서 인사를 알지 못하니, 조부인이 아무리 할 줄 몰라, 초후를 불러 윤씨를 진맥하라 할 즈음에, 생각지 않은 아해 또 돗 위에 나며, 청고한 소리 먼저 난 아해 소리와 같으니, 조부인이 도리어 황홀하여 오직 갱반(羹飯)을 재촉하며, 두 아해를 자주362) 돌아보아 웃는 입을 줄이지 못하니, 하공이 창외에서 연하여 아해 소리를 들으매, 기쁜 정신이 비껴363) 흔들림을 면치 못하여, 아해 봄이 바쁜지라. 이에 초후를 불러 왈,

"내 신손 쌍아를 보고자 하나 먼저 들어가기 심히 어려우니, 모름지기 날을 인도하라."

하고, 초후를 앞서라 하고, 지게를 바삐 열어 방 중의 들어와 신생 양손(兩孫)을 볼 새, 금금(錦衾)으로 소저를 덮고, 침병(枕屛)364)으로 앞을 둘러 공의 들어옴을 모르게 하고, 양 신생아를 나오게 하여 어루만져 보니, 작인(作人)의 영형(英形) 기이(奇異)함이, 강산의 수출한 정기와 일월의 광채를 오로지 타 났으니, 상모(相貌)의 비범 특이함과 구각(軀殼)365)의 석대함이 신생 유아 같으리오. 완연이 대인 기상과 존귀할 골격이 드러나니, 하공이 일견에 대열하여 부인을 돌아보아 서로 칭하하

---

362) 자로 : 자주.
363) 비끼다 : 얼굴에 어떤 표정이 잠깐 들어나다.
364) 침병(枕屛) : 머릿병풍. 머리맡에 치는 병풍. 보통 두 쪽으로 되어 있다. 늑곡병(曲屛)
365) 구각(軀殼) : 몸의 껍질이라는 뜻으로, 온몸의 형체 또는 몸뚱이의 윤곽을 정신에 상대하여 이르는 말.

며, 만심이 환희함을 이기지 못하니, 초후 부모의 이같이 기뻐하심과 양
신아의 비상함이 일마다 영행(榮幸)하니, 자연 미우에 춘풍이 온자(溫
慈)하여 부공께 고 왈,

"산실이 누추하여 대인이 머물지 못하실 바이오니, 정당으로 들으시
면 소자 차처에 있어 산모를 극진히 구호하리이다."

하공이 답왈,

"범인의 산실은 누추타 하건마는, 금일 현부의 산실은 기특한 향취 옹
비(螉飛)하고 찬란한 서광이 사벽에 조요하니, 네 또 눈과 코가 있어 향
내와 서기(瑞氣)를 알리니, 어이 산실이 누추타 하느뇨? 연이나 아부 인
사를 차리면 나의 들어왔음을 불안하여 할 것이므로 나가나니, 너는 이
곳에서 일시를 떠나지 말고 구호함을 게을리 말라."

초후 배사수명(拜謝受命)하고, 부친을 모셔 정당에 드신 후, 원상 등
을 당부하여 대인을 모셔있으라 하고, 채월각의 돌아와 청사에서 약을
연속하여 보살필 따름이요, 다시 방중의 들어감이 없더니, 조부인이 산
모의 구미(口味) 불감(不感)하여, 갱반을 착실히 나오지 못하고 자주 혼
혼하여 인사 모름을 근심하니, 초후 염려하여 보기(補氣)하는 약을 쓰
며, 모친의 숙식이 편치 못하심을 크게 근심하되, 연씨 같은 유(類)는
천이 있어도 산모의 갱반을 갖추어 구호치 못할 뿐 아니라, 자기를 볼
적마다 황홀 귀중함이 병통이 되었으니, 괴롭고 우습기를 이기지 못하
는지라.

윤씨 산후 초후 채월각에 있어 약물을 보살피더니, 연씨 따라 이르러
채월각 청사에 마주 앉아, 통방울 같은 눈을 옮기지 않아 초후를 바라보
며, 간간이 긴 부리를 둘러대어[366] 윤부인 먹지 못한 갱반을 구하여,

---

366) 둘러대다 : 그럴듯한 말로 꾸며 대다.

종일 달야토록 먹기를 남 권할 나위367) 없이 한 술을 남기지 않고 끌어368) 넣으니, 초후 더욱 기괴히 여기더니, 삼일삼야(三日三夜)369)를 연하여 수없이 퍼먹고, 정월 십삼일이 경안공주의 탄일이로되, 연군주 초후 떠나기를 어려이 여겨 모친 탄일에도 가지 않았더니, 연궁에서 팔진경장(八珍瓊漿)370)을 갖추어 하공 부부와 초후 부부께 각상(各床)371)을 보내었으니, 연씨와 초후 다 채각에 있다가 주찬(酒饌)을 받아, 초후는 겨우 한 잔 술과 안주를 맛볼 따름이요, 연군주는 미친 사람의 거동 같아서 술을 병째372) 거우르고, 금은기(金銀器)에 가득이 버린 미찬(美饌)을 하나도 남기지 않고 챗국373)까지 들어 마심을 보고, 초후 식량(食量)을 채 알려하여 자기 상을 연씨에게 밀어 마저 먹으라 하니, 편각에 다 끌어 먹으니, 초후 소년지심에 가소로움을 이기지 못하여, 미소왈,

"그대 연일 입을 놀리지 않고 갱반을 먹고, 연궁에서 온 성찬을 또 한결같이 이렇듯 먹으니, 반드시 복중이 포만할까 하나니, 그대 마음에 음식이 지질치374) 아니하냐?"

연씨 배가 과히 부르매 어린 흥이 더욱 높아 웃고, 대왈,

---

367) 나위 : 할 수 있는 여유나 더 해야 할 필요.
368) 끌다 : 끌어 모으다. 어떤 것을 옮겨 오거나 옮겨 가다.
369) 삼일삼야(三日三夜) : 삼일 동안의 낮과 밤.
370) 팔진경장(八珍瓊漿) : 팔진지미(八珍之味)와 옥액경장(玉液瓊漿)을 함께 이르는 말로, 아주 잘 차린 음식상에나 갖춘다고 하는 여덟 가지 진귀한 음식과, 맑고 고운 빛깔과 좋은 향을 갖추어 신선들이 마신다고 하는 술을 뜻한다. *팔진지미는 순모(淳母), 순오(淳熬), 포장(炮牂), 포돈(炮豚), 도진(擣珍), 오(熬), 지(漬), 간료(肝膋)를 이르기도 하고 용간(龍肝), 봉수(鳳髓), 토태(兎胎), 이미(鯉尾), 악적(鶚炙), 웅장(熊掌), 성순(猩脣), 수락(酥酪)을 이르기도 한다.
371) 각상(各床) : 따로 음식을 먹을 수 있도록 차린 상.
372) -째 : '그대로', 또는 '전부'의 뜻을 더하는 접미사.
373) 챗국 : 무, 오이 따위의 채로 만든 국. 또는 그렇게 만든 냉국.
374) 지질하다 : 싫증이 날 만큼 지루하다.

"음식이 지질하면 사람이 어떻게 세상에 살리까? 첩이 생어부귀(生於富貴)하고 장어호치(長於豪侈)하여, 몸에는 금수나상(錦繡羅裳)이 무겁고, 입에는 팔진화미(八珍華味) 염(厭)한 듯하더니, 존부에 옴으로부터 너른 식량을 줄이고 먹고 싶은 것을 참기는, 첩이 주소(晝宵)375)로 설사를 자주 하기로, 깊이 삼가고 조심함이요, 또 군자 혹자 측히376) 여길까 하여 참는 바더니, 점점하여 주리기를 심히 하매 죽을 듯싶어, '어찌 하면 진수성찬(珍羞盛饌)을 실컷 먹고 배부른 세계를 볼꼬?' 하였더니, 의외에 윤부인이 분산하매, 또 때맞추어 허로병(虛勞病)377)이 나 죽을 듯싶은 고로, 윤부인의 아니 먹는 밥을 첩이 다 치우고, 본궁에서 온 주찬을 다 먹으니, 이제야 복중이 든든하여 기신(氣神)378)이 매우 나나이다."

초후 연씨의 말마다 누추히 여겨 다시 수작치 아니하더라.

조부인이 산실에서 몸을 고단하게 하고 정침의 돌아가지 아니 하니, 초후 모친의 수고하심을 절민초조하여 고 왈,

"소자 윤씨를 힘써 잘 구호하올 것이니, 자정은 염려치 마시고 정침에 나아가사 성체를 날로 잇비 마소서."

여러 번 고간하니, 부인이 아자의 민박히 여김을 보고 마지못하여 정침으로 돌아가려 할 새, 초후를 재삼 당부하여 이르되,

"아부 기운이 대허(大虛)하고 정신이 자주 혼미하여 막힐 듯 할 적이 많으니, 모름지기 자지 말고 살펴 병이 더치게 말라."

초후 수명하고 모친의 취침하심을 보옵고 물러 채월각에 오니, 윤씨

---

375) 주소(晝宵) : 주야(晝夜). 밤낮.
376) 측하다 : 누추하고 음산(陰散)하여 마음에 께름칙한 구석이 있다.
377) 허로병(虛勞病) : 몸이 허약해지고 피로한 증상의 병.
378) 기신(氣神) : 기력과 정신을 아울러 이르는 말.

금금에 싸여 사람의 출입을 알지 못하거늘, 초후 그 손을 잡고 베개 가의 지혀 누우매, 윤씨 행여 존고 오신가 하여 눈을 떠보다가, 초후를 보고 중심에 노엽고 분함이 없지 않아, 씩씩이 손을 빼고 향벽(向壁)하여 눕거늘, 초후 그 뜻을 알아 구태여 다른 말 않고 갱반을 나온데, 소저 말하기 싫어 겨우 일어나 앉아, 시녀로 하여금 갱반을 가져 오라 하여 먹을 새, 윤씨 비위 거슬려 음식을 나오지 못하나, 초후의 괴로이 권함을 보고 마지못하여 먹기를 다하고, 그릇을 물리고 근력이 없으나 누웠기 불안하여 앉아있으되, 눈을 낮추고 맹렬한 사색이 낯 위에 어리어, 유심(留心) 치부(置簿)함이 깊은 바는, 초후 동기지정으로 하소저의 참액(慘厄)을 슬퍼하며 유부인의 악사를 분원하여, 자기를 박대함은 조금도 한(恨)치 않되, 대수로이379) 초하동의 불러다가 질욕누언(叱辱陋言)이 참참(慘慘)하여 그 모친을 매달(妹妲)380)에게 비하며, 자기로써 천고간악 음악찰녀에 견주어, 입의 담지 못할 말을 많이 함을 애달고 분하여 평생 풀릴 뜻이 없으니, 초후 어찌 그 심폐를 사무치지 못하리오.

유씨를 통해함은 생전에 잊을 길이 없으나, 윤씨에게 여천지무궁(如天地無窮)한 중정(重情)은 바다가 평지 되나 변치 않을 바라. 처음 염고(厭苦)하던 마음을 뉘우치고 당차지시(當此之時)하여는 윤씨의 노분(怒忿)을 풀기를 생각하여, 자기 화평키로써 진복(鎭服)할지라. 윤씨의 숙뇨현철(淑窈賢哲)함을 깨달은 후는 은근히 정을 펴지 못하리오마는, 진정 우애로써 그 매제를 저의 모친이 짓두드려 죽이려 하던 용심을 헤아리면, 저를 저버려, 무식패광지인(無識悖狂之人)으로 윤추밀의 은혜를

---

379) 대수롭다. 중요하게 여길 만하다.
380) 매달(妹妲) : 중국의 대표적인 악녀(惡女)인 하(夏)나라 걸(桀)의 비(妃)인 매희(妹喜)와 주(周)나라 주(紂)의 비(妃) 달기(妲己)를 함께 이르는 말.

잇으며 덕을 배반할지언정, 차마 동기를 죽이려 하던 흉인의 딸로 더불어 좋이 화락할 뜻이 사연(捨然)하다가도, 윤씨의 백행기질이 일무소흠(一無所欠)하고, 촉지(蜀地) 간고를 많이 겪어 그 마음을 썩임을 생각하면, 유부인은 비록 백악이 구비할지라도 윤씨를 박대치 않음이 옳고, 윤추밀의 의기현심과 깊은 은덕을 생세에 다 갚지 못할 것이니, 매제 이미 죽지 않았고, 윤씨를 그칠 사이 아니니, 소매 부부 즐거이 모이기를 바라며 윤씨에게 불평함을 오래 지음이 옳지 않고, 하물며 쌍태 기린을 생남하여 바람에 지나니, 스스로 영행함을 이기지 못하여, 부인을 향한 은애 샘솟 듯하되, 부인의 유질함을 염려하여 소저 곁에 누어, 그 옥비섬수를 어루만져 견권지정(繾綣之情)이 산비해박(山卑海薄)하되, 소저는 괴로움이 심하여 손을 뿌리치되 초후 그 손을 잡아 놓지 않더니, 소저 기운이 또 혼혼하여 정신을 차리지 못하니, 초후 촉을 가까이 놓고 약을 떠 넣으며 신색을 살피매, 위악함을 더욱 우려하여, '부인이 유태지중(有胎之中)에 심려를 허비함이 많아 의형이 이같이 수패(瘦敗)하였는가?' 그윽이 슬피 여기는 바는, 윤씨 같은 숙녀현완(淑女賢婉)이 유씨 같은 악인의 딸이 되어 그 회포 남 같지 못함을 더욱 애달아할 뿐이로되, 윤씨를 대하여는 설화를 열어 자기 마음에 있는 바를 이르지 않는지라. 윤소저 기운이 잠깐 나아 정신을 차림이 있으니, 초후가 여러 날 접목(接目)치 못하였으므로 서안을 기대 잠을 들었더라.

명주보월빙 권지오십오

&

화설, 초후 여러 날 접목(接目)치 못하였으므로 서안을 기대 잠을 들었더니, 문득 연씨 이르러, 윤부인과 초후 다 잠이 취하였고, 그 부부의 수려한 풍용이 상하치 아니하여 남채여모(男彩女貌) 발월 특이함이 자는 중 더욱 아름다움을 보니, 연씨 촉하(燭下)에 앉아 곱고 기특하다 일컫기를 마지않다가, 초후를 향한 정을 참지 못하여 염치를 잊고 초후의 곁에 누어 낯을 대고 손을 견주어, 측량없는 정욕이 비할 데 없으니, 초후 비록 잠 가운데나 처음 들어올 적부터 알아, 그 망측히 구는 거동을 알되 짐짓 모르는 체하고 누었더니, 연씨 둔한 몸이 이따금 자기를 짓눌러 아니꼬운 형상을 참기 어려우니, 초후 눅눅하여 비로소 눈을 떠 보고, 가로되,

"그대 편히 자지 않고 이에 와서 곁에 누었음은 어찌오?"

연씨 답왈,

"첩이 윤부인 기운을 알려 이의 왔더니, 시녀 등이 다 자고 상공과 부인이 취침하여 계시니, 혼자 앉았기 두려워 첩이 밤이면 유모 시녀배를 곁에 눕게 하고 잠으로, 무서운 마음을 없애고자 상공 곁에 누었나이다."

초후 그 꾸며 대답함을 밉게 여겨 웃고, 이르되,

"밤에 혼자 자기를 무섭게 여길진대, 이미 이곳의 왔으니 숙소의 가지

말고 예 누었으면 단단히 눌러 주리라."

인하여 큰 힘을 다하여 연씨를 누이고 큰 몸으로 누르니, 연씨 답답하여 견디지 못하여, 왈,

"이제는 군자 깨였으니 첩이 무섭지 아니한지라 돌아가겠나이다."

휘 짐짓 웃고 왈,

"나 같은 장군이 있으면 두렵지 않으리라."

연씨 왈,

"첩이 무서운 중이 사람이 가까이 자면 낫거니와, 너무 괴로움은 귀찮소이다."

초후 저를 불관이 여기는 줄 모르고, 주야 따라 다니며 귀중하는 정이 측량없음을 괴로이 여기나, 소년지심에 이같이 속이니 어찌 우습지 않으리오. 연씨 전일은 윤씨를 항형하여 욕하며 업신여기더니, 부인의 관홍지덕(寬弘之德)과 단엄한 위의 완연이 사군자(士君子)의 풍이 있으니, 연씨 점점 그 덕화를 감열(感悅)하여 꾸짖고 욕할 마음이 없고, 윤부인 바라기를 존고 버금으로 하더라.

이러구러 윤씨 분산한 지 이칠(二七)이 되고, 별춘정 하소저 잉태 십일삭 만에 일개 옥동을 생하니, 생아(生兒)의 기골이 비상하고 체격이 늠준(凜俊)하여 신생 유아 같지 않고, 산실에 오채향운(五彩香雲)이 조요(照耀)하니 장래 대귀(大貴)할 줄 짐작할지라. 하공 부부와 금평후 부부 하씨 잉태지중(孕胎之中)에 남에 없는 사변(事變)을 지내니, 분산이 위태할까 염려하다가, 순산 생남하고 산후 질양이 없으니, 하늘이 도우신 듯 영행함을 이기지 못하나, 그 아비 보지 못함을 애달아하고 병부 등이 하공께 치하 왈,

"연숙이 칠팔일 사이에 친외(親外) 삼개 기손(奇孫)을 얻으시니, 존부

의 경사 무궁하신지라. 윤아는 그 아비 멀리 있어 보지 못하니 흠새나, 수년지내의 모이리니 얼마 오래리까? 일기 온화한 때에 자의의 양남(兩男)과 사빈의 유자(乳子)를 한 곳에 모아 한가지로 그 기특함을 구경하사이다."

하공이 탄 왈,

"여아의 일명이 보전하여 오늘날 생자하는 경사 있음은 창백의 두 번 살려낸 은덕이요, 부녀가 생면(生面)으로 반김이 다 창백이 줌이라. 한갓 우리 부녀에게 산은해덕(山恩海德) 뿐이리오. 윤가에 또한 큰 은혜로다."

병부 불감(不堪) 사사(謝辭)하더라.

윤씨 일삭 후 일어나되, 옥모 수척함이 전과 내도하고, 하씨 신상에 질고가 없어 즉시 일어나니, 하공 부부 대희하더라. 하공이 신생 쌍아를 별춘정에서 데려와 윤아와 한 데 누이고, 금평후 부자를 청하여 보게 하니, 금후 부자가 윤아는 여러 번 보았거니와 초후의 양 신아는 난지 삼칠(三七)에 오늘에야 처음 보는지라. 그 비상 특이함이 윤가 신아에게 내리지 않고, 삼아의 명모광채(明眸光彩)가 서로 비추니, 천지정화와 일월정기를 오로지 하·윤 삼아가 품수(稟受)하매, 각각 부모의 체형을 습(襲)하여 용인속자(庸人俗子)에 내도할 뿐 아니라, 대귀할 골격이 나타나니, 금평후 삼아를 어루만져 칭선 왈,

"퇴지의 관일지충(貫一之忠)과 강명절직(剛明切直)한 행실로써, 소인의 미임[381]이 되어, 석년에 자안 등을 참혹히 마치나, 당금(當今)하여 원상 등 삼아가 각각 원사(寃死)한 넋이 환생하였고, 자의의 양개(兩個) 기린(騏驎)이 하문을 높이며 송조(宋朝) 보필지기(輔弼之器)라. 비록 신생 유아나 작인이 이다지도 비상하니 타일 영귀할 줄은 가지(可知)라.

---

381) 미이다 : '미다'의 피동사. 업신여겨 멀리하고 따돌림을 당하다.

형의 집에 이런 경사 어디 있으리오. 하늘이 윤명천의 만리 이국의 가조사(早死)함을 슬피 여기사, 그 양개(兩個) 유복자가 각각 아들을 낳으매 하나도 범상치 않아, 사원의 잃은 아들로부터 영주의 생아(生兒)가 이같이 기특하니, 윤가의 흥기함을 보지 않아 알지라. 사원과 사빈이 남·양 이주에 가서도 병들까 염려 없고, 화란 중 몸을 마칠까 근심은 몽리(夢裏)에도 없으니, 수년(數年)이 얼마면 지나리오. 퇴지는 자부와 여서(女壻)를 타일에 모아 길이 두굿기고, 층층한 손아를 슬상에 유희하여 긴 세월에 즐거움을 누리리라."

하공이 추연이 두 줄기 눈물을 흘려, 가로되,

"소제 무궁한 적악이 자녀에게 미쳐, 원경 등 삼아를 참망하고, 여아의 변괴 세간에 희한하니, 창백의 두 번 살려냄이 아니면 어찌 우리 부녀가 살아서 서로 대함이 있으리오. 망아 등의 누명을 신원함과 소제 고토에 돌아와 군상의 대은을 받자옴이, 근본인즉 죽청의 은덕이라. 감은한 마음이 골절에 사무치고, 성손(姓孫)382) 쌍아가 그 작인이 비상하나, 오히려 예사로움은 식부의 태후(胎候) 화란을 지내지 않았거니와, 외손에 다다라는 제 어미 참화를 지내되, 윤아가 기특함으로 지레 떨어지지 않아 십삭을 넘겨 낳으니, 생각할수록 영행함을 이기지 못하나니, 타일 사빈이 돌아와 부부 화락함을 볼진대 한이 없으려니와, 소제 자녀에게 하 험난하니, 이를 능히 바라지 못하노라."

평후 위로하고, 평남후 등이 양아의 비범함을 일컬어 높은 복경을 칭하하고, 쌍아의 이름을 물으니, 하공이 미처 쌍손의 명을 짓지 않았더니, 이날 물음을 당하여 초후더러 이르되,

---

382) 성손(姓孫) : 후손(後孫). 자신의 세대에서 여러 세대가 지난 뒤의 자녀를 통틀어 이르는 말.

"내 정신이 온전치 못하여 아해 이름을 짓지 못하니 네 지으라."

초후 피석 대왈,

"대인이 위에 계시니 소자 어찌 이름을 지으리까? 대인이 명호 주심을 청하나이다. 각각 '몽(夢)' 자(字)를 넣어 지으심을 바라나이다."

하공이 드디어 명(名)을 지으매, 먼저 난 바로써 '몽성'이라 하고 자를 '현보'라 하고, 차자는 '몽린'이라 하고 자를 '사보'라 하되, 윤아는 그 아비 돌아오기를 기다려 지으랴 하고 짓지 않으나, 이 삼아에 자미를 붙여, 정국공과 조부인이 수한(愁恨)을 소화하여 날로 두굿기니, 하공의 즐거움이 이 밖에 없는지라.

초후 날로 열친을 위주하여 부부윤의를 폐치 않아, 채월각에 들어간즉 괴이한 악취 비위를 정치 못하니, 이는 연씨 식량(食量)이 너르고 정결치 못하기로, 밥이 차지 못하면 두루 다녀 잡것을 주워 먹고, 복중이 편치 못하여 토사(吐瀉)383)하는 병이 있기로, 이따금 분취농비(糞臭濃飛)384)함이라.

조부인이 이를 알고 조석식반을 범인에서 삼배나 더하여 양을 채우나, 설사는 금치 못하니, 경안공주는 기녀의 복병(腹病)을 아는 고로, 비록 주린 줄 아나 연고 없는 음식은 보내지 않으니, 초후 연씨 매양 그 모(母)의 무정함을 한함을 보았는지라, 연부마의 충현 정대함과 경안공주의 숙요(淑窈)함으로, 저같이 갖추 못생긴 딸을 낳아 외모 기질과 일신 행사의 한 일도 보암직한 일이 없음을 그윽이 탄하여, 연한림 등과 대상부동(大相不同)385) 함을 괴이히 여겨, 일모(一母) 동복소생(同腹所

---

383) 토사(吐瀉) : 상토하사(上吐下瀉). 위로는 토하고 아래로는 설사함.
384) 분취농비(糞臭濃飛) : 똥냄새가 가득 서려 있음.
385) 대상부동(大相不同) : 조금도 비슷하지 않고 아주 다름.

生)의 작인이 내도함을 애달아 할 뿐이요, 연군주를 실성지인(失性之人)으로 치워 만사에 박절함이 없어, 기괴망측한 거조가 있어도 아른 체 않으니, 하공 부부 아자의 덕량을 두굿겨 하고, 연부마와 공주는 초후를 감격한 뜻이 골절(骨節)에 사무쳐, 볼 적마다 기경(起敬)하고 귀중함을 과도히 하여 매양 은혜를 일컬으니, 초후 도리어 괴로이 여기나 마침내 연씨를 가내에 두어 화평이 거나릴 뜻이 있고, 연궁 시녀는 하루 열 번을 왕래하여도 막는 일이 없으되, 유부인 통해함은 갈수록 심하여 문니(門吏)를 엄금하여 윤부 시녀와 서간을 들이지 못하게 하니, 벽난 소영 등이 감히 왕래치 못하고, 이따금 윤부인을 대하여 옥누항 통신하는 일 곧 있을진대, 소매(小妹)를 죽여 없이 하려 하는 의사라 하니, 윤씨 애달고 노여움이 철골(徹骨)할 뿐 아니라, 존고의 기색을 보니 어질고 화순함으로써 자기 낯을 보아 모친을 시비하는 바 없으나, 옥누항 통신을 말고자 함으로, 초후의 이심히 막는 일을 그르다 하는 일이 없고, 혹 자기를 대하여, 서랑의 환쇄(還刷) 전이나 추밀이 돌아오지 못하여서, 여아의 생존함을 전설(傳說)할 이 있으면, 딸이 다시 죽음이 쉬우리라 하니, 윤부인이 존고의 헤아림이 괴이치 않은지라, 아주 사정을 베어 일찍 문후하는 글을 그쳤으되, 그윽한 밤을 당한즉 모친의 실덕패도(失德悖道)함을 슬퍼 하고, 자기 자식의 도를 폐하여 추호도 정성을 뵈지 못하고, 효행을 아주 그쳐 모르는 남이 되었음을 통절하여, 사사에 여자 됨이 구차함을 슬퍼하여, 흐르는 눈물이 베개를 적시고, 가슴에 뭉킨 애달음이 돌이 되어 풀릴 적이 없으니, 초후는 부인의 심사를 거울 비추듯 알되, 유부인 거절하기는 시로 충가하더라.

이때 문양공주 적인으로 이름 지은 것은 다 해하니, 윤·양·이·경 등과 운영으로부터 구창까지 다 서릇어 양양흔흔(揚揚欣欣)함을 마지않

되, 오히려 이씨 임산에 편히 있음을 꺼려 신묘랑더러 해할 꾀를 물으니, 묘랑이 소왈,

"이씨 같은 것은 염려할 것이 없는 것이니, 도위 노야께 요조숙녀 갖추 있으매 관홍한 도량으로 이씨로써 폐륜을 만들지 않았으나, 이제 그 박색추물(薄色醜物)을 권련(眷戀)할 것이라, 의절하여 향리에 가 있는 것을 마저 없애자 하느뇨? 이런 일은 다 물외(物外)에 던지고, 옥주는 원컨대 이수가액(以手加額)하여, 도위 상공의 은정을 독당(獨當)하여 유자생녀하시고 백수동락(白壽同樂)하여 만복을 누리소서."

문양공주 신묘랑의 말을 듣고 심중에 옳이 여겨 이씨 해할 꾀를 그치고, 적인은 다 서릊어 없이하여 좌우의 뵈는 것이 없으니, 안중정(眼中釘)이 사라져 마음에 시원하고 기쁨을 비할 곳이 있으리오. 양익(兩翼)을 고상(翶翔)할 듯하되, 다만 금은을 허비하여도 얻기 어렵고 사지 못할 것은 부마의 은정이라. 성례 사재(四載)에 하루도 마음과 같이 화락치 못함을 애달고 슬퍼, 독숙공방(獨宿空房)에 눈물이 비 같더라.

묘랑을 청하여 온갖 요약(妖藥)의 유(類)를 얻어 술에 화하여 변심하기를 요구하는 고로, 비록 감수하는 약이라도 부마의 마음이 변하여 자기에게 은정이 돌아지리라 하면, 수삼년 감수하는 것은 관계치 않게 여겨, 천만가지로 시험하며, 또 명산대천에 기도하여 부부의 정이 중키를 축원하고, 묘랑이 요악(妖惡)히 방법하기를 그치지 않으나, 정병부의 여견만리(如見萬里)하는 총명과 사람의 오장을 꿰뚫어보는 슬기라. 공주의 부정(不正) 요사(妖邪)함을 신혼 초일로부터 분명이 앎이 있으니, 어찌 간정을 모르리오.

변심하는 약이 혹자 무망(無望)에 술 가운데 듦이 있어도, 벌써 독이 받지 않아 즉시 뱉어버리고, 요승이 작법하나 부마의 마음을 잡귀신이 돌이키지 못하니, 갈수록 씩씩 준엄할 뿐이오. 소년부부의 흔연 상애(相

愛)하는 거동은 전일만도 못하여, 대하매 공주의 마음이 두렵고 시스러워386) 백사에 삼가고 조심하기를 등한이 아니하여, 남후의 보는 데는 지극히 어질며 온순한 체하니, 도리어 약하고 부드럽기 결단 없는 사람 같더라.

남후 그 내외 다름을 더욱 통완하여 미움이 점점 더하여 능히 참지 못하나, 군상의 대은과 부공의 지극하신 경계를 저버리지 못하여, 십여 일에 두어 번씩 문양궁에 이르러 그 마음을 잠깐 눅이고자, 일침지하(一枕之下)에 어수지락(魚水之樂)387)을 다시 이루매, 공주 낙태한 후에 기부(肌膚) 충실하였고, 부부 다 혈기 장성(壯盛)한 때라. 또 잉태함이 쉬운 고로, 공주 태후 있은 지 삼사 삭에 몸을 상요에 던져 백미무미(百味無味)하고 온갖 과실이 다 아니꼬워 못 먹으니, 새로이 문양궁이 술렁여388) 팔진경찬(八珍瓊饌)과 산해진찬지물(山海珍饌之物)이 갖추지 않은 것이 없어, 한 가지라도 공주의 진식(進食)하기를 요구하나, 공주 거짓 병든 체하여 먹을 만한 것도 다 몰아 물리치고, 종일 음식을 고찰(考察)하니, 남후는 그 천연치 않은 거동을 보기 괴로워 더욱 태후(胎候) 있음을 알고 난 후는 문양궁 왕래를 드물게 하여, 일삭에 한 번씩을 들어오나 오래 앉아있는 일이 없어, 경씨를 각별 자닝함은 자기 집에 오기를 이상히 싫어하는 것을, 부친이 위력으로 데려와 홀홀히 거처를 모르니 경참정이 슬하 적막하여 양자(養子) 부부와 소저뿐이거늘, 경자사는 소주 천리 밖에 있고, 소저는 사생 존망을 모르게 잃음이, 사람의 참지 못할 슬픔이라.

---

386) 시스럽다 : 수줍다. 부끄럽다. 어색하다.
387) 어수지락(魚水之樂) : 수어지락(水魚之樂). 물과 고기의 관계처럼 어진 임금과 신하, 또는 남편과 아내가 서로 이해하고 돕는 즐거움.
388) 술렁이다 : 어수선하게 소란이 일다.

자기는 여러 처실을 다 실리하였으나 심장이 남달리 견확(堅確)하니, 경씨를 상리(相離)하여도 과도히 상도(傷悼)하여 병날 바는 없으되, 경공 부부의 정사가 참혹함을 위하여 비상(悲傷)하고, 자기 평생 처첩을 많이 모아, 장부의 호신이 남 달리 유별한 마음이, 실중에 성녀 숙완 숙녀 미색을 쌍쌍이 갖추고자 하던 뜻이 일장춘몽 같아서, 당차지시(當此之時)하여 깨달으나, 이미 취한 바를 버리지 못할 바거늘, 윤씨 같은 만고 명염의 숙녀를 화락지 못하며, 양씨 같은 절색현완(絶色賢婉)을 나는 호표에게 채여 보냄도 주야의 못 잊는 바거늘, 경씨를 마저 잃음이 되니, 의복의 한서와 대객의 주찬을 염려할 이 없고, 이씨 비록 색태(色態) 불미하나, 행실인즉 사군자의 풍이 있어 은정의 흡연함이 공주에게 비치 못할 것으로, 임산에 보내어 상명이 의를 절하시매 인신지도에 그 죄를 신백(伸白)지 못한 전은 데려오지 못할지라.

운영도 거처를 모르고 구창의 들었던 초실이 소화하여 그 간 곳이 없기에 다다라는, 기괴망측하여 도리어 입이 써 말이 나지 않으나, 그 옥수 신월 같은 네 낱 자녀의 사생 유무를 알지 못하여 은우(隱憂) 중(重)하기의 미쳐는, 장부의 철석심장(鐵石心腸)이 설설이 사월[389] 듯하되, 마침내 외모에 한 조각 우수(憂愁)하는 빛을 나토지 않아 승안열친(承顔悅親)을 위주 하니, 금평후는 그 심정을 어려이 여기고 장부의 기상이 광풍제월(光風霽月) 같음을 두굿기며, 순태부인은 매양 인정 없다 꾸짖으면, 함소 무언 이러라.

흐르는 세월이 '백구(白駒)의 틈 지남'[390] 같아서, 춘하삼추(春夏三

389) 사위다 : 불이 사그라져서 재가 되다.
390) 백구(白駒)의 틈 지남 : =백구과극(白駒過隙). 흰 망아지가 빨리 달리는 것을

秋)391)를 지내고 초동(初冬) 소한지절(小寒之節)392)을 만나 문양 공주의 산월이 일삭이 격하니, 만삭 중 식음을 전폐하고 몸을 움직이지 못하니, 대개 만월(滿月)하도록 하루도 쾌한 날이 없어, 매양 태산이 짓누르는 듯, 스스로 복중에 남아 들었음을 죄고393) 더욱 병을 이루되, 남후는 원간 유신(有娠)함을 불행하여 아들을 죄는 바 없어, 그 맥을 본즉 반드시 여맥(女脈)이니 다행하여 딸이나 양선(良善)하기를 바라더라.

차시의 구몽숙이 벼슬이 차차 높아 육경(六卿)에 오르고, 해북(海北)394) 번국(藩國)의 교유사(敎諭使)로 나갔더니, 돌아온 지 수월이 넘지 못하여서 해북 오랑캐 반하여 군병장졸(軍兵將卒)을 일으켜 대국지경을 침노하매, 절도사 우민이 맞아 싸우다가 패군(敗軍)하고, 오랑캐 병강(兵强)하여 범연한 장수는 항복 받기 어려우니, 비보(飛報) 급하여 천문에 급보하니, 상이 놀라사 팔채용미(八彩龍眉)에 수운(愁雲)을 띠여, 크게 조회를 베풀어 문무 제신으로 더불어 북벌할 일을 의논하시니, 태사 정유와 승상 조진 등이 주왈,

"폐해 상서 구몽숙으로써 춘간(春間)에 북국 교유사로 보내어 계시더니, 이제 돌아온 지 수삭이 못하여서 북호(北胡)395)가 반하오니, 이는

문틈으로 본다는 뜻으로, 인생이나 세월이 덧없이 짧음, 또는 빨리 흘러감을 이르는 말.

391) 춘하삼추(春夏三秋) : 봄 여름과 초(初)·중(中)·계(季) 삼추(三秋)를 함께 이르는 말.

392) 소한지절(小寒之節) : 이십사절기의 스물셋째. 태양의 황경이 285도에 도달했을 때로 동지와 대한 사이에 드는데, 양력 1월 6일이나 7일경이다.

393) 죄다 : 마음을 졸이다.

394) 해북(海北) : 중국에서 북해는 발해(渤海)를 달리 이르는 말로 해북은 발해 북쪽 지역을 말한다.

395) 북호(北胡) : 북쪽 오랑캐 종족.

덕화 능히 북이(北夷)를 감열(感悅)치 못함으로, 사오월을 북지의 머물러 재물을 탐하고 대국 위엄을 잃어, 성교를 욕되게 한 연고라. 북벌할 대장을 가려 보내신 후, 상서 구몽숙을 하옥하여 두었다가, 북지에 가하던 소행을 자세히 알아 엄히 다스리기를 바라나이다"

상이 탄하시어 왈,

"짐이 사해를 진복(鎭服)하는 덕화 부족하여 북이(北夷)의 반상(叛狀)이 일어나니, 어찌 홀로 교유사의 죄를 삼으리오."

옥음(玉音)이 마치지 못하여서, 반부 중에 소년 재상이 탑하에 추진하니, 기인이 신장이 팔척 오촌이요, 수수과슬(垂手過膝)396)하고 옥면 선풍의 정화 찬란하니, 양미문명(兩眉文明)397)은 강산 정기요, 봉안광채(鳳眼光彩)는 전상전하(殿上殿下)에 바애며, 높은 천정(天庭)398)은 일월 같고, 넉 사(四) 주순(朱脣)의 고운 것이 이두(二杜)399)의 호일지풍(豪逸之風)을 묘시하더라. 자포(紫袍) 오사(烏紗)의 아홀(牙笏)을 받들었으니 대현군자의 풍이 있고, 늠연한 기상은 영웅준걸을 겸하였으니 조신 가운데 표표히 뛰어나 인중룡(人中龍)이며 마중기린(馬中騏驎)이라. 이에 부복 주왈,

"신이 부재박덕으로 외람이 성은을 입사와, 위거열후(位居列侯)하고 국록을 허비하오미 무궁하오니, 숙야(夙夜) 우구(憂懼)하와 갚사올 바를 알지 못하옵나니, 비록 재주 없사오나 일려지사(一旅之士)400)를 빌리시

---

396) 수수과슬(垂手過膝) : 뻗어 내린 손이 무릎을 넘는다. 팔이 긴 것을 표현한 말.
397) 양미문명(兩眉文明) : 두 눈썹이 윤곽이 뚜렷하고 광채가 나, 뛰어나게 아름다움.
398) 천정(天庭) : 관상에서, 두 눈썹의 사이 또는 이마의 복판을 이르는 말.
399) 이두(二杜) : 중국 만당(晚唐) 대의 시인 두목지(杜牧之 : 803~852)를 달리 이르는 말. 미남자로도 유명하다.
400) 일려지사(一旅之士) : 한 부대(部隊)의 군사. *여(旅); 고려 · 조선 시대에 둔, 군(軍) 편제(編制)의 하나. 1여는 대략 125인이었다.

면 무지(無知)한 이적(夷狄)을 멸하여 성려를 덜니이다."

상이 바삐 눈을 들어 보시니, 차는 병부상서 대사마 평남후 정천흥이라. 천심이 희열하시어 만조를 돌아보아, 가라사대,

"천흥은 짐의 애서(愛壻)로, 군국병권(君國兵權)과 병부중임(兵部重任)을 맡겨, 짐의 총우하는 마음이 태자 버금이라. 저의 충성이 사사를 돌아보지 않아 국가를 위하매 불고기신(不顧其身)하여, 전일에 운남을 정벌하는 재주 북이(北夷)를 근심치 않을지라. 짐이 정천흥으로 하북 대장을 정코자 하나, 천흥이 나가매 짐의 수족을 잃은 듯하리로다."

만조 문무 일시에 칭하 왈,

"폐하가 북이를 근심하시나 신 등이 용우하와 하나토 자원 출정치 못하였사옵더니, 천흥이 관일지충(貫一之忠)으로 국가 깊은 근심을 덜어 스스로 정벌을 청하오니, 반드시 개가(凱歌)를 울려 돌아올지라. 국가 대경을 칭하하나이다."

상이 대열(大悅)하시어 정병부의 충의를 재삼 일컬으시고, 즉시 천흥으로 평북대원수를 삼으시고, 선봉과 부원수 이하를 다 교장(敎場)에 가 재주를 시험하고, 각각 소임을 자모(自募)받아[401] 삼만 정병과 십원 명장을 뽑아 삼일 치행(治行)하여 출정하라 하시더니, 또 해북 절도사의 주문(奏文)이 용전(龍殿) 오르니, 대강(大綱) 이적(夷狄)의 작난하는 군병이 점점 대국지계(大國地界)의 들어와 관액(關阨)[402]을 함몰(陷沒)하며 군민을 노략하여 생령(生靈)이 탕화(湯火)에 빠졌음을 주하여, 바삐

401) 자모(自募)받다 : 자원자(自願者)를 모집하다. 초모(招募)하다. 의병이나 군대에 자원하여 입대할 사람을 모집하다. *자모군(自募軍); 모병(募兵)에 자원한 병사들로 조직된 군대.
402) 관액(關阨) : ①국경이나 요지의 통로에 두어 드나드는 사람이나 화물을 조사하던 곳. ②군사적으로 중요한 곳에 세운 요새.

대장을 보내시어 생민을 구하심을 청하였으니, 정원수 주하되,

"북방 생령(生靈)이 무죄히 탕화(湯火)[403]의 떨어졌사오니, 신의 행하오미 더딘즉 생민의 근심이 더하리니, 신이 이미 원융(元戎) 소임을 받자와 북해 생령을 구하오매, 일시를 지류(遲留)치 못하오리니, 청컨대 명일 행군하여지이다."

상이 더욱 깃그사 이르사대,

"경언이 정합짐(正合朕)이어니와, 다만 경으로써 해북 무상(無狀)한 수토(水土)에 보내는 마음을 억제치 못하나니, 경은 몸을 조심하여 만이(蠻夷)를 삭평하고 개가를 울려 쉬이 돌아오라."

병부 배사하고 부장 등을 자모받을 새, 북평대원수 금인(金印)을 허리 아래 빗기고, 교장에 나와 선봉 이하를 재주를 시험하고, 삼만 정병을 뽑아 명일 출정할 바를 영(令)하여, '금일은 각각 집에 돌아가 부모 처자를 이별하라' 하고, 날이 늦으매 만조가 물러나니, 원수 퇴할 새 전폐에 주 왈,

"신이 명일 조신(早晨)에 행군하올지라. 금일 일찍 물러가와 늙은 어버이를 이별하고 행군 시에 하직을 주하리이다."

상 왈,

"짐이 경을 교외에 나가 보낼 것이로되, 일기 한냉하고 경이 불시의 행군하매 출정하는 위의와 난여(鑾輿)를 호위하는 규례(規例)를 차리려 한즉, 군급(窘急)함이 있을지라. 짐은 움직이지 못하나니 경은 일찍이 돌아가 부모를 이별하는 회포를 펴고 명일 행군케 하라."

원수 사배이퇴(四拜而退)하여 취운산에 돌아오니, 부친이 태원전에 들어가 계신지라. 바로 존당에 들어가 미처 당에 오르지 못하여서, 태부인이 그 융복을 갖추어 대장의 위의를 차렸으니, 놀라 묻되,

---

403) 탕화(湯火) : 끓는 물과 타는 불.

"손아(孫兒) 어디를 출정하나냐?"

남후 나직이 해북으로 출정하는 사연을 고하고 왈,

"대모 소손 향하신 정이 하루도 집을 떠나지 말게 하고자 하시거늘, 소손이 불초하여 슬하를 떠남을 좋은 일같이 하여 북벌을 자원하였사온지라. 불과 팔구 삭 내에 돌아올 것이오나, 왕모의 과도히 결연하실 바를 헤아리건대, 소손의 불효 경치 않도소이다."

태부인이 바삐 곁에 나아오라 하여 손을 잡고 눈물을 흘리며, 가로되,

"윤·양·경 삼부를 실리(失離)하고 현기 등을 다 잃어, 주야에 참절한 심사를 이기지 못하고, 혜주의 사생을 또 알 길이 없으니, 일마다 노모의 회포 어지럽되, 다만 너의 화열한 사색과 흐르는 담소를 들으면, 내 마음이 천만가지 수한(愁恨)이 있다가도 스스로 잊는바 되어, 두굿겁고 아름다움을 이기지 못하는지라. 실로 한 때 떠남을 결연이 여기더니, 이제 북벌을 자원하여 급히 행코자 하나, 나이인즉 이십 소년이라, 무슨 지략으로 만이(蠻夷)를 평정하리오."

금평후 낯빛을 화(和)히 하여 모친을 위로하고, 원수를 경계 왈,

"신자(臣子)가 몸을 나라에 허하매, 사사를 돌아보지 않고 위란을 피치 않아 직분을 다함이 마땅하거니와, 자정이 너를 과히 사랑하시는 정으로써, 만리 북해의 흉봉(凶鋒)을 당하여, 보내시는 회포 이렇듯 비상(悲傷)하시니, 예로부터 충신이 효자 되기 어려운 바는 정히 이런 곳을 이름이라. 모름지기 삼가고 조심하여 사졸을 거느리매 위엄과 덕을 잃지 말며, 적병을 만나나 경이히 혈기지분을 발하여 일을 그릇하지 말지니, 전일 운남을 파하던 재주를 생각건대, 북이를 염려하여 행여 승전치 못할까 근심은 없거니와, 그러나 길이 험준하고 이적(夷狄)의 사나움이 남월(南越)404)에서 더한지라. 내 아이는 범사에 살피기를 등한이 말며, 계교 쓰기를 솔이(率爾)히405) 말라."

원수 수명(受命) 배사 왈,

"아해 재박용우(才薄庸愚)하오나, 성주의 홍복을 힘입사와 북이는 거의 탕멸키를 근심치 아니 하오리니, 원컨대 존당 부모는 해아로써 성려에 거리끼지 마시고, 길이 안강하심을 바라나이다."

태부인이 홀연(欻然) 비상(悲傷)함을 이기지 못하니, 남후와 예부 등이 좋은 말씀으로 위로하고, 남후 왈,

"소손이 칠팔 삭을 그음하여406) 북이(北夷)를 삭평(削平)하고 돌아와 훤당(萱堂)407)에 봉배(奉拜)하리니 물우(勿憂)하소서."

하여, 화기(和氣) 춘양(春陽)이 무르녹고 경운(卿雲)408)이 남훈(南薰)409)이 새로 옴 같으니, 태부인이 어린듯이 원수의 손을 잡고 귀중하는 정을 측량치 못하며, 떠날 바를 참연하더라.

---

404) 남월(南越) : 중국 한(漢)나라 때에, 지금의 광둥 성(廣東省)·광시 성(廣西省)과 베트남 북부 지역에 걸쳐 있던 나라. 기원전 203년 한나라의 관료였던 조타(趙佗)가 독립하여 세운 나라로, 뒤에 한고조(漢高祖)에 의하여 왕으로 봉해진 후 93년간 계속되다가 기원전 111년에 한 무제(武帝)에게 멸망했다.

405) 솔이(率爾)하다 : 말이나 행동이 신중하지 못하고 가볍다.

406) 그음하다 : 작정하다. 끝장내다. 결판내다. 끝을 내다. 한계나 기한 따위를 정하여 무슨 일을 하다.

407) 훤당(萱堂) : '훤초북당(萱草北堂; 원추리꽃이 피어있는 북당)'의 줄임말로 '어머니'를 이르는 말. 훤초(萱草)나 북당(北堂)이 다 어머니를 이르는 말이다. 그러나 여기서는 정소저가 부모가 다 계시는데 '훤당(萱堂)'을 모셔 즐기지 못한다 고 하여, 훤당(萱堂)이 부모를 뜻하는 말로 쓰였다.

408) 경운(卿雲) : 상서로운 구름. 중국 순임금이 군신(群臣)들과 태평의 기상을 즐거워하며 노래한 경운가(卿雲歌)에 "상서로운 구름의 찬란함이여 서로 얽히어 광원하도다(卿雲爛兮 糾縵縵兮)에서 온 말. 『尙書大傳』에 나온다.

409) 남훈(南薰) : 남풍(南風). 중국 순임금이 지었다는 남훈시(南薰詩; 남풍시라고도 함)의 "따사로운 남풍이여 우리 백성 불만을 풀어줄 만하여라(南風之薰兮 可以解吾民慍兮)"구(句)에서 온 말로 백성들의 근심을 풀어줄 '따사로운 바람', 또는 '성군의 정치로 태평성대를 누리는 것'을 뜻한다. 『공자가어(孔子家語)』에 나옴.

날이 저물매 혼정지례(昏定之禮)를 파하고, 태부인이 취침하신 후, 금평후 원수와 예부 등을 거느려 죽헌에 나와 부자형제가 만리 위험지지(危險之地)에 원별하는 정을 펼 새, 금평후의 단중침엄(端重沈嚴)함으로도 이 아들을 멀리 보내기에 당하여는, 훌훌410) 결연(缺然)411)함을 참지 못하여, 자기 누운 상(床) 곁에 누우라하여, 손으로 그 팔을 어루만져 왈,

"남아 사환(仕宦)하매 동서에 부리여 집에 들지 못하기는 예사니, 네 또한 신자의 도리를 다하여 새외(塞外)에 정벌코자 함이 당연히 옳고, 내 마음이 결울(結鬱)하여 보낸 후 염려를 비할 데 없으리로다."

원수 자기 재덕을 헤아려 북이(北夷)를 탕멸(蕩滅)함은 몽리(夢裏)에도 근심치 않되, 존당 부모께 우려 끼침을 절민하여, 유열(愉悅)히 대왈,

"아해 재주와 지혜 천루(淺陋)하오나, 일찍 십세 전부터 병서를 보아 능묘(能妙)한 곳을 아옵나니, 아무 강적을 당하여도 패군할까 근심은 없사오니, 복원 대인은 해아의 말씀을 믿으시어 염려치 마소서."

금후 왈,

"내 너의 재덕을 모르지 않되, 금번 이별이 심사 차악하여 능히 마음을 정치 못하리로다."

원수 부공의 이렇듯 하심을 민울하고, 아득히 이별하는 심사 베는 듯하여, 역시 부친의 손을 받들어 잠을 이루지 못하여, 부자의 근근체체(懃懃棣棣)412)함을 상하(上下)키 어렵더라.

효계(曉鷄) 창명(唱鳴)하매 원수 부친을 모시어 제제로 더불어 태원전

---

410) 훌훌 : 마음속이 무엇인가 잃은 것이 있는 것 같아 허전함.
411) 결연(缺然) : 무엇인가 모자라거나 빠진 것이 있는 것 같아 서운하거나 불만족스러움.
412) 근근체체(懃懃棣棣) : 마음에 잊지 못하여 연연해 함. 매우 정성스럽고 은근함.

에 나가아 신성(晨省)하고, 인하여 부모 존당에 하직을 고할새, 태부인이 크게 슬퍼 눈물을 금치 못하여 능히 말을 이루지 못하고, 진부인이 척연이 눈물을 흘리며, 가로되,

"천흥이 비록 전진(戰陣)에 나아가나, 그 자식이 하나라도 우리 슬하에 있으면 내 마음이 이다지도 베는 듯하리요마는, 팔자의 궁함이 네 아내와 열 첩이 하나도 무사한 사람이 없어, 윤·양·경은 생사 거처를 모르며, 이씨는 향리에 아득히 있고, 네 자식을 실씌하여 존망을 알지 못하니, 운영·구창의 유무는 불관하나, 처첩간 공주 밖에 남은 이 없으니 세상에 천흥같이 기구한 운명도 없는지라. 아시로부터 의기현심이 남다르며, 사람의 급위지시(急危之時)를 구활함을 못 미칠 듯이 하되, 팔자 이렇듯 기험하니 어찌 애달지 않으리오."

원수 모친의 슬퍼하시는 언사를 듣자오매 화한 얼굴에 웃음을 머금어 위로, 왈,

"소자 박덕 부재로 외람이 이칠(二七) 충년에 용루(龍樓) 봉각(鳳閣)에 어향(御香)을 쏘여, 과도하온 성은이 외람히 몸에 넘치니, 작록과 위권이 연소한 인신에 바람 밖이라. 주야 긍긍업업(兢兢業業)하옴이 일시도 편치 아니하오나, 소자의 몸에는 화액을 만나지 아니하오되, 윤·양·경이 박복 괴이하여 화란을 만나, 사생 거처를 친정 구가가 다 모르오니, 저 사람 등이 명박함이요, 소자의 팔자 아니오니, 자정은 무익한 심사를 상해오지 마시고, 현기 등을 아주 죽은가 과상치 마심직 하니, 이다 소자 불명 암매하오나 오히려 사람 아는 양안이 병들지 않았사옵나니, 소자의 네 자식을 간인이 아무리 죽이고자 하되, 천신이 모르는 중 보호하여 살아날 듯 하온지라. 운영과 구창까지 없이하여 악사 불 일어나듯 그칠 줄 모르오나, 극성즉패(極盛卽敗)라. 얼마 하여 고삐413) 밟히는414) 환(患)이 있으리까? 소자는 이런 일을 헤아려 실인 등과 자녀를

위하여 상념(想念)치 아니하나이다.

좌중에 문양공주 있더니, 남후의 말을 들으매 비록 자가를 의심하여 현현(顯現)이 지목하지 아니하나, 본성인즉 영오하니 어찌 존당 구고의 기색과 남후의 은은한 말치415)를 몰라416) 들으리오. 감히 현어사색(顯於辭色)하여 사람의 의심을 이룰까 두려워하나, 스스로 공구하여 아미를 숙이고 기운이 저상(沮喪)하니, 모르는 자는 가부(家夫)의 북행(北行)을 염려하는가 하더라.

남후 화성유어(和聲柔語)로 조모와 이친을 위로(慰勞) 배사(拜辭)하고, 제제(諸弟) 수매(嫂妹)로 분수하고 흔연히 공주를 작별하매, 개연(介然)이 문의 나와 상마(上馬)하여 교장(敎場)에 나아와 삼군이 물밀듯 나아갈 새, 이날 천자가 정원수의 행군함을 보려 하시어 고루(高樓)에 오르시어 정원수의 행군하는 위의를 보실 새, 장사(將士)는 맹호 같고 말은 비룡 같아서, 개갑(介甲)이 선명하고 대오가 정숙하여, 행군기율의 유법 씩씩함이 옛 명장에 지나는지라. 정원수 몸에는 홍금수전포(紅錦繡戰袍)417)에 황금쇄자갑(黃錦鎖子甲)418)을 껴입고, 머리에 순금(純金) 봉시(鳳翅)투구419)를 쓰며, 허리의 양지백옥대(兩枝白玉帶)420)를 두르

---

413) 고삐 : 말이나 소를 몰거나 부리려고 재갈이나 코뚜레, 굴레에 잡아매는 줄.
414) '고삐 밟히는' : '.고삐가 길면 밟힌다.'는 속담을 말함. 나쁜 일을 아무리 남모르게 한다고 해도 오래 두고 여러 번 계속하면 결국에는 들키고 만다는 것을 비유적으로 이르는 말. =꼬리가 길면 밟힌다
415) 말치 : 말뜻. 말이 가지는 뜻이나 속내.
416) 몰라 : 못 알아.
417) 홍금수전포(紅錦繡戰袍) : 붉은 비단에 화려하게 수를 놓아 지은 전포(戰袍). 전포는 장수가 입던 긴 웃옷.
418) 황금쇄자갑(黃錦鎖子甲) : 갑옷의 일종. 황색 명주옷에 사방 두 치 정도 되는 돼지가죽으로 된 미늘들을 작은 고리로 꿰어 붙여서 만들었다.
419) 봉시(鳳翅)투구 : 봉(鳳)의 깃으로 꾸민 투구. 봉시(鳳翅)는 봉의 깃. 투구는 예

고, 손에 상방보검(尙方寶劍)[421]을 잡아 백설청총만리운(白雪靑驄萬里雲)[422]을 타, 문기하(門旗下)에 섰으니, 천일(天日) 같은 의표(儀表)와 용봉(龍鳳) 같은 자질이 동탕쇄락(動蕩灑落)하여 안광은 삼군을 비추고, 양미(兩眉)는 산천정기를 거두어 문명(文明)이 영영(英英)하니, 한갓 용모 미여관옥(美如冠玉)[423]이요, 풍채 편여양류(翩如楊柳)[424] 아니라, 엄중한 위의는 하일(夏日)의 두려움이 잇고, 늠름한 기골은 장부의 풍류(風流) 빼어나, 이른바 천고영준(千古英俊)이요, 세대무적(世代無敵)이라. 행하는 바의 위풍이 숙연하니, 진정 치세경륜지재(治世經綸之材)[425]요, 개세영웅(蓋世英雄)이라.

상이 멀리 가도록 바라보시고 천안이 희열하시어 아름다움을 이기지 못하시고, 다시 북적(北狄)[426]을 근심치 않으시더라. 만조(滿朝)가 교외에 나와 원수를 전별할 새, 원수 일색(日色)이 늦음을 일컬어 만조문무(滿朝文武)와 친척제우(親戚諸友)를 작별하고, 양제(兩弟)의 손을 잡

---

420) 양지백옥대(兩枝白玉帶) : 명주에 백옥(白玉)을 붙여 만든 허리띠.

421) 상방보검(尙方寶劍) : 상방검(尙方劍). 임금이 출정 장수에게 하사하시어하던 칼. 임금의 권위를 상징하는 역할을 하여 부하나 군졸 등이 명을 거역할 때 임금에게 보고하지 않고도 그들의 생사를 마음대로 할 수 있는 권위를 지니는 칼이다.

422) 백설청총만리운(白雪靑驄萬里雲) : 말 이름. 갈기와 꼬리가 파르스름한 백마(白馬)인 청총마(靑驄馬)의 일종.

423) 미여관옥(美如冠玉) : 아름답기가 관옥(冠玉; 관을 꾸미는 옥)과 같음.

424) 편여양류(翩如楊柳) : 나부끼는 모습이 버드나무가지가 나부끼는 것 같음.

425) 치세경륜지재(治世經綸之材) : 천하를 다스리고 계획할 만한 포부를 가진 인물.

426) 북적(北狄) : 예전에, 중국에서 북쪽의 오랑캐라는 뜻으로 북쪽 지방에 사는 민족을 낮잡아 이르던 말. 흉노, 선비(鮮卑), 유연(柔然), 돌궐, 거란, 위구르, 몽골 등의 유목 민족을 가리킨다.

아 왈,

"우형의 돌아옴이 자연 팔구 삭이 되리니, 존당 부모를 모셔 그 사이 무양(無恙)하고 좌와를 떠나지 말며, 동동촉촉(洞洞屬屬)히 정성을 다할지어다."

형제 삼인이 분수하는 심사 아득하여 비절(悲絶)함을 참지 못하고, 초평후 원수 이별하는 마음이 예부 등과 일반이라. 원수 무양함을 일컬어 피차 의의(依依)함을 형상치 못하더라. 원수 장사 군졸을 거느려 북으로 향하매, 정기폐일(旌旗蔽日)하고 행군기율(行軍紀律)이 크게 비범함을 친붕제위 칭찬불이(稱讚不已)하여 국가(國家) 고굉지신(股肱之臣)임을 저마다 칭복하나, 내심에 칼을 겨눠 미워하는 자는 상서 구몽숙이라.

천성이 요악하여 투현질능(妬賢嫉能)하는 품도 이상하니, 정·진 양문의 산해 같은 은혜를 잊고, 정원수가 출류(出類)한 위인으로 저 같은 소인의 바랄 바 아닌 고로, 만조의 기대(期待) 추앙(推仰)함과 천총(天寵)의 융성하심이 저로 더불어 비기지 못할 바요, 하물며 정원수는 천금여서(千金女壻)로 초방귀주(椒房貴主)[427]와 쌍지으매, 비록 외조(外朝)로 처신하나, 자연한 부귀는 더욱 호호(浩浩)한지라. 만사 정원수를 비할 길이 없고, 또 낙양후 진공의 삼형제가 성만(盛滿)함을 두려 벼슬을 버렸으나, 그 자질의 등과한 자가 십육인이라. 진태우 등의 청현아망(淸賢雅望)과 기절언론(氣節言論)이 위로 황야(皇爺)의 총우(寵佑)하심이 되고, 아래로 사서인(士庶人)의 칭복함이 저의 요사한 정태로 비할 바 아닌지라. 매양 진태우 등과 정원수가 저의 단처를 간간이 일러, 정도의 나

---

427) 초방귀주(椒房貴主) : 왕실의 고귀한 공주. 초방(椒房)은 산초나무 열매의 가루를 바른 방이라는 뜻으로, 왕비가 거처하는 방이나 궁전, 또는 왕실 등을 이르는 말. 후추나무는 온기가 있고 열매가 많은 식물로서, 자손이 많이 퍼지라는 뜻에서 왕비의 방 벽에 발랐다

아감을 권함이 혈심소재(血心所在)428)로되, 구몽숙의 간교함이 정·진 양인의 어진 말을 들으나 고마운 뜻이 없어, 저의 허물을 이름을 깃거 않아, 점점 극악한 심사 무궁하여, 서로 사귀는 것이 소인과 간당이라.

그윽이 정·진 양문을 아주 무찔러 현인군자를 갱참(坑塹)에 함닉(陷溺)하고, 제 스스로 학문과 재기(才氣)를 일세의 추앙함이 되고자 하는지라, 정원수로부터 진태우를 죽이려 하는 바니, 암밀요악(暗密妖惡)하여 범사를 신묘랑과 의논하며, 황숙(皇叔) 형왕을 사귀어 친밀하니, 형왕이라 하는 이는 황상 종숙이요, 초왕으로 친숙질간(親叔姪間)이로되, 상이 초왕의 대역을 연좌(連坐)치 않으시어, 장사왕이 초왕의 아우로되 천승지위를 보전케 하시고, 형왕도 연곡지하(輦轂之下)에서 한결같이 부귀를 누리게 하시니, 정병부와 진태우 등이 대역의 연좌를 쓰지 않으심이 가치 않으심을 여러 번 간하되, 상이 심히 추연하시어 가라사대,

"짐이 박덕하여 지친(至親)이 반하니 짐의 허물이라. 이미 초왕을 죽였으니 그 남은 이를 연좌함이 짐의 차마 못할 바라."

하시고, 마침내 듣지 않으시니, 형왕이 정병부와 진태우 등을 절치분원(切齒忿怨)하여 초왕의 연좌 쓰심을 여러 번 천문의 주함을 크게 믿게 여기는지라. 몽숙이 형왕의 뜻을 알고 깊이 사귀어, 매양 정·진 등의 재주를 칭찬하는 가운데, 그 위인이 마침내 은악양선(隱惡佯善)하는 무리임을 이르니, 형왕이 팔을 뽐내어 왈,

"현계(賢契)는 정천흥 진형수 등의 어질지 못함을 밝히 아는도다. 과인이 천흥을 분완함이 깊되 설치(雪恥)할 길이 없음을 애달아하나니, 군이 나와 더불어 정·진 양문을 해하여 아주 없애버림이 어떠하뇨?"

몽숙이 웃고 대왈,

428) 혈심소자(血心所在) : 진심에서 우러나오는 바임.

"소생이 전하의 정·진을 통완(痛惋)하시는 뜻을 거의 알거니와, 그러나 초왕의 연좌를 청함이 구태여 대왕만 미워함이 아니라. 대왕이 정·진을 없애고자 함이 무슨 연고니까?"

형왕 왈,

"천흥 영수 등이 초왕의 연좌 씀을 누누이 주함을 미워할 뿐 아니라, 일찍 황숙을 달갑게 여기지 않아 허물을 살펴 천문에 논핵(論劾)하기를 여염 미천한 사람같이 업신여기니, 통해하여 부디 함정에 몰아넣고자 하나, 천흥이 금전(禁殿)429) 애서(愛壻)로 황상의 총우하심이 태자 버금이라. 하물며 재덕명망(才德名望)이 세대에 독보(獨步)하고, 진영수 등이 각각 재주 유여하고 청덕이 제 부형의 품(品)이니 경이히 해할 조각이 없어 민울(悶鬱)하노라."

몽숙이 홀연 비척(悲慽)하여 왈,

"소생의 팔자 험난하여 어려서 양친을 여의고, 혈혈일신(孑孑一身)이 한낱 동기 없고 강근지친(强近之親)이 없어, 능히 의뢰할 바 없거늘, 낙양후가 선인(先人)의 동기 같은 친우(親友)이신 고로, 소생의 고혈(孤孑)함을 슬피 여겨 거두어 기르매, 금평후 역시 천흥 등과 한가지로 의식을 나누게 하여 교학(敎學)하고 행신을 경계하여 낙양후와 일반이나, 낙양후 곧 아니면 지금 살길이 없으니 은혜 중함은 태산에 비할 것이로되, 다만 진영수 등과 정천흥의 사나움은 그 부형을 그릇 만들고 집을 엎칠 위인이라. 그윽이 생각건대, 그 당류에 들어 정·진과 한가지로 한즉, 소생이 결단하여 성명을 보전치 못하여 화망(禍網)에 걸리기 쉬운 고로, 이제는 거취를 달리하여, 도리어 정·진 등의 미워함이 서로 혐극(嫌隙)이 있는 사이 같아서, 천흥은 소생을 삼킬 듯이 통완(痛惋)함이 있는지

---

429) 금전(禁殿) : 금궐(禁闕). 대전(大殿).

라. 고인이 운(云)하되 '영위계구(寧爲鷄口)할지언정 무위우후(無爲牛後)'430)라 하였으니, 소생이 손을 맺고 정·진 등의 해함을 받음이 실로 원통하니, 차라리 먼저 계교를 발하여 정·진 등을 없애고자 하되, 낙양후와 금평후의 은혜 저버림을 탄하나이다."

형왕이 몽숙의 간사함을 오히려 다 모르고 소왈,

"사람이 대사를 도모한즉 적은 은혜를 잊음이 괴이치 않으니, 현계의 복록이 장원함으로 영선공(令先公) 내외를 조실(早失)하나, 하늘이 자연 살리려 하매, 진광과 정연이 아니라도 목숨을 그칠 리는 없으니, 현계(賢契)는 초년에 의지하였던 소소 은덕을 생각지 말고, 과인으로 더불어 정·진 양문을 없앨 계교를 생각하라."

몽숙이 사왈(謝曰),

"대왕이 소생을 사랑하시어 심곡의 회포를 베푸시고 옳은 일을 가르치시니, 소생이 적은 은혜를 생각하여 대사를 도모치 않고, 스스로 정천흥 진영수 등의 해함을 받아 힘힘이 죽기를 대후(待候)하리까? 이로 좇아 대왕과 소생이 뜻을 결하여, 정·진을 해하여 끝을 여물고431) 말리니, 소생이 한낱 이승(異僧)을 사귀어 그 도술을 보매, 몸이 경각의 변하여 천리라도 삽시에 왕래하는 재주 있으니, 이 승(僧)을 청하여 대왕이 보시고 정·진 등 없이할 계교를 물으심이 마땅하니이다."

형왕이 더욱 깃거 몽숙으로 하여금 묘랑을 부르라 하니, 몽숙이 즉시 묘랑을 청하여 형왕을 뵈고, 먼저 그 재주를 시험하여 몸이 온 가지로 변하여, 사람의 지휘 대로 하는 거동을 뵈니, 형왕이 분명한 신선으로

---

430) 영위계구(寧爲鷄口) 무위우후(無爲牛後) ; 닭의 머리가 될지언정 소의 꼬리는 되지 말라는 뜻으로, 작은 조직에서 남의 우두머리가 될지언정 남의 밑에서 부림을 받는 사람이 되지 말라.
431) 여물다 : 일이나 말 따위를 매듭지어 끝마치다.

알아 무릎을 치고, 칭찬하여 왈,

"과인이 생세 육십이나 이런 기특한 재주는 처음으로 보는 바라. 옥청(玉淸)432) 선녀가 아니면 관음보살이 재세(再世)함이라. 구 현계(賢契) 이런 신인을 만났으니 정·진 등을 서릇음이 어렵지 않으리로다."

몽숙이 소이대왈,

"대왕이 정·진 등 해하기를 의논치 않으시면, 소생이 뜻을 품고 아무 제도 발치 못 하리로소이다. 신승(神僧)을 만난 지 세월이 오래되 큰일을 경이(輕易)히 도모치 못하여 정히 민민하더니이다."

왕이 웃고 몽숙과 묘랑을 데리고 깊은 당중에 들어가 밀밀한 의논이 그치지 않아, 정·진 양문을 다 무찔러 분을 풀고, 일세에 거칠 것이 없이 즐기기를 기약할 새, 몽숙 왈,

"황친류(皇親類)에 대왕을 총우하시는 은권이 으뜸이시나, 성상이 천흥 대접하심으로 비컨대 천지현격(天地懸隔)하니, 범연한 계교로는 죽이지 못할지라. 비록 인신지도(人臣之道)에 가치 않으나, 변심하는 약을 얻어 황상 수라433)에 섞어 진어(進御)하시게 할진대, 천심이 점점 변하시어 천흥을 총우하시는 뜻이 없으리니 이런 때를 당하여 기특한 계교를 베풀어 정·진 이문(二門)을 무찌름이 묘치 않으리까?"

왕이 몽숙의 말을 옳게 여겨 차후는 문외(門外) 운화산 정자에 가 흉계를 의논하더라.

차설 윤·양 이부인이 혜원 니고(尼姑)의 구활한 은혜를 입어, 운화산

---

432) 옥청(玉淸) : 옥청궁(玉淸宮). 도교 삼청궁(三淸宮)의 하나로, 원시천존(元始天尊)이 사는 곳이라 함.

433) 수라 : 궁중에서, 임금에게 올리는 밥을 높여 이르던 말.

활인사에 있은 지 수년이 되어 머물 새, 거년 하사월(夏四月)에 양씨 일
개 옥동을 생하니, 골격이 빼어나고 상모 비범하여 부풍(父風)을 전습
(傳襲)하고, 하오월(夏五月)에 윤씨 또 생남하니 아해의 기골이 영형수
려(英形秀麗)하고 구각(軀殼)이 석대(碩大)하여 속자(俗子)와 내도하니,
혜원이 천만 행심하여 두 부인을 향하여 치하함을 마지않고, 갈수록 받
드는 정성이 동촉(洞屬)하여 매양 부인 등이 수고로이 색사(色絲)를 모
아 나릉(羅綾)의 수(繡)를 놓으매, 한 때도 놓지 않음을 민망하여, 왈,
"소암(小庵)이 비록 피폐하나, 오히려 의식은 염려 없으니, 두 부인이
빈도의 받드는 대로 계심이 행심(幸甚)이거늘, 밤낮 쉬지 않으사 수치
(繡致)에 골몰하여 시상(市上)의 화매(和賣)하니, 수치 기특함을 보고
저마다 값을 아끼지 않아, 소암에 은보(銀寶)가 많이 쌓이게 하시니, 이
또한 좋은 일이거니와, 빈도는 실로 은금에 욕심을 통치 않나니, 원컨대
부인은 수놓기를 드물게 하시어 몸의 수고로움을 돌아보시고, 공자 등
이 점점 특이수발(特異秀拔)함을 두굿기사 풍운의 길시만 기다리소서."
    윤·양 이부인이 탄 왈,
"아등이 사부의 하늘같은 대은으로 사지(死地)에서 몸을 벗어났으되,
몸에 대단한 질양이 없고 나이 청춘이라. 산사에 고요히 있어 천수만려
(千愁萬慮)를 잊고자 함이요, 구태여 의식의 값을 하고자 함이 아니로되,
연하여 나릉과 색사를 사 놓음이니 사부는 조금도 불안하여 말지어다."
    혜원이 이부인의 부지런한 바를 말리지 못하나, 행여 잠심하여 병이
날까 염려하고, 양 공자 보호하는 정성이 설난 등이나 다르지 않으니,
이 부인이 불승감은(不勝感恩)하여 타일 보은키를 생각하더라.
    양아(兩兒)가 점점 자라 벌써 기년(朞年)[434]이 지나니, 바야흐로 걸

---

[434] 기년(朞年) : 돌. 만 일 년이 되는 날.

음이 익고, 말을 옮기며 영오수발(穎悟秀拔)함이 날로 기이하여, 부풍모
습(父風母襲)하매 외모 더욱 보암직 한지라. 두 부인이 참연한 심사 가
운데도 오히려 유치(幼稚)를 위하여 각각 몸을 보호하고, 아자를 무양
(撫養)하여, 타일 누명을 벗어 옥동을 껴 구가의 나아가, 존당 구고께
반기시는 얼굴을 다시 뵈옵고자 하나, 공주의 극악을 생각하면 마음이
차고 뼈 시린지라. 자기 등을 원수같이 하는 바로써 각각 자녀를 무사히
두지 않아, 반드시 해할 줄 헤아리매, 더욱 심장이 미어지는 듯하거늘,
윤부인은 남다른 근심이 태우 형제를 염려하고, 가변이 장차 아무 곳에
미쳤음을 알지 못하여, 초전(焦煎)하는 심사를 비할 곳이 없어, 때때 혜
원을 대하여 도성(都城)에 들어가 옥누항 윤부 소식을 알아달라 한즉,
혜원이 비록 윤부인이 이르지 않으나 윤부 변고를 거의 짐작하고, 자주
윤부 소식을 듣본435) 즉, 윤태우 등이 남·양 이주에 강상대죄(綱常大
罪)로 찬출함과 어전에서 하던 바를 알았으되, 윤부인더러 이르지 않음
은 용녀(用慮)할까 함이라.

　윤부인이 조모와 숙모의 과악(過惡)을 헤아리매, 결단하여 태우 형제
를 가만히 두지 않을 줄 짐작하되, 혜원은 이따금 도성의 다녀와 윤부
무사함을 이르나, 윤씨 의심하고 염려하여 설난 등을 대하여 왈,

　"우리 노주 만사여생(萬死餘生)으로 이리 되었으되, 친정과 구가 소식
을 알 길이 없는지라. 여등(汝等)이 도성의 들어가 양가 평부를 알아옴
이 어떠하뇨?"

　설난 등이 수명하거늘, 법사 이르되,

　"부인이 빈도의 말을 믿지 아니사 다른 사람을 보내어 양가 소식을 알
려 하시거니와, 이제는 부인네 액회 거의 진(盡)하게 되었으니, 얼마하

---

435) 듣보다 : 듣기도 하고 보기도 하며 알아보거나 살피다.

여 해 바뀌리까? 명년은 길운을 만날 것이니 부질없이 양처 소식을 알려 마소서. 정도위 노야는 북지를 정벌하여 군사를 거느려 해북(海北)으로 향한 지 달이 넘고, 부인의 존당 구고와 조태부인은 일양(一樣) 안강하시며, 부인의 아자와 양부인의 여아 운산을 떠나 보호하시나니, 부인이 또 이 밖에 무엇이 알고 싶으니까?"

윤·양 이 부인이 혜원의 신명함을 많이 믿는 고로 명년이면 길운을 만나리라 함을 깃거하되, 미래지사를 눈으로 보지 못하고, 오래 산사에 있어 세상 소식을 알 길이 없으니, 친정과 구가가 다 무사함을 기필치 못하여, 설난의 모녀를 보내어 소식을 듣보아 오라 하거늘, 설난 등이 수명하여 나오니, 혜원이 웃고 가로되,

"그대 혼자 도성으로 가미 심심할 것이니 나와 한가지로 감이 어떠하뇨?"

영이 대왈,

"불감청(不敢請)이언정 고소원(固所願)이라436). 어찌 기쁘지 않으리오."

혜원이 두 부인께 수치(繡緻) 싼 것을 달라 하여 영을 들리고, 운화산 아래로 내려오며 윤태우 등의 죄적(罪謫)한 연유를 낱낱이 이르며, 왈,

"부인께 어찌 고코자 않으리오마는 부인이 심려를 허비하실 뿐이요, 알아 무익한 고로 세밀한 사고를 기였는지라437). 이제 그대 도성의 들어가 듣보아도, 날같이 자세하든 못할 것이니, 차라리 나와 더불어 이 안 형왕의 정자에 가 수(繡)나 팔고 감이 어떠하뇨?"

영이 이 말을 들으매 입이 써 말이 나지 않으나, 다만 혜원을 좇아 형왕 정자에 가 수를 팔 새, 수를 사는 자는 형왕의 새로 얻은 미인 박씨

---

436) 불감청(不敢請)이언정 고소원(固所願)이라 : 마음속으로는 간절하지만 감히 청하지는 못하나, 본디 진실로 바라는 바이다.
437) 기이다 : 숨기다. 어떤 일을 숨기고 바른대로 말하지 않다.

라. 자색이 절세하고 행사 총민하니 형왕의 총애함이 비길 데 없으되, 정비 정씨는 남과 다른 투악(妬惡)인 고로, 박미인이 정비의 투기로 들어가지 못하고, 문외(門外) 정자에 정비 모르게 두어 자주 왕래하여 정을 펴는 바니, 형왕이 연기(年紀) 육십에 여색을 사모함이 가치 않되, 본디 탕음무식지인(蕩淫無識之人)이요, 여색에 주린 귓것⁴³⁸⁾인 고로, 박미인을 얻어 대혹함이 되었으니, 박미인이 더욱 얼굴을 수렴(收斂)⁴³⁹⁾하고 의복을 치례하여, 왕의 은총을 낚으려 하는 고로, 기특히 수놓은 나릉(羅綾)을 모아 사는지라.

혜원은 앉아서 천리 밖을 손금 보듯 아는 고로, 형왕과 구몽숙이 정원수 해코자 하는 바를 벌써 짐작하고, 거짓 수 팔기를 위주하는 체하고, 그 정자에 나아가 행각에 있는 시노(侍奴)로 하여금 수를 안에 들여보내어 사라하니, 박미인이 수치의 절묘함을 알아보고 값을 아끼지 않아, 이백금을 주고 연하여 가져오라 하니, 혜원이 영을 지휘하여 들어가 박미인을 보고 서로 사괴라 한대, 영이 혜원법사의 말대로 하여 왕궁 시녀 등으로 더불어 안에 들어가, 박미인에게 뵈고 제가 수를 놓았노라 하니, 박 미인이 그 재주를 신기히 여겨 각별이 대접하고, 능라와 색사를 주어 수를 놓아 오면 크게 상 주마 하니, 영이 대왈,

"천첩이 빈한하여 수를 놓아 파라 노부모의 기아를 면하게 하거니와, 부인이 천첩으로써 처음 보시고 이같이 후대하시니, 천심(賤心)에 감격함을 이기지 못 하옵나니, 어찌 수놓은 값을 생각하리까? 다만 부인의 성자광휘(聖姿光輝)를 구경하오매, 일시 좌하에 모셔 어진 말씀을 듣자옴이 영화로소이다"

---

438) 귓것 : 귀신(鬼神).
439) 수렴(收斂) : 몸과 마음을 가다듬어 단속함.

박미인이 본디 저를 기리는 사람을 더욱 좋아하는지라. 주영의 깊은 뜻은 알지 못하고 흔연히 자주 왕래함을 당부하며, 있는 곳과 성명을 물으니, 주영이 운화산 근처에 있음을 대답하고 종용이 말하더니, 이윽고 형왕이 구상서로 더불어 외헌에 왔다 하는지라. 주영이 박미인더러 물어 가로되,

"구상서라 하는 이는 형왕 전하께 뉘가 되시나니까?"

박미인 왈,

"구상서는 학사 몽숙이니, 왕과 친척이 아니로되 피차 정의 교분이 각별하여, 구상서 왕에게 자질 같은 고로 서로 기이는 일이 없느니라."

하니, 주영이 소왈,

"천첩이 일찍 천승(千乘)의 위의를 구경치 못하여 세상사를 아는 일이 적고, 문견이 고루한지라. 요행 부인께 현알함을 얻었으니 전하의 장한 위의를 한번 구경코자 하나니, 부인의 허하심을 얻으리까?"

박미인이 본디 향촌의 우미(愚迷)한 여자라. 주영의 꾀를 알지 못하고 형왕의 복색과 위의를 보여주고자 하여, 웃고 답왈,

"그대 왕의 위의를 구경코자 할진대 어렵지 않으니, 이제 외정에 가 보게 하리라."

주영이 사사 왈,

"부인의 넓으신 덕으로 금일 전하의 체체(棣棣)440)하신 위의를 구경케 하시니, 감사함을 이기지 못하리로소이다."

박씨 웃고 시녀로 하여금 주영을 데리고 외전 합장(閤牆)441) 뒤에 가 엿보라 하니, 이 때 형왕이 구몽숙으로 더불어 외당 그윽한 곳에서 정·

---

440) 체체(棣棣) : 행동이나 몸가짐이 너절하지 아니하고 깨끗하며 트인 맛이 있다.
441) 합장(閤牆) : 건물 출입문과 연결되어 있는 담장.

진 양문(兩門)을 해할 꾀를 하는지라. 간흉극악한 의사 밀밀(密密)하니, 정궁 시녀도 그 하는 말을 유의치 않되, 주영은 유심하여 자세히 알려 하매, 가만한 말이라도 못 알아들음이 없는지라. 우선 정원수를 대역 괴수로 몰아넣고, 진태우 등을 한가지로 역류(逆類)에 함닉(陷溺)하여 양문에 참화를 끼치고자 할 새, 몽숙이 가로되,

"정천흥이 북을 정벌하러 갔으니 혹자 패군(敗軍)함이 있으면, 그 죄를 더욱 이루기 쉽고, 그렇지 않아 승전한 첩음(捷音)이 이를지라도, 천흥이 북이(北夷)와 동심하여 천위를 찬탈코자 함으로, 거짓 승전하는 소식을 보하여 위로 천심과 아래로 만조(滿朝)가 북이(北夷)를 근심함을 눅이고, 천병만마(千兵萬馬)를 거느려 승전곡으로 회군하는 체하여, 북이(北夷)로 더불어 소과(所過) 주현(州縣) 자사(刺史)를 항복 받고, 호호탕탕(浩浩蕩蕩)이 황성을 짓쳐들어오고, 진영수 등이 내응하여 용사(勇士)를 모으며 간당을 처결하여, 정천흥이 영군(領軍)하여 황성에 이르는 날, 동심합력(同心合力)하여 대변을 지으려 한다 하고, 여차여차 반서(返書)를 지어 북방 주현 자사를 놀래어, 고변(告變)하는 유(類)가 다투어 나오게 하면, 대왕과 소생이 순설(脣舌)을 허비치 않아서 정·진 이 문을 어육(魚肉)442)하여 무찌름이 어렵지 않으리이다."

하더라.

---

442) 어육(魚肉) : ①생선과 짐승의 고기를 아울러 이르는 말. ②생선의 고기. ③짓밟고 으깨어 아주 결판낸 상태를 비유적으로 이르는 말.

명주보월빙 권지오십육

어시에 구몽숙이 형왕더러 왈,

"대왕과 소생이 순설(脣舌)[443]을 허비치 않아서 정·진 이문을 무찌름이 어렵지 않으리니, 천흥과 영수를 없이하는 날은 그 당류(黨類)를 일제히 죽일 것이니, 남해 정배 죄인 윤광천은 평생 사람을 업신여겨 기승(氣勝)코 호걸(豪傑)인 체하며, 양주 정배 죄인 윤희천은 스스로 군자인 체하여 예중(禮重)한 거동을 소생이 통완이 여기는 바라. 천흥 영수 등을 죽이고 윤광천 형제를 남겨두면, 반드시 소생과 대왕의 도모하는 일을 들춰내리니 윤광천 형제를 마저 역률에 몰아넣음이 옳으니이다.

왕이 더욱 옳음을 일컬어, 묘랑으로 상좌(上座)의 두고 왕과 몽숙이 언언이 사부라 칭하여, 범사를 형왕과 한가지로 의논하니, 주영이 몽숙의 얼굴을 알오대, 형왕과 요승 묘랑의 얼굴은 처음 보는지라. 그 의논하는 말을 자세히 들으매, 심골이 경한하여 몸이 떨리기를 면치 못하되, 겨우 진정하여 왕과 몽숙의 의논이 그치도록 합장 뒤에서 엿보다가, 날호여 안에 들어가 박미인을 보고 사례하여, 왈,

"천첩이 생래(生來) 처음으로 천승의 위의 구경하매 황홀함을 이기지

---

443) 순설(脣舌) : ①입술과 혀를 아울러 이르는 말. ②수다스러움을 비유적으로 이르는 말.

못하옵나니, 부인의 은덕이 천인(賤人)의 원을 좇아 전하의 복색과 기상을 보게 하시니, 감사하여이다."

박미인이 주영의 진정이 이런가 여겨, 그 너무 향암(鄕闇)⁴⁴⁴)됨을 웃으며, 속태(俗態) 가운데 비상(非常)함을 흠선(欽羨)하여 차후 자주 왕래함을 여러 번 청하니, 주영이 순순 응락하고 수(繡) 놓을 능라와 색사를 가지고 하직하고 밖으로 나와, 혜원을 보고 형왕과 구몽숙의 의논하던 말을 일일이 전하며 눈물을 흘려 왈,

"흉인이 윤·정·진 삼문호(三門戶)를 아주 멸하려 하니, 우리 노야와 진노야가 흉인의 모해를 입어 혹자 참화를 받을진대, 내 지원극통이 하늘을 원(怨)할지니, 어찌해야 저 흉인을 없애 삼문에 화가 이르지 않게 할꼬? 아지못게라! 어디서 온 요승인지, 형왕의 정자의 있어 악사를 동모(同謀)하니 요괴롭더이다."

혜원이 소왈,

"그대는 슬퍼 말라. 형왕과 구몽숙이 삼문을 해하려 도모함이, 도리어 윤·양 두 부인과 윤태우 형제의 누명을 신설하고, 각각 부부 즐거이 회합할 시절이니, 놀라지 말고 차후 왕래하여, 형왕과 구학사의 의논하는 말을 일일이 들어다가, 부인께 통하는 것이 옳으니, 그대 오늘부터 형왕과 구학사의 하던 바를 세세히 기록하여 두라."

주영이 혜원의 말을 듣고 대희하여, 눈물을 거두고 왈,

"사부의 말씀 같을진대 즐겁고 기쁨이 이 밖에 나지 않으려니와, 흉인의 의논하는 설화인즉 마음이 차고 뼈 시리기를 이기지 못하나니, 이번은 다행히 엿들었거니와, 매양 흉언을 엿듣기 어렵고, 혹자 엿보는 형적이 나타나면 죽기 쉬우니 어찌하리오."

---

444) 향암(鄕闇) : 시골에서 지내 온갖 사리에 어둡고 어리석음. 또는 그런 사람.

혜원이 소왈,

"내 그대를 지휘하매 위태로운 곳에는 보내지 않으리니, 그대는 염려 말고 형왕과 구몽숙이 모이는 때도 내 스스로 알아 이를 것이니, 동산 담 터진 뒤로 들어가 매양 뒤에 가 들으면, 아무도 그대의 형적을 알 리 없으리니, 그대는 온갖 말을 다 들어 세세히 기록하여 두면, 위급한 지경에 부인이 그대가 들은 말로써 격고(擊鼓)[445]하시면, 위태부인과 유부인 모녀부터 문양공주의 악사 개개히 들처나, 간인이 죄를 받고 현인의 아름다운 행사는 만성(滿城)에 훤동(喧動)하리라."

주영이 혜원의 신명함을 크게 믿는 고로 가장 다행하여, 종용이 산하에서 말하다가, 산사로 돌아갈 새, 혜원이 주영을 당부 왈,

"두 부인 이런 말 곧 들으시면, 심사를 더욱 요동하고 슬픔을 더하실 뿐이요, 유익함이 없으리니, 그대는 아직 이런 일을 함구불언(緘口不言)하고, 다만 돌아가 도성에서 윤·정 이부 소식을 들본 체 하라."

주영이 또한 놀라운 말을 부인께 미리 고치 않으려, 산사에 돌아와 두 부인께 뵈고, 다만 윤·정 양부 일양 무사함으로써 고하고, 산하에 박미인이라 하는 이가 능라와 색사를 주며 수를 청하던 바를 고하니, 부인이 주영더러 다시 문 왈,

"네 두루 소문을 들본아 친정과 구가가 무사함을 알고 왔노라 하거니와, 내 마음이 친정을 위하여 염려 무궁한지라. 양제의 몸이 편함을 기필치 못하니, 너는 바른대로 고하라."

주영이 대왈,

---

445) 격고(擊鼓) : 격고등문(擊鼓登聞). 등문고(登聞鼓)를 울려 임금께 직접 억울한 사정을 아룀. 등문고; 조선 시대에, 임금이 백성의 억울한 사정을 듣기 위하여 대궐의 문루(門樓)에 매달아 놓았던 북. 태종 원년(1401)에 처음으로 두었다가 이후 '신문고'로 이름을 고쳤다.

"소비 놀라온 소식이 있으면 부인을 어찌 기망하리까? 태부인과 유부인의 불현한 소문은 없지 않더이다."

윤부인이 다시 말을 않으나, 심히 우구(憂懼)하여 즐기지 않음이 날로 더하더라.

주영이 양부인께 박미인의 수(繡)를 구함을 고하니, 양부인이 일순지내(一旬之內)의 수를 다 놓아 주매, 주영이 가지고 박미인을 가 뵈니, 미인이 수를 보고 대희하여 백금을 상사하며, 차후 주영과 친절이 사귐을 지극히 청하니, 주영이 후의를 사사하고 혜원이 가르친 대로, 형왕과 몽숙이 모여 흉계를 의논하는 때는 합장 뒤에 가 낱낱이 다 들어 기록하니, 이로 좇아 윤·정·진 삼부가 참화를 벗어남이 된가 차하(此下)를 분해하라.

어시에 문양공주 잉태한지 십 삭이 차 일개 여아를 생하니, 아해 용모의 기이함과 골격의 비상함이 간악한 공주의 요괴로운 자색을 담지 않아, 완연이 평남후의 춘양화기(春陽和氣)와 일월정광(日月精光)을 거두어, 찬란한 신채와 수려한 봉안을 품수하여 공주의 복중으로 좇아 돗446) 위에 나니, 공주 산점(産漸)이 없다가 반야에 분산(分産)하니 미처 상부에도 고치 못하고, 최상궁이 공주를 붙들어 분산(分産)을 시키고 생아를 보니, 상격의 기이함은 만고의 희한하되 애다는 바는 불관(不關)한 여자라. 공주 생남하기를 주야 절박히 죄다가, 여아를 보매 서운함이 심하여 최상궁의 손을 잡고 눈물을 뿌려 왈,

---

446) 돗 : 돗자리. 왕골이나 골풀의 줄기를 재료로 하여 만든 자리. 줄기를 잘게 쪼개서 만들기 때문에 발이 가늘다. 영남·호남 지방이 주산지로 용문석과 별문석 따위가 유명하다.

"나의 팔자 절절이 괴이하여, 성혼 사년에 한낱 영자(英子)를 얻지 못하여 심간(心肝)이 말랐거늘, 이제 쓸데 없는 여아를 낳아 일신의 무광(無光)함이 점점 더하여, 정군이 돌아온 후라도 여식(女息)을 불관이 여김이 심할지라. 어찌 애달지 않으리오."

최상궁이 공주의 귀에 대고 일계(一計)를 일일이 고하니, 이는 다른 일 아니라. 제 오라비 최형이 거년에 새로 첩을 얻어 작일에 생남하니, 아해 골격이 가장 아름답다 하니, 공주의 유녀(乳女)로써 형의 집에 보내고, 최형의 아자를 데려와 공주의 낳은 아들이라 하여, 상부와 궐중에 생남(生男)함으로써 고하고, 아해를 잘 길러 공주 마침내 아들을 낳지 못하면, 다른 곳에 양자함도곤447) 나으리니, 차라리 공주 낳은 아들이라 칭하여 정씨 종통을 잇고, 타일에 공주 생남하는 경사 있거든, 해아를 아주 죽여 없이 함도 해롭지 않고, 대사를 도모하는 자가 적은 사정을 생각지 못함은 상사(常事)라. 신생 여아를 죽은 이로 알아, 최가 유자(乳子)로 바꾸어 오자 한데, 공주의 극악간흉(極惡奸凶)이 처음으로 유치를 얻어 아름다움이 만고 희한한 품격이거늘, 최형 같은 더럽고 측한448) 놈의 아들과 바꾸어 윤기(倫紀)를 어지럽힘이, 차마 사람의 할 노릇이 아니로되, 공주는 크게 깃거 유아를 나오게 하여 촉하에서 얼굴을 자세히 살피며, 사지(四肢) 일신(一身)을 자세히 볼 새, 좌비상(左臂上)에 '낭성(狼星)'449) 이자(二字)가 있고, 우비상(右臂上)에 '월녀(月

447) -도곤 : -보다. 체언 뒤에 붙어, 서로 차이가 있는 것을 비교하는 경우, 비교의 대상이 되는 말에 붙어 '~에 비해서'의 뜻을 나타내는 격 조사.
448) 측하다 : 께름칙하다. 언짢다. 마땅치 않다.
449) 낭성(狼星) : 시리우스성. 늑대별. 천랑성(天狼星). 큰개자리에서 가장 밝은 청백색의 별. 하늘에서 볼 수 있는 가장 밝은 별로, 밝기는 -1.46등급이고, 지구에서 거리는 8.7광년이다. 백색 왜성과 쌍성을 이루고 있다.

女)’ 두 자가 있는지라.

공주 자식을 바꾸게 되니 잠깐 참연하여 앵혈로 생년월일시를 쓰고, ‘정아(鄭兒)’ 두 자를 쓰니, 최상궁 왈,

“옥주 차아를 아주 버려 최가를 주려 하시며 어찌 ‘정아’라 하시나니까?”

공주 왈,

“우연이 생년월일을 쓰매 성을 씀이라. 최가가 이름을 ‘정아’라 하면 관계하랴?”

최녀 새벽에 해아를 품고 급급히 교자에 올라 최형의 집에 이르러 최형을 볼 새, 최녀는 별악간흉(別惡奸凶)이라. 미리 의논함이 있던 고로 공주의 신아를 품고 이르렀는지라. 최가 부부 급급히 저의 자식을 깃450)에 싸 아주451) 내어 주니, 최녀 급급히 아해를 품고 돌아오니 아무도 알 이 없더라.

최녀 최형의 첩자를 깃에 싸 공주의 곁에 누일 즈음에 상부에서 평부를 물으니, 원래 공주의 십 삭이 찬 후는 존당 신혼(晨昏)도 참예치 말라 하고 날마다 안부를 묻는지라, 최상궁이 연망(連忙)이 생남(生男)함을 고하고 바삐 궐정에 공주 생남함을 아뢰니, 순태부인과 금평후 부부 남후를 북으로 보내고 심사 불열할 뿐아니라, 자녀 하나토 좌우에 없으니 더욱 참연하여, 태부인과 진부인은 시시로 눈물을 금치 못하더니, 공주 생남하다 하니, ‘딸을 낳아 최형의 천출(賤出)을 바꾸어 공주의 낳은 바라 하며 정씨의 기출(己出)이라 칭하는 바’는, 몽리(夢裏)에도 생각지 못하고, 군자 숙녀의 지공무사(至公無私)한 마음에, 공주 비록 불현(不

---

450) 깃 : ‘포대기’의 옛말.
451) 아주 : 어떤 행동이나 작용 또는 상태가 이미 완전히 이루어저 달리 변경하거나 더 이상 어찌할 수 없는 상태에 있음을 나타내는 말.

賢)하나 정씨 골육이라. 다만 그 모(母)의 악악함을 닮지 말고 정씨 명풍(名風)을 습(襲)하여 화열(和悅)키를 바라는 고로, 금평후 친히 제자를 거느려 문양궁에 이르러 최상궁을 불러, 공주 산점이 있으되 즉시 고치 않음을 대책(大責)하고, 산후(産後) 기운을 물으며 신생아(新生兒)의 작인(作人)을 물으니, 최상궁이 문양궁에 깊이 들어있어 남후 왕래하는 때는 감히 나와 움직이지 못하더니, 남후 북으로 간 후는 마음 놓아 공주 곁에 있던 바라, 승명하여, 다만 산점(産漸)이 없이 불시의 순산(順産)하시기에 고치 못하고, 신아의 기골이 비범함을 고하니, 금후 친히 보지 못한 전은 궁인의 말을 믿지 못하여, 다만 상궁을 당부하여 산모를 잘 구호하고, 행여 바람 들이지 말라 하더라.

궐내에서 공주의 생남함을 들으시고, 황상이 정·오 이왕(二王)을 보내어 산모의 기운을 살펴 약류(藥類)를 착실히 하라 하시고, 중사(中使)로 하여금 금평후께 남아(男兒) 얻음을 칭하(稱賀)하시니, 금후 공주의 복(福)이 중(重)하여 순산 생자함을 일컬어 회주(回奏)할 뿐이요, 각별 환희함이 없으니, 이왕(二王)이 괴이히 여기더라.

금평후 예부 등으로 하여금 이왕을 모셔 문양궁 외헌(外軒)에 있으라 하고, 즉시 상부에 돌아가매, 태부인이 문양의 생자함을 깃거하나 새로이 현기 등을 생각하고 참연 비상함을 이기지 못하니, 금평후 화열이 위로 왈,

"잃은 손아 등이 하나도 용렬(庸劣)치 않을 뿐 아니라 귀격달상(貴格達相)이니, 수화중(水火中)에 들어도 위태할 바 없으니, 소자(小子)는 저의 생존한 소식을 오래지 않아 들을까 바라는 바라. 공주의 생남이 기쁘나 오가(吾家)의 큰아이는 현기라, 소자는 아무 손아라도 현기만 못하게 여기나이다."

태부인 왈,

"현기 있으면 네가 여러 손아의 위로 중히 여김이 옳거니와, 현기 등의 사생존망을 알지 못하고, 마침내 찾지 못하면 공주의 신생아가 조선봉사(祖先奉祀)를 영(領)함이 될까 하노라."

금평후 소이대왈,

"현기를 찾지 못할 리는 만무(萬無)하옵거니와, 윤·양·이가 다 죽은 바 없으니, 현기 등을 찾지 못하여도 윤·양 양식부(兩息婦) 다 태후가 있던 것이니, 반드시 하나는 생남(生男)하였을지라. 어찌 공주의 생아(生兒)로 봉사를 영(領)하리까? 자정은 이런 중대하온 일을 공주께 들리지 마소서."

태부인이 소왈,

"낸들 어찌 이런 말을 공주 귀에 들리리오마는, 혹자 윤·양과 현기 등을 찾지 못할까 이름이라. 너의 말같이 현기 모자를 다 찾으면 무슨 슬픔이 있으리오."

금후 윤·양·경의 기특한 상모를 일컬어, 타일 영화로이 모여 복경(福慶)이 환희(歡喜)할 것임을 고하더라.

공주 분산한지 삼칠일(三七日)452)이 된 후는, 금후 부자가 문양궁 내헌(內軒)에 들어가 신아를 보니, 작인이 단묘(端妙)하여 누추(陋醜)키를 면하였으되, 비천(卑賤)이 생겨 일분도 발월준매(發越俊邁)한 곳이 없고, 일신 용모를 온 가지로 살펴도 일컬을 것이 없으니, 남후의 천일(天日) 같은 의표(儀表)와 용봉(龍鳳) 같은 자질로 비컨대, 대상부동(大相不同)453)한지라. 금평후 일견(一見)에 불행하고 괴이함을 마지않되, 강인

---

452) 삼칠일(三七日) : 세이레. 아이가 태어난 후 스무하루 동안. 또는 스무하루가 되는 날. 대개는 이날 금줄을 거둔다.
453) 대상부동(大相不同) : 조금도 비슷하지 않고 아주 다름.

(强忍)하여 공주를 대하여 생남함을 일컫고, 예부 등이 또한 신아를 보고 면강(勉强)하여 치하(致賀)하고 부친을 모셔 나가고, 순태부인이 진부인으로 더불어 문양궁에 이르러 공주의 생남함을 칭하(稱賀)하고, 신생아를 나오게 하여 볼새, 비록 용우키를 면하였으나 남후의 옥면선채(玉面仙彩)를 한 곳도 닮은 곳이 없는지라. 순태부인과 진부인이 공주의 마음을 위로하고, 진부인을 돌아보아 왈,

"현기 등을 잃고 주야 슬퍼하더니, 차아(此兒)의 작인(作人)이 기특하여 어여쁘기 극진하니, 제 아비 이를 보면 황홀(恍惚) 귀중(貴重)하리로다."

진부인이 날호여 대왈,

"자식이 부모의 혈맥(血脈)을 타나니 외모에 방불(彷彿)한 곳이 있을 것이로되 차아는 천흥과 공주를 담지 않고, 인흥도 같지 않아 일가의 닮은 이 없으니, 가히 뛰어나게 다르도소이다."

태부인이 강인하여 화열한 사색으로 이르되,

"아해 제 부모와 정문 일가를 닮음이 없으나, 삼긴 것이 누추(陋醜)치 않아 공교코 묘하니, 노모의 장리보옥(掌裏寶玉)이 되리로다."

공주를 향하여 잘 조리함을 이르고, 제 부인을 거느려 상부로 돌아가니, 최상궁이 공주로 더불어 저 부부 기색이 화열치 못함을 한하나, 아해 보호함을 대내(大內)에서 태자 받드는 법을 다 입내[454] 내는지라. 최형의 천한 자식이 손복(損福)할 징조(徵兆) 많더라.

순태부인이 공주의 생아를 보고 돌아와, 금후더러 묻되,

"너는 손아가 어떠하더뇨?"

금후 공주의 유자(乳子)를 측히 여겨 도리어 그 작인이 가소로운지라. 좌우에 다른 사람이 없고 다만 진부인과 예부(禮部) 시좌(侍坐)하였으

---

454) 입내 : 소리나 말로써 내는 흉내

니, 소이대왈,

"공주의 생아(生兒)라 하는 바는 우리 집 서파(庶派)에도 그대도록 낮게 삼긴 것이 없는지라. 다행한 바는 십 세 넘지 못하여 죽을 것이니, 문호를 첨욕(添辱)할 일은 없을까 하나이다."

진부인이 탄식하고 고왈,

"천흥의 팔자 괴이하여 현처(賢妻) 기자(奇子)는 다 실리고, 공주 처음으로 아들을 낳으매 한 곳 준수함이 없고, 나무로 새긴 것 같아서, 적은 귀와 둥근 입이며 짧은 눈썹 터는 의지(依支)를 못하고, 내려 붙은 눈이 암상455)한 것을 겸하였으니, 아무리 보아도 망측(罔測)한 천상(賤相)이니, 첩은 실로 어여쁜 정이 몽리(夢裏)에도 없나이다."

태부인이 점두 왈,

"현부의 말이 옳으나 차마 그 모(母)를 대하여 염박(厭薄)한 빛을 뵈지 못함이라. 공주 비록 성덕에 벗어나나, 안모(顔貌)의 영귀한 복록이 어리었고, 총아낭성(聰雅朗聲)하여 높은 기품이 많거늘, 자식은 그 대도록 못 낳았으니 실로 천의(天意)를 알지 못하리로다."

금후 소왈,

"부인이 평생에 사람을 시비치 않으매 가장 장처(長處) 같더니, 당차시(當此時)하여는 비록 우리 손아, 공주의 귀한 아들을 찰찰(察察)이 나무라 천상(賤相)으로 미루니, 어찌 현덕(賢德)이라 하리오?"

부인이 함소무언(含笑無言)이나, 심리(心裏)에 의려(疑慮) 많아, 원간 공주 태후(胎候)가 아닌 것을 짐짓 말을 퍼지오고, 어디 가 괴이한 자식을 얻어온가 하여, 더욱 통해(痛駭)하더라.

---

455) 암상 : 남을 시기하고 샘을 잘 내는 마음. 또는 그런 행동.

　이적에 옥누항 윤부에서 위태부인과 유부인이 남노여복(男奴女僕)을 다 잃고, 다만 세월 비영이 앞에 있어 사환(使喚)하나, 태복과 군석의 작난이 비상하여, 제 당류(黨類) 오십여인을 데리고 백화헌 문을 크게 열어, 날마다 음주단란(飮酒團欒)하여 동산에 천여주 과목(果木)을 다 베어 팔아 먹고, 태부인과 유씨 용도(用度) 절박함을 일러 출채(出債)456)하여 달라한즉, 태복과 군석이 갚을 형세 없음을 보고, 일냥 은전을 출채함이 없어, 백여간 행각(行閣)457)을 다 헐어, 재목과 기와를 다 팔아 값을 십분의 일은 들여놓고 제가 가지기를 수없이 하나, 태부인은 오히려 알지 못하되, 유부인 모녀는 양노(兩奴)의 무상(無狀)함을 알아 통해함을 마지않되, 세월 비영의 낯을 보아 말을 않더니, 태복과 군석의 뜻이 점점 게을러, 향촌에 두루 다니며 부가(富家)를 가려 재물을 노략(擄掠)하던 마음도 풀어지고, 살뜰히458) 상전의 집을 부시여 식정(食鼎)459)가지 남기지 않으려 하는 용심(用心)인 고로, 행각을 다 헐어 판 후, 백화헌은 저의 거처를 위하여 헐 의사를 않되, 운학당 서운당과 중서헌을 다 헐어 버리니, 유부인이 분을 참지 못하여 양노(兩奴)를 부른즉, 대답도 않고 이르되,

　"사람은 적은데 집은 크기로 빈 방이 하 많으니 접귀(接鬼)460)하기도 쉬울 뿐 아니라, 아무리 제향(祭享)을 파하였다한들 산 사람도 다 굶어 죽게 되었으니, 교지에서 노야도 환경(還京)치 못 하시기 전, 애꿎은461)

---

456) 출채(出債) : 빚을 냄.
457) 행각(行閣) : 궁궐, 절 따위의 정당(正堂) 앞이나 좌우에 죽 벌여 지은 행랑(行廊).
458) 살뜰히 : 자상하고 빈틈없이.
459) 식정(食鼎) : 밥솥.
460) 접귀(接鬼) : 귀신이 들어와 삶.
461) 애꿎다 : 아무런 잘못 없이 억울하다.

우리 모자 남았다가 기사(饑死)한 송장 치우기 싫으니, 집 아니라 살이라
도 베어 먹여 살려내고자 하는데, 헴 모르는 부인은 호강저이462) 큰 집
을 지녀 살까하여 날더러 헐지 말라 하니, 이 집 아니 팔아먹고 흙을 파
먹으려 하는 건가? 과연 사리(事理)도 하 모르니 답답하여 못살리로다."

이리 이르며 증(憎)을 내어 집을 다 헐어 팔아, 구백냥 은자를 받아
겨우 이백냥을 유부인께 드리니, 유부인과 경아가 분을 띠여 양노(兩奴)
처치할 도리를 생각하되, 세월 비영이 자기 복심으로 전후의 악사를 한
가지로 하였으니, 태복 등을 다스린즉 원망이 일어나, 자기 한없는 과악
이 들쳐날까 두려우매, 한 소리를 못하고 참고 있으려 하니, 배종(背
腫)463)이 발할 듯하여, 견디지 못하는 중, 태우와 학사는 적소에 가 각
각 몸이 무양함을 더욱 통완(痛惋)하여, 죽이지 못함을 이를 갈고 애달
아, 구몽숙을 보면 매양 자질(子姪) 두 사람이 적소도 안둔(安頓)464)치
못하게 죽여 달라 하니, 몽숙이 형왕과 도모하여 윤태우 등을 역류(逆
類)에 몰아넣겠노라는 말은 않되, 다만 쉬이 죽을 곳에 넣겠노라 하니,
유부인이 몽숙을 깊이 믿더라.

신묘랑이 유부인을 사귄지 세월이 오래고, 윤부 전토(田土)와 세전지
물(世傳之物)465)을 다 팔아 없애게 하여, 그 집을 탕패(蕩敗)케 함이 저
의 탓이요, 전혀 경아를 위함이로되, 경아의 전정을 능히 즐겁게 못하여
석상서의 마음을 돌이키지 못하니, 유부인이 비록 묘랑을 대하여 불평

---

462) 호강저이 : 호강스럽게. *호강; 호화롭고 편안한 생활 *-저이; 부사를 만드는
   접미사.
463) 배종(背腫) : 등창. 등에 나는 종기(腫氣).
464) 안둔(安頓) : 안돈(安頓). 사물이나 주변 따위가 잘 정돈됨. 또는 마음이 정리
   되어 안정됨.
465) 세전지물(世傳之物) : 대대로 전하여 내려오는 물건.

지색(不平之色)을 않으나, 묘랑이 제 마음에도 가장 무류(無聊)하여, 그 재물 허비한 덕을 다 갚으려 하는지라.

이에 석상서가 번국(蕃國)466)에 천사(天使)로 나갔다가 돌아온 후로, 석상서의 재실 오씨를 반야삼경(半夜三更)에 잠이 깊었는데, 묘랑이 나는 범이 되어, 그 방에 들어가 오씨를 후려다가, 문외(門外)467) 산상(山上)에 가 험준한 바위에 내리굴려468) 쇄분(碎粉)하여 죽게 하되, 다행이 혜원 니고(尼姑)를 만나 죽을 목숨을 구하여 활인사로 돌아가니, 이로써 드디어 일명을 보전하나, 친정과 구가의 생존한 소식을 고치 못하여 슬퍼하거늘, 혜원이 아직 그 액회(厄會) 중함을 알매, 산사에 머물러 칠팔 삭을 있으라 하고, 윤·양 이부인으로 서로 보게 하여, 삼부인 받들기를 지성으로 하나, 오씨 화를 다시 만날지라도 가고자 하였더니, 윤·양 두 부인이 가로막고, 또 명염(名艷)의 숙녀로 그 명도 괴이하여 산문에 있기를 염(厭)치 않는 거동을 보고, 시러금469) 활인사의 머묾이 되니, 오씨 용모 수려하고 인자 온순하여 당세의 현완(賢婉)이라. 윤·양 이부인이 교도 각별하여 친애하는 정이 피차 상하치 못하더라.

석부에서 오씨를 잃고 자녀 세 아이가 어미 부르짖는 소리가 참절할 뿐 아니라, 석상서 금슬지정이 백년의 느꺼운 마음이 있다가, 일야지내(一夜之內)에 참혹히 잃으니, 비록 부모의 슬퍼하심을 돕지 못하여 사색을 강인(强忍)하나, 진실로 회포 비상하여 여취여광(如醉如狂)한 듯, 삼개 자녀를 본즉 더욱 자닝하여 눈물을 금치 못하니, 장차 병이 날 듯한 바에, 묘랑이 석부 차환 하나를 죽여 없애고, 석부에서 대신 차환으로

466) 번국(蕃國) : 오랑캐 나라.
467) 문외(門外) : 도성(都城)의 성문 밖.
468) 내리굴리다 : 높은 곳에서 낮은 곳으로 굴리다.
469) 시러금 : 이에, 능히

사환(使喚)하여, 석상서의 차와 술을 찾는 때에 변심하는 약을 타 상서를 먹이니, 상서 비록 기특하나, 정병부와 윤태우의 무궁히 신명(神明)함과 남달리 특달(特達)함이 천만인 가운데 솟아남을 미치지 못하니, 요약에 어찌 심정이 상치 않으리오. 사오일을 대통(大痛)하고 일어나매, 오씨를 잃고 참절 비상하던 마음은 간데없고, 홀연 윤씨를 보고자 마음이 동하니, 부모께 고하되,

"소자 오씨를 잃고 윤씨 밖은 다른 처실이 없어, 대객지절(對客之節)과 의복지사(衣服之事)를 가음알[470] 이 없으니, 윤씨를 데려 오고자 하나이다."

부모 깃거 이르되,

"네 윤씨의 허물도 보지 못하고 연고 없이 박대함이 무상터니, 데려와 화락고자 하니 기쁘거니와, 선비도 일처일첩(一妻一妾)이니, 네 벼슬이 경상이라, 두 아내를 거느려도 그름이 없을지니, 십년을 그음하여도 오씨를 찾아 숙덕을 저버리지 말고, 윤씨를 후대하여 가내를 온전하게 하라."

상서 배사하고 석공 부부 윤씨를 부르니, 윤씨 묘랑의 덕으로 오씨를 없애고, 석상서 저를 생각함을 듣고 만심대열(滿心大悅)하여 조모와 모친을 하직하고 석부에 이르니, 묘랑은 변심하는 약을 가득히 주고 석부 차환의 매골[471]을 벗고 선경사로 돌아가니, 석부에서는 차환이 도주한가 하더라.

석상서 경아에게 침혹하여 사군사친(事君事親) 여가에는 윤씨 침소 밖을 나지 않더니, 하늘이 경아의 원을 좇지 않아 석상서가 광동 참정을 하여 집을 떠나니, 양친 시하(侍下)에 쉬이 돌아오기를 기약하는 고로

---

470) 가음알다 : 관장(管掌)하다. 다스리다. 담당하다.
471) 매골 : 축이 나서 못쓰게 된 사람의 모습. 사람의 머리를 속되게 이르는 말.

윤씨를 데려가지 않으니, 경아가 성례(成禮) 구재(九載)에 비로소 석생의 관관(款款)한 화락이 겨우 수삼 삭에 광동(廣東)472)으로 나가니, 홀연(欻然)하고 애달음을 이기지 못하니, 도리어 나라 정사를 원망하여 왈,

"석군이 번국의 천사(天使)로 다녀온 지 오래지 아니하거늘, 또 광동 참정으로 나가니 석군이 아니면 벼슬할 이 없던가? 이부상서는 어떤 미친놈이관데 오씨 요녀와 화락할 제는 내직으로 박아두었던고. 내 석부에 왔는지 어찌 알고 그대도록 못살게 희짓는고. 석군이 나간 사이에 오씨의 세 낱 자녀를 다 없애고, 내 뜻을 정하여 안전(眼前)에 한낱 적인(敵人)을 용납지 아니 하리라."

하여, 석상서 나간 지 일삭이 못하여서, 경아가 오씨의 세 자녀를 다 죽이려 하고, 약을 음식에 섞어 먹이려 할 즈음에, 석추밀의 종부(宗婦) 남씨 사기를 알고 급히 존고께 고하니, 석추밀 부인이 듣고 놀라 윤씨의 방에 와 삼아의 잡은 바 음식을 앗아다가, 추밀공과 제자를 다 청하여 보는 데서, 개를 먹이니 채 먹지 못하여서 즉시 죽거늘, 남은 것을 땅에 엎치니 푸른 불이 일어나거늘, 추밀이 그를 보고 대로하여 윤씨의 시녀를 잡아 저주니, 추호를 은닉지 않고 석상서를 변심하는 약을 먹여 은정을 낚아 석부로 오고, 약을 얻어 삼아를 죽이려 하던 바를 다 고하니, 석추밀이 분노함을 이기지 못하나, 상서 돌아온 후 처치하려 하는 고로, 윤씨를 아직 밀어 후당 누옥에 가두고, 조석 음식을 연명할 만큼만 주니, 경아가 옅은 심정과 악악한 성정으로써 저의 과악(過惡)이 다 드러나 후당 누처(陋處)에 죄인이 되니, 금장(襟丈) 소고(小姑) 등이 하나도 불쌍히 여길 이 없고, 평생에 은악양선(隱惡佯善)하여 온순한 빛을 짓던

---

472) 광동(廣東) : =광주(廣州). 중국 광동성(廣東省)에 있는 도시. 화남 지방의 정치, 경제, 문화의 중심지로서 성도(省都)이다.

일이 다 헛 곳에 돌아가고, 전전(前前) 간악이 다 나타나니, 원독(怨毒)
이 무궁하여 일찍 눈물이 마를 적이 없고, 간담이 다 사위여 거의 재 되
고자 하되, 슬픈 정사를 모친께도 통치 못함은, 추밀 부부 윤부 위태부
인과 유부인의 악악함을 흉히 여겨, 윤씨를 옥의 가둔 후는 영영히 본부
에 서신도 왕래치 못하게 함이더라.

유씨와 위태, 경아를 석부에 보내어 석상서의 애중한 정이 수유불리
(須臾不離)하기에 미침을 들으니, 인간 경사 이 밖에 없는 듯 두굿겁
고473) 기쁨이 측량치 못하니, 위태의 어린 기운과 유씨의 양양한 교기
(驕氣) 하늘에 턱을 걸은 듯하더니, 뉘 도리어 평지에 풍파가 일어나,
상서 광동으로 나간 지 일삭이 못하여 간모 발각 되어, 경아가 석부 누
옥 중에 죄인 되기를 면치 못할 줄 뜻 하였으리요.

유씨 주야 가슴을 두드려 하늘을 원망하며, 석추밀 부부의 사나움을
벌하지 않는다 하여, 여아를 부르짖어 슬퍼함을 비할 곳이 없이 하되, 묘
랑이 경아를 구할 뜻이 없어 유씨의 슬퍼함을 와볼 적이면, 다만 이르대,
"석상서 돌아오시면 소저의 액회 관계치 않을 것이니, 부인은 염려치
마르시고, 상서 돌아오심을 기다리소서."

유씨 묘랑의 말이 옳은 줄로 알아, '상서 언제 돌아올꼬?' 물으니, 묘
랑이 아직 유씨 마음을 위로코자 거짓 석상서 오래지 않아 오리라 하여,
경아를 위하여 크게 수륙치재(水陸致齋)를 또 하라 권하니, 유씨 살이라
도 베어 팔고자 하되, 은냥(銀兩)을 변통할 길이 없어, 의사 궁극하여
옥누항 집을 아주 팔아 수륙(水陸)고자 하매, 두루 집 사리를 구하되,
아무도 임자 없는 집을 못산다 하는지라. 유씨 할일 없어 백화헌과 해월
루며 채봉각 채련당을 다 헐어 팔려하니, 군석과 태복이 제 당류를 모아

---

473) 두굿겁다 : 자랑스럽다. 대견스럽다. 기뻐하다.

백화헌에 둔취(屯聚)하였으므로, 다른 당사는 다 헐어도 백화헌은 헐지 않으려 하는지라. 태부인께 고하고, 왈,

"백화헌은 집모양이 되지 못하니, 경희전 재목이 장하고 기와도 좋으니, 헐어 팔면 값이 많을까 하나이다."

태부인이 경아를 위하매 아끼는 것이 없어, 자기 유씨 침소에 한가지로 옮아들고, 경희전을 헐어내고, 정・하 양소저의 전일 침소와 해월루를 다 헐어 재목을 팔아 은자를 받으니, 신묘랑이 그것을 통째474)로 가지고 선경사로 가며 수륙(水陸)을 정성으로 하마 하니, 유씨 묘랑을 믿음이 태산 같아서 그 허언을 곧이들으며, 축원하는 글을 지어 주어 경아의 수복(壽福)을 빌고, 태우 형제는 풍도지옥(酆都地獄)475)으로 잡아가라 축원하니, 그 심용(心用)이 갈수록 이 같더라.

화설 북평대원수 정천흥이 삼만 정병(精兵)과 십원(十員) 명장(名將)을 거느려 한 번 북으로 나아가매, 재덕이 본디 해내(海內)476)의 들레는 바라. 소과(所過) 주현(州縣) 자사(刺史)477) 망풍귀순(望風歸順)하며 단사호장(簞食壺漿)478)으로 왕사(王士)를 맞으며, 그 재덕과 기절을 아니 흠앙할 이 없는지라. 정원수 추호(秋毫)를 불범(不犯)하니 덕화 거룩

---

474) 통째 : 나누지 아니한 덩어리 전부.

475) 풍도지옥(酆都地獄) : 도교에서 말하는 지옥. 사람이 죽으면 이곳에 끌려와 인간세상에서 지은 죄에 대한 심판을 받는다고 한다.

476) 해내(海內) : 바다로 둘러싸인 육지라는 뜻으로, 나라 안을 이르는 말.

477) 자사(刺史) : ①발해에서, 각 주(州)의 으뜸 벼슬. ②고려 성종 14년(995)에 둔 외관(外官). ③중국 한나라 때에, 군(郡)・국(國)을 감독하기 위하여 각 주에 둔 감찰관. 당나라・송나라를 거쳐 명나라 때 없앴다.

478) 단사호장(簞食壺漿) : ①대나무로 만든 밥그릇에 담은 밥과 병에 넣은 마실 것이라는 뜻으로, 넉넉하지 못한 사람의 거친 음식을 이르는 말. ②백성이 군대를 환영하기 위하여 갖춘 음식.

하고, 부원수로 더불어 말좌 군졸에 이르기까지, 원수를 우러름이 적자(赤子)가 자모(慈母)를 바람 같고, 두려워하며 조심함이 비록 모진 형벌을 더하지 않으나, 호령이 행하여 위풍이 늠름하니, 군졸에 이르기까지 감히 원수의 낯을 앙첨(仰瞻)치 못하고, 몸을 돌아보지 않아 갚을 뜻이 있는지라. 원수 동(冬) 십일월에 황성을 떠나, 세말(歲末)에 북군(北郡)에 다다르니, 절도사 맞아 북이(北夷)에 세강(勢强)함을 전하니, 원수 미소왈,

"적세(敵勢) 비록 강하나 역천(逆天)하는 무리를 두려워할 것이 아니라, 절도사는 너무 구겁(懼怯)치 말라."

이에 격서를 날려 번왕에게 보내니, 북왕이 글을 보매, '고금녁대(古今歷代) 난신적자(亂臣賊子)를 갖추 일컬어, 역천무도(逆天無道)한 도적의 머리를 한 싸움에 베어 없앨 것이로되, 보천지하막비왕토(普天之下莫非王土)요, 솔토지빈(率土之濱)이 막비왕신(莫非王臣)이라479). 천하강산이 황상의 땅이 아니며 사해만민(四海萬民)480)이 주상의 백성이 아니리오. 이러므로 주륙(誅戮)을 아껴 먼저 격서를 보내어 왕의 불의를 일러, 만일 회심치 아니하면 대군을 몰아 짓쳐 무찌르리라.' 하였으니, 번왕이 격서를 보고 스스로 황겁함을 이기지 못하여 군신을 모아 의논하여, 왈,

"만일 항복치 않으면 북국을 보전치 못하리로다."

---

479) 보천지하막비왕토(普天之下莫非王土)요, 솔토지빈(率土之濱)이 막비왕신(莫非王臣)이라 : 온 하늘 밑이 왕의 땅 아닌 데가 없고, 온 영토 안에 사는 사람들이 다 왕의 신하 아닌 사람이 없음. 『맹자』〈만장장구 상(萬章章句 上)〉에 있는 글.
480) 사해만민(四海萬民) : 온 세상에 사는 모든 사람. 사해(四海)는 동서남북의 바다 안. 곧 온 세상을 뜻하는 말.

하니, 대장군 갈상유와 선봉 북동이 분연이 소리를 높여 왈,

"전하가 신 등을 두시고 어찌 천하 얻기를 근심하여, 정천흥의 한 장 글을 보시고 장졸의 예기를 꺾어 항(降)할 의논을 내시나이까? 신 등이 비록 재주 없으나 천흥의 머리를 베어 오지 못하면 스스로 죄를 청하리이다."

번왕이 암약한지라. 갈·북 양장의 말을 듣고, 대군을 거느려 정원수와 접전하려 하니, 양장이 명을 받아 오만군을 거느려 갑주와 검극을 빛내어 진밖에 내다르니, 정원수 첫 싸움에 갈상유를 베고 북동을 생금하여 본진에 돌아왔더니, 번왕이 다시 손오(孫吳)481) 같은 장수를 초모(招募)하여 대장을 삼고 정원수와 싸우자 하니, 정원수 또 양장을 다 베니, 수삭지내(數朔之內)에 오십여 관액(關阨)을 얻고, 번왕의 두 아들을 생금(生擒)하니, 북왕이 세궁역진(細窮力盡)하여 송진(宋陣)에 항(降)하니, 정원수 북왕의 항복을 받고 사자(使者)를 명하여 첩보(捷報)를 황성에 보(報)하고, 왕의 폐백(幣帛)을 받아 사졸을 상사하고, 북왕을 개유(開諭)하고, 세자 형제를 방송하며, 사문(四門)에 '안민(安民)' 두 자를 붙여 백성을 안무하니라.

원수 북해의 머무른 지 삼사 삭에 교화(敎化)가 대행하여, 도적이 화(化)하여 양민이 되고, 효제충신과 예의염치를 가다듬어 전일 풍속과 내도하니, 이른바 '군자의 덕이 만이(蠻夷)에도 행한다' 하니, 정히 원수 같은 이를 이름이라.

원수 삼사 삭을 북해의 머물러 인심이 정한 후, 대군을 휘동하여 반사

---

481) 손오(孫吳) : 중국 전국시대의 대표적 병법가인 제(齊)의 손무(孫武)와 오(吳)의 오기(吳起), 손무는 『손자(孫子)』, 오기는 『오자(吳子)』라는 병서(兵書)를 각각 남겼다.

(班師)할새, 번왕이 백리에 나와 원수를 전송하며, 그 재덕과 어짊을 못
내 칭찬하고 떠남을 아끼더라.

원수 번왕을 작별하고, 장졸을 거느려 개가를 울려 호호탕탕이 행하
여 황성을 바라고 개선(凱旋)하니라.

이때에 장사왕이 그 형 초왕의 참사함을 들으매, 원국(怨國)하는 의사
점점 더하되, 천자가 연좌(緣坐)를 쓰지 않으시니 시러금 감격한 뜻이
있으나, 교아 천 가지로 꾀와, '병마를 조련하여 황성을 침노함이, 초왕
의 원수를 갚음을 이름 삼아 만 리 강산을 얻는 마디라.' 하여, 용장(勇
將) 모사(謀士)를 초모(招募)한 지 삼년이라.

장사왕이 본디 대국을 반하고 천위(天位)를 찬탈코자 흉역지심(凶逆
之心)을 둔 지 오래나, 경이(輕易)히 움직이지 못하였더니, 교아의 권함
을 좇아 뜻을 결하여, 병을 일으켜 황성을 바라며 나아올 새, 소과(所
過) 주현(州縣)을 항복 받으니, 그 세 대 따림⁴⁸²⁾ 같으매, 관읍(關邑)
주현이 저당치 못하여 황성으로 도망하여 올라오니라.

차설, 왕후 교아 신묘랑에게 요술을 배워, 몸을 공중에 날리며 천병만
마를 거느려 진세를 이루는 법을 행하는지라. 스스로 대군을 거느려 황
성으로 오니라.

화설 형왕과 구몽숙이 정·진 이문을 무찌르고자 도모함이 발분망식
(發憤忘食)하기에 이르렀으매, 매양 운화산 정자에 가 밀밀히 흉계를 의
논하더니, 이미 정원수 북적을 파하고 첩음(捷音)이 자주 천문에 오로

---

482) 따리다 : 쪼개다. 부수다. 때리다.

니, 상이 대열하시어 금평후에게 각별한 은영이 날로 새로와, 상방어선(尙方御膳)[483]을 보내시며 매양 어주를 사급하시어 기자(奇子)를 낳음을 칭찬하시니, 구몽숙이 경악에 근시하여 모르는 일이 없는 고로, 정문의 은총이 이 같으심을 크게 시애(猜礙)하여, 정원수 해할 뜻이 더욱 급하여 한데, 맞추어 궐내 소속(所屬)을 형왕으로써 처결케 함이 된지라.

이에 변심하는 약을 황상 수라(水刺)[484]에 화하여 진어하시게 할 새, 궁인 홍씨에게 청하였으니, 홍상궁이 어찬(御饌)을 가음아는 고로, 형왕에게 금을 받고 요약을 어선에 섞을 새, 축원하여 황상이 정·진 이문을 다 미워하시고 형왕과 구몽숙을 총우하심을 빌었더니, 황상이 연하여 요약 섞은 어선(御膳)을 나오신 후, 홀연 옥후(玉候) 불평하시어 사오일을 용상(龍床)에 혼혼하시니, 태자 우황하시고 궐중이 황황 진경하더니, 오륙일 후 옥후(玉候) 평복(平復)하시나 용안(容顔)에 정명정기(精明精氣)가 많이 감하시니, 춘궁(春宮)[485]이 우황하시더라.

구몽숙이 정원수의 필체를 모떠[486] 반서(叛書)를 지어, 신묘랑으로 하여금 북해(北海) 제읍(諸邑)에 돌리라 하고, 몽숙이 또 재주를 발하여, 변하여 나는 짐승이 되어 바로 궐정에 들어가, 밤을 당하여 용포(龍袍)와 옥새(玉璽)를 도적하여 평후 곤계 거처하는 채죽헌 협실의 궤를 열고 넣으니, 그 공교로운 변화가 무궁하되, 예부와 정공자 등이 모르는지라. 몽숙이 이미 옥새(玉璽)와 용포를 궤중에 감추고, 제 집에 돌아와

---

483) 상방어선(尙方御膳) : 상방(尙方)에서 만들어 임금에게 올리는 음식. 상방은 조선 시대에, 임금의 의복과 궁내의 일용품, 보물 따위의 관리를 맡아보던 상의원(尙衣院)의 다른 이름.

484) 수라(水刺) : 궁중에서, 임금에게 올리는 밥을 높여 이르던 말.

485) 춘궁(春宮) : 동궁(東宮). '황태자'나 '왕세자'를 달리 이르던 말.

486) 모뜨다 : 남이 하는 짓을 그대로 흉내 내어 본뜨다.

자고자 하매 비로소 닭이 우는지라. 저의 나는 재주 세상에 무쌍함을 스스로 칭찬하여 혼잣말로 이르대,

"공중으로 나라 다니매, 쉽고 편함이 마상에 행하는 류 같으랴. 심야의 궐정의 들어가 용포와 옥새를 가져 취운산에 두고 이리 오되, 아직 날이 새지 않아 계명(鷄鳴)이 처음으로 시작하니, 나의 이런 재주 고금에 희한한지라. 한갓 정천흥 진영수 등 없애기는 이르지도 말고, 곧 천하라도 도모하기 어렵지 아니하도다."

몽숙의 처 양씨 희미한 잠 가운데 몽숙의 말을 듣고 놀라 깨어, 용포와 옥새 곡절을 물으니, 몽숙이 양씨의 어짊을 크게 괴로이 여기는지라. 문득 정색 왈,

"나는 용포와 옥새를 들놓지 않았으니, 그대 꿈 가운데 일로써 어찌 날더러 묻느뇨?"

양씨 추연탄식 왈,

"첩이 비록 암매(暗昧)하나 군의 거동을 짐작하나니, 모름지기 불의를 멀리하고 인(仁)을 숭상하여 고독한 몸에 화를 부르지 마소서."

몽숙이 대로(大怒)하여 고성(高聲) 질왈(叱曰),

"불길하고 간악한 흉언을 이다지도 복 없이 하니, 반드시 나를 죽이고 그치려 하는다?"

양씨 길이 함루(含淚) 탄식하고 다시 말을 아니하더라.

몽숙이 용포와 옥새를 채죽헌에 감추고, 다시 진영수 등과 정병부 형제의 글씨를 입내 내어 자체와 같게 하고 글을 지으매, 뜻이 천위를 찬탈코자 하여 정원수로써 만승(萬乘)을 님(臨)케하는 의논이더라.

형왕이 글을 보고 더욱 깃거 몽숙의 재주를 칭찬하니, 몽숙이 흔흔히 즐거움을 띠어, 또 날개 있는 짐승이 되어 글 지은 것을 품 사이의 감추고, 정·진 양부로 다니며 그윽한 농과 궤 속에 다 감추니, 일이 공교하

여 알 이 없더라.

몽숙이 또 괴이한 동요(童謠)를 지어, 형왕의 군관으로 하여금 도성 소아들을 가르치니, 그 뜻이 이상하여 '송이 망하고 오래지 아니하여 만리 강산과 사해 번국을 통제할 님군이 나리라' 하여, 이름을 정기진조곡(鄭起陳助曲)이라 하니, 일로 좇아 정가(鄭家)가 일어나고 진가(陳家)가 도움을 알지라. 도성 소아 등이 정기진조곡을 배워 다투어 부르기를 그칠 사이 없는지라.

황자(皇子) 정왕이 일일은 대로를 행하다가, 거륜(車輪)을 멈추어 유의하여 들으니, 가장 깃거 않되, 아동의 상없이 부르는 노래를 아는 체함이 가장 괴이하여, 궁으로 돌아와 고요히 동요를 다시 헤아려 그 뜻을 짐작하매, 마음의 불행함이 아니 들음만 같지 못하더라.

이때 장사왕이 남읍(南邑)을 작난(作亂)하여, 대병을 몰아 황성을 향하는 비보(飛報)가 천문(天門)에 오르고, 남토 주현 자사가 반 넘게 항복하고, 그렇지 아니면 성명을 보전치 못함을 주하며, 혹 관을 버리고 가만히 도망하여 황성에 들어와 천정에 죄를 청하는 유(類)도 많으나, 상이 요약(妖藥)에 성정(性情)이 현란(眩亂)하신 중, 해외 번국의 엿보는 환(患)과 병혁을 일으켜 대국지계(大國地界)를 침노하는 변이 그치지 않음을 크게 근심하실 뿐 아니라, 장사왕은 초왕의 제(弟)로 그 연좌를 쓰지 않음도 성은의 관유(寬宥)하심을 인하여 지친(至親)을 사랑하시는 연고인데, 장사왕이 천은을 알지 못하고 도리어 황성을 엿보아 천위를 항형(抗衡)코자 함을 대로하시어, 문화전에 조회를 크게 여시어 문무 제신을 모아 장사왕을 벌죄(伐罪)할 일을 의논하실 새, 대도독 절도사 손확은 힘이 구정(九鼎)을 가벼이 여기고, 용력이 과인하여 범 같은 장수(將帥)로되, 다만 성도가 시험(猜險)하여 인심이 청현함이 없으니, 조야가 그 무부(武夫)이므로 책망치 않는 까닭에, 손확이 간간이 인정 밖의

거조(擧措)가 많되, 나타난 죄를 얻지 않아 대도독 좌장군으로 부귀 극
진한지라.

정병부 전후에 운남과 북해 정벌을 자원하여 대공을 이루니, 제 마음
에 매양 번국의 반하는 변이 또 있거든 부디 자원 출정하려 벼르던 바
라. 문득 출반(出班) 부복(俯伏)하여 장사국 치기를 청하여 대원수를 봉
하심을 빈대, 상이 원임대신(原任大臣) 등을 돌아 보사 가라사대,

"이제 손확이 정벌을 청함이 이 같으니 경등의 뜻은 어떠하뇨?"

태사 정유와 승상 유진이 주왈,

"손확의 용맹인즉 항왕(項王)487)의 일류라. 오히려 신 등의 소견은
문무겸비(文武兼備)한 대장을 가리심만 같지 못하오니, 손확이 행여 용
(勇)만 믿고 일을 그릇할까 하나이다."

천안이 유예미결(猶豫未決)하시거늘, 상서 구몽숙이 주왈,

"손확은 강용(强勇)이 만고에 희한한 장수라. 한번 대군을 거느려 장
사로 나아가면 반드시 역천무도(逆天無道)한 도적을 베려니와, 그러나
지혜 유여(有餘)한 모새(謀士) 있어야 군정사(軍政使)를 의논하오리니,
신의 소견은 태우 윤광천이 여력(膂力)이 과인하고 지모와 담략이 남다
른지라. 원래 남주 찬적한 기한이 금년뿐이니, 비록 금년이 진키를 채우
지 못하오나, 국가 위란지시(危亂之時)를 당하여, 사고(私故)로, 그만한
죄과를 의논할 바 아니오니, 복원 성상은 윤광천으로써 참모를 삼으심
이 옳으니이다."

상이 요약에 일월지총(日月之聰)이 감하시어, 형왕과 구몽숙을 총우

---

487) 항왕(項王) : 항우(項羽). B.C.232~B.C.202. 중국 진(秦)나라 말기의 무장. 이
    름은 적(籍). 우는 자(字)이다. 숙부 항량(項梁)과 함께 군사를 일으켜 유방(劉
    邦)과 협력하여 진나라를 멸망시키고 스스로 서초(西楚)의 패왕(霸王)이 되었
    다. 그 후 유방과 패권을 다투다가 해하(垓下)에서 포위되어 자살하였다.

하심이 만조에 으뜸이러니, 형왕은 장사왕이 반(叛)함으로부터 염치(廉恥)에 유관(有關)하여 감히 조회의 참예치 못하고, 구몽숙이 윤태우로써 참모사를 천거하여 그 재주와 여력을 칭찬함이, 진정으로 공논(公論)인 듯이 하나, 실은 윤태우를 아주 죽여 없이하려 하는 꾀로되, 상이 그 간계(奸計)를 알지 못하시고, 몽숙의 주사(奏辭)가 가장 옳음으로 아시어 천안(天顔)이 희열(喜悅)하사 왈,

"구경(卿)의 주사가 마땅하니 금일에 손확을 배하여 대원수를 삼고, 남주 적거죄인 윤광천으로 참모사를 삼아 장사를 정벌케 하리라."

조승상 경태우 등이 크게 불가(不可)히 여기되, 천의(天意) 굳게 정하시고, 손확이 남정대원수 인(印)을 청하니, 대사(大事)에 여러 의논이 분난(紛亂)함이 가치 않아, 각각 오사(烏紗)를 숙여 다시 말을 아니 하더라.

상이 손확으로써 대원수를 봉하시어 부원수 이하를 자모(自募)받으라 하시고, 윤광천에게 사명(赦命)을 급히 전하여 그 정배를 풀고, 참모사를 삼아 남주에서 바로 종사(從事)케 하시니, 손확이 수명하고 교장에 나와 부원수와 선봉 등을 자모(自募)받고, 크게 습사(習射)한 후, 우명일(又明日) 행군함을 명하고 집에 돌아오매, 구몽숙이 좇아 이르러 확을 보고 원융장임(元戎將任)을 자원하여 대권(大權)이 융중(隆重)함을 치하하고, 곁에 앉아 가만히 가로되,

"소생이 전일 들으니, 윤광천이 원수를 훼방하여 영종지상(令終之相)이 아니라 하고, 또 원수의 어질지 못함을 꾸짖더라 하니, 아지못게라! 원수 윤광천으로 더불어 무슨 은원(恩怨)이 있으니까?"

손확이 청파에 시험(猜險)한 노기(怒氣)를 요동하여 가로되,

"내 일찍 윤광천과 무원무은(無怨無恩)하여 피차에 혐극(嫌隙)이 있을 일이 없고, 문무의 길이 달라 종용이 상견한 일이 없으니, 나의 현불현

(賢不賢)을 윤광천이 자세히 알지 못할 것이거늘, 어찌 험담을 지어 날을 그대도록 미워하던고? 가히 알지 못할 일이로다.”

몽숙이 소왈,

“장군이 윤광천의 위인을 알지 못하시므로 이 말씀을 괴이히 여기시거니와, 원래 윤광천이 용심이 궁흉하고 의사 극악하여 사람의 권세를 꺼림이 무궁한지라. 원수 무반 중 용맹이 으뜸이요, 부귀 극하시니, 윤광천이 그윽이 미워하여 험담을 지어 냄이라. 소생이 원수로 더불어 면분(面分)이 있고, 서로 심사를 은닉치 않음으로, 윤광천의 무상(無狀)함을 고하나니, 본디 불초패자(不肖悖者)로 광음호탕(狂飮豪宕)하여 어린 기운을 스스로 자랑하고, 성총의 융융 하심을 믿어 일세를 압두(壓頭)할 뜻이 있던 바라. 원수를 불학무부(不學武夫)라 하여 여러 번 꾸짖음을 소생이 들었나니, 이러므로 소생이 윤광천을 천거하여 참모사를 삼았으니, 원수의 출행하시는 날, 성상이 상방보검(尙方寶劍)을 주사, 장졸의 위령자(違令者)를 선참후계(先斬後啓)하라 하실 것이니, 원수 장사의 나아가 윤광천의 죄를 얽어 한번 베시면, 평일의 원수를 훼방하던 분을 쾌히 푸시리이다.”

확이 몽숙의 말을 옳이 여겨, 문득 칭사하여 가로되,

“명공이 나를 위하여 흉한 놈을 설치(雪恥)코자 하여, 나의 아득히 모르는 바를 일깨워 이같이 지휘하니, 어찌 받들지 아니하리오.”

몽숙이 웃고 손확의 마음을 온 가지로 도도아[488], 윤태우의 없는 허물과 아니 한 말을 무수히 주출(做出)한 후, 또 당부하되,

“장군과 소생이 범연한 사이 아닌 고로 말을 고하였거니와, 장군은 소생에게 들은 말을 아무더라도 이르지 말고, 비록 광천을 미움이 심할지

---

488) 도도다 : 돋우다.

라도 사혐(私嫌)을 품은 듯이 굴지 말다가, 그 죄를 얻어 군중에 효시(梟示)하소서."

확이 칭찬 왈,

"명공의 가르침이 금석지론(金石之論)이니, 내 어찌 봉행치 않으리오. 일로 좇아 명공을 스승같이 섬기리라."

몽숙이 불감함을 일컫고, 날이 맞도록 윤참모 죽일 말을 당부하니, 손확이 저의 말이 순순히 옳다함을 보고, 결단하여 윤태우를 죽일지라, 다른 일로 얽어 경사로 잡아와 역률로 더하려 하던 바는 풀어 버리고, 윤학사는 정병부와 한 당에 넣으려 하더라.

몽숙이 형왕을 보고 손원수에게 윤태우 죽일 꾀를 베풂을 전하니, 형왕이 장사왕의 반(叛)함을 우황민박(憂惶憫迫)하여 금번 연좌를 면치 못할까 슬퍼하되, 성심이 요약에 상하여 형왕을 일편도이 충우하심이 점점 더하신 고로, 장사왕이 반하나 천리 밖 타국에 아스라이 있어, 그 반하며 않음을 모름이 괴이치 아니타 하시고, 진수어선(珍羞御膳)을 보내시어 노인이 심려를 허비치 말고, 식음을 때에 나오라 하시되, 형왕이 황친류(皇親類)에 나기를 참괴하여, 운화산 정자에 있어 칭병불출(稱病不出)이러니, 몽숙이 윤태우 죽일 계교를 행하니, 손확이 의심 없이 죽이려 함을 전하니, 형왕이 듣고 탄 왈,

"과인의 미워하는 바는 정·진 등이요, 윤광천은 구태여 골똘히 죽이고자 뜻이 없으되, 풀을 베매 뿌리를 없애고자 함 같아서, 그 당류를 다 죽이려 하던 바라. 한 놈을 쾌히 죽을 곳에 몰아넣었거니와, 다만 금선법사가 반서(叛書)를 가져 북지(北地)에 갔으되 지금 소식이 없으니 괴이하도다."

몽숙 왈,

"이는 주현 등이 아직 나오지 못함이거니와, 얼마 하여 정·진 이문

(二門)을 무찌르리까?"

왕이 장사왕의 일로써 심히 즐기지 아니하더라.

손확이 명일 행군하여 삼만 정병과 십원 명장을 거느려 궐하의 하직하고, 장사로 향할 새, 기치절월(旗幟節鉞)489)과 도창검극(刀槍劍戟)490)이 서리 같고, 무수 군병이 대오(隊伍) 분분(紛紛)하여 대로를 덮어 티끌이 해를 가리고, 원수의 영군하는 거동이 전혀 위엄을 세울 뿐이요, 비상한 재주는 없으되, 다만 부원수 장운의 기상이 당당하고, 거느린바 군졸의 대오가 정제(整齊)하고 법도 있으니, 보는 이 칭찬하더라.

원래 장운은 사마 장협의 자(子)이니, 일찍 등과하여 벼슬이 동평장사러니, 자원(自願)하여 부원수 된지라. 장운의 처 영씨는 장사마 차비 영부인의 질녀(姪女)로되, 위인이 숙요현철(淑窈賢哲)하여 그 숙모의 어질지 못함과 같지 않더니, 윤부 유부인이 경아의 화란을 통상(痛傷)하고, 간고(艱苦) 기아(飢餓)에 골몰한 중이나, 윤태우 형제 죽이고자 하는 마음이 조금도 감치 않았는지라, 가만히 유금오 부인께 서간을 부쳐, 장사마에게 청하여 부원수 윤참모의 죄를 얽어 죽이도록 하면 은혜를 세세생생(世世生生)491)에 잊지 않으리라 하였으니, 이 서간을 유금오부인이 질녀에게 보내니, 부원수와 장사마 알고 그 용심을 불측히 여기되 함구(緘口) 불언하더라.

구몽숙이 권문세가에 두루 다니며 정기진조곡(鄭起陳助曲)이란 동요의 기이함과 북해승첩(北海勝捷0이 수상하여 적보(的報)가 아님을 일컬

489) 기치절월(旗幟節鉞) : 각종 깃발과 임금이 대원수에게 내린 생살권(生殺權)을 상징하는 수기(手旗) 모양의 절(節)과 도끼 모양의 부월(斧鉞).
490) 도창검극(刀槍劍戟) : 칼과 창 따위의 각종 병기.
491) 세세생생(世世生生) : 몇 번이든지 다시 환생하는 일. 또는 그런 때. 중생이 나서 죽고 죽어서 다시 태어나는 윤회 때마다, 영원토록.

으니, 정원수의 인물과 행사를 아는 자는, 몽숙이 어디에 가 괴이한 허언을 들은가 여기더니, 신묘랑이 군졸의 복색으로 해북 제읍 관문마다 반서를 전하니, 휘황한 필획과 찬란한 자체 얼핏 정원수의 수필(手筆)을 입내 내었는지라.

해북 군현 자사(刺史)가 그 반서사어(叛書辭語)를 보매, 스스로 몸이 떨리고 심사 경황함을 이기지 못하여, 그 가운데 총명특이(聰明特異)하며 원려(遠慮) 많은 유(類)는 오히려 곧이듣지 아녀, 행여 이매망량(魑魅魍魎)이 정원수의 충절을 희지어 이같이 하는가 여기되, 원려(遠慮) 없고 성도가 조급한 자는 반서를 보고 대경하여, 인읍 군현등과 의논 왈,

"우리 한가지로 흉역(凶逆)되기를 면치 못하고, 몸이 참화를 받아 문호(門戶) 멸망하리니, 어찌 반국적자(叛國賊者)를 도와 군상(君上)을 저버리리오. 아등(我等)의 도리 정천흥의 반서를 천문에 드리고 역신을 일찍이 처치하시게 하리라."

제읍 주현이 정원수를 흉역으로 몰아넣기를 아끼는 자가 많되, 인신지도(人臣之道)에 반서를 보고 잠잠하기는 가치 않을 뿐 아니라, 큰 화를 취하기 쉬운 고로, 모든 관읍이 다 반서를 모아 북주(北州) 자사 여중이 경사에 올라와 고변하려 급급히 황성으로 향하니라.

신묘랑이 반서를 전하고 경사의 돌아와 구몽숙을 보니, 몽숙 왈,

"사부 금번 행도(行途)에 수고를 많이 하고, 반서를 돌리기를 뜻같이 하였거니와, 원간 사부 군졸의 모양으로 제읍에 다니니, 반서 가진 자를 찾아 곡절을 묻지 않더냐?"

묘랑이 소왈,

"빈도 공중에서 왕래하되, 관문에 다다라 군사의 모양으로 반서를 전하고, 행여 찾을까 급히 공중으로 치달으니, 아무라도 조화를 몰랐으리라."

몽숙이 더욱 깃거 요괴로이 계교를 꾸며 내니, 천하소인(天下小人)이

러라.

이에 정예부(禮部) 등과 진영수 등이 서간을 정원수에게 부쳐, '어서 대군을 거느려 올라와 대위(大位)를 앗으라.' 하는 사어(辭語)를 지어, 신묘랑을 주어 여차여차 하라 하니, 묘랑이 몽숙이 가르친 대로 여러 장 서간을 품 사이에 감추고, 인가 창두(蒼頭)의 복색으로 십자가(十字街) 거리로 가니라.

∾

명주보월빙 권지오십칠

어시에 신묘랑이 여러 장 서간을 품 사이에 감추고 인가 창두의 복색
으로 십자가 거리에 섰더니, 황자 오왕의 거륜이 멀리 뵈거늘, 짐짓 급
히 가는 체하며 길을 건너다가 스스로 하리 추종에게 잡힌바 되니, 묘랑
이 만신을 떠는 체하여 소리하여 빌어 가로되,

"오왕전하의 거륜 앞에 길을 건넘이 큰 죄거니와 천만 무심중이라. 원
컨대 열위는 전하께 아뢰고 일명을 사하라."

모든 하리 묘랑을 끌어 뺨을 치며 가로되,

"이 눈 없는 짐승 놈아. 어떤 위의라고 몰라보고 길을 건너고, 감히
사죄키를 청하느뇨?"

묘랑이 몸을 뒤틀며 요괴로이 굴 즈음에 품 가운데로서 두어 봉 서간
이 빠지니, 하리 등은 무심하되, 묘랑이 가슴을 두드리며 울어 왈,

"이제는 대사가 그릇 되겠다."

하니, 하리 등이 서간을 가져 오왕께 드리고, 묘랑을 잡아 오왕궁으로
대후하니, 왕이 돌아와 그 서간을 떼어보니, 정예부 등이 그 형에게 부
친 서간이오. 진 태우 등이 한가지로 평남후께 글을 부쳤으되, 사의(辭
意) 흉참하여 대역을 도모하였으니, 왕이 견파에 대경실색하여 만심이
서늘하니, 오래도록 말을 못하다가, 날호여 하리로 길 넘던 놈을 잡아드

려 계하의 다다르니, 왕이 신색(神色)이 찬 재 같아서, 고성 문 왈,

"네 불과 인가 노복의 모양이라. 서간을 가지고 어디로 가며 원간 뉘 집 노자(奴子)인다?"

묘랑이 머리를 숙이고 이윽히 머뭇거려 대답지 않으니, 왕이 대로하여 그 요패(腰牌)492)를 떼고 오형(五刑)493)을 갖추어 간정을 물으려 하니, 묘랑이 벌써 요패를 하여 찼던지라. 하리(下吏) 그 요패를 떼어 왕께 드리니 왕이 보니 금평후 정공의 노자라 하였더라.

왕이 더욱 의심하고 분노하여 형벌을 베풀어 묘랑을 다스리려 하니, 묘랑이 떨며 눈물을 머금어 가로되,

"소인은 취운산 금평후 택상(宅上) 노자러니, 주인의 명으로 북해(北海)를 향하옵는 바이더니 그릇 길을 넘어 귀궁에 잡혔나이다."

왕이 더욱 차악분해하여, 하리로 하여금 묘랑을 결박하여 움직이지 못하게 엄수(嚴守)하라 하고 도로 입궐하니, 이때 궐정에서 용포와 옥새를 찾고자 하실새, 궐내 소요하여 환관의 무리와 궁녀 등이 각각 참형을 기다릴지언정, 천만 원억(冤抑)한 일을 무복(誣服)지 않으려 하는지라. 유황후 상께 고하시대,

"내시와 궁녀의 무리 용포와 옥새를 도적하여 쓸 곳이 없고, 각각 그 방사(房舍)를 뒤여보나 없는지라. 결단하여 외조(外朝)의 작변이오 궁내 사가 아니오니, 원컨대 폐하는 애매한 궁녀와 환관을 국문치 마소서."

상이 가라사대,

"환관과 궁녀가 그런 흉사는 생각지 못할 듯 하되, 외조의 작변일수록

---

492) 요패(腰牌) : 조선 시대에, 군졸·사령·별배 등이 신분을 나타내기 위하여 허리에 차던 패. 나무로 만들어 패의 위쪽에 '엄금(嚴禁)'이라고 새겼다.

493) 오형(五刑) : 조선 시대에, 중국 대명률에 의거하여 죄인을 처벌하던 다섯 가지 형벌. 태형(笞刑), 장형(杖刑), 도형(徒刑), 유형(流刑), 사형(死刑)을 이른다.

환시(宦侍)494)를 체결(締結)495)함이 없지 않을 것이니, 염려 놓이지 않는지라. 가까이 사후하던 내관과 궁녀는 아니 묻지 못하리라."

하시고 중형을 가하려 하시니, 태자 또 간하여 아직 치기를 날회고 다 가도시니, 궁내 황황할 즈음에, 오왕이 입궐하여 정·진 등의 서간을 상께 드려 어람(御覽)하심을 청하고, 신색(神色)이 차악함을 오히려 정치 못하여 주왈,

"신등이 정천흥으로 주석지신(柱石之臣)으로 알며, 진영수 등을 충현지인(忠賢之人)으로 미루더니, 이 서간을 보아는 만고에 없는 흉역이라. 신이 이미 노자(奴子)를 잡았으니, 황야 정인흥 진영수 등을 나래(拿來)하시어 일처(一處)에 대면질정(對面質正)케 하시면 거의 흉사(凶事)를 발각하리이다."

오왕의 주사(奏辭)가 마치지 못하여서, 우승상 화경이 궐하의 청대하니, 상이 즉시 인견(引見)하시매, 화승상이 머리를 옥계(玉階)에 부딪치며 눈물을 흘려 주왈,

"국가가 불행하여 밖으로 번국(蕃國)의 엿보는 환이 있고, 안으로 공후재렬(公侯宰列)이 대역을 꾀하여, 용포와 옥새를 도적하여 제 집에 감추고, 해북 이적(夷狄)으로 동심하여 거짓 승첩한 주문(奏文)을 천문에 올려, 성의(聖意)를 늦추며 만조의 의심을 요동치 않고, 대군을 거느려 호호탕탕이 황성으로 올라와 만고흉역(萬古凶逆)496)을 행코자 하는 바는, 정천흥에게서 지나지 아니하온지라. 상이 전일 천흥을 아심이 한대(漢代) 제갈(諸葛)497) 같이 하시고 진영수 등으로써 충량지신(忠良之臣)

---

494) 환시(宦侍) : 내시(內侍).
495) 체결(締結) : ①얽어서 맺음. ②계약이나 조약 따위를 공식적으로 맺음.
496) 만고흉역(萬古凶逆) ; 세상에 비길 데가 없는 흉측한 반역.
497) 제갈(諸葛) : 제갈공명(諸葛孔明).

으로 아시더니, 어찌 헤아린 바와 내도하와, 성은의 융흡(隆洽)하심을 잊고, 참람(僭濫)한 의사 궁흉 극악하오미 이 같을 줄 알았으리까? 복원 성상은 역신 등을 엄히 다스리사 그 죄를 정히 하소서.”

상이 요약에 성총(性聰)이 흐리신 바에 오왕이 드리는 서간을 어람하시매, 천심(天心)이 경해(驚駭) 차악(嗟愕)하시어 능히 측량치 못하시거늘, 화승상의 주사(奏辭)를 들으시매 비록 일월지명(日月之明)이 계시나, 성왕(成王)[498] 같은 현군으로도 주공(周公)[499] 같으신 성인(聖人)의 숙부를 의심하시니, 간참(姦讒)의 성함이 이 지경의 미치매, 어찌 정원수의 관일정충(貫一貞忠)과 제 진의 출인(出人)한 충절을 생각하시리오.

천안(天顔)이 경해하시어 오래 옥음(玉音)을 여지 아니 하시더니, 날호여 화공더러 이르시되,

“경이 원간 천흥·진영수 등의 역모를 어찌 알았으며, 용포와 옥새를 또 분명이 도적하여 갔음을, 뉘 경더러 이르더뇨?”

화공이 부복 대왈,

“폐하는 민간 소식을 모르시나, 신은 여염(閭閻)의 있으니 자연 정·진 등의 반상(叛狀)이 들리올 뿐 아니오라, 근간 괴이한 동요(童謠)가 처처(處處)에 가득하여 명(名) 왈(曰), ‘정기진조곡(鄭起陳助曲)’이라 하오되, 말이 흉참하오나 신이 진정 동요만 여겨 실로[500] 알았사옵더니,

---

498) 성왕(成王) : 중국 주나라의 제2대 왕. 이름은 송(誦). 어려서 즉위하였기 때문에 처음에는 숙부 주공단(周公旦)이 섭정하였으나, 후에 소공(召公)등의 보좌를 받아 주나라의 기초를 쌓았다.

499) 주공(周公) : 중국 주나라의 정치가. 문왕의 아들로 성은 희(姬). 이름은 단(旦). 형인 무왕을 도와 은나라를 멸하였고 어린 조카 성왕(成王)을 섭정하여 주나라의 기초를 튼튼히 하였다. 예악 제도(禮樂制度)를 정비하였으며, ≪주례(周禮)≫를 지었다고 알려져 있다

500) 실로 : 별로. 건성으로. *실(失)로; 허실(虛失)로. 실(實)없는 일로.

수일 전 듣자오매 진영수의 하리(下吏)와 정세홍의 하리(下吏)가 그 노래를 지어 여염간 (閭閻間) 아동을 가르치다 하오니, 일마다 흉해(凶駭)하온지라. 용포와 옥새는 정가(鄭家)에서 도적하여 갔음을 상서 구몽숙이 본 듯이 알아, 벌써 수상(殊常)한 사기(事機)를 스치고, 신더러 일러 청대(請對)함을 권하더이다.”

상이 비로소 오왕이 잡은 서간을 화승상을 주어 보라 하시고, 급히 구몽숙을 명초(命招)하시니, 원간 화승상이 정·진 이문으로 가장 친절한 사이요, 위인이 강엄정대(剛嚴正大)하며 성도가 청고(淸高)하되, 다만 기량(器量)이 화홍(和弘)치 못하며, 급거(急遽)501)하기를 면치 못하더니, 구몽숙이 화공의 제 삼자 화우와 연기(年紀) 상적(相敵)하고 피차 사귀어, 화우는 몽숙의 간악함을 알지 못하고 그 외모 풍신(風神)과 재문(才文)을 크게 사랑하는지라. 몽숙이 화가의 당당한 세권(勢權)을 더욱 붙좇아502), 밖으로 어진 빛을 작위(作爲)하고, 짐짓 사람이 의심되고 놀라게 말을 하여, 화우를 본 적마다 정·진 이문의 반역을 알아들을 만큼 하고, 저는 낙양후가 길러준 은혜가 뫼 같되, 부형같이 섬기지 못함을 슬퍼하여 가로되,

“낙양후와 금평후 각각 아들로써 마음이 그릇 되고, 불의를 숭상하여 그 아들의 흉역을 금단(禁斷)치 못하니, 필경 선종(善終)이 쉽지 못할 바를 진정으로 애달라 하는 체하니, 화우가 이 말을 부친께 고하니, 화공이 크게 놀라 몽숙을 대하여 곡절을 자세히 물으니, 몽숙이 정·진 양문의 대역부도(大逆不道)를 이언(利言)503)이 전하고, 용포와 옥새는 정

---

501) 급거(急遽) : 몹시 서둘러 급작스러운 모양. 늑급거히.
502) 붙좇다 : 붙따르다. 존경하거나 섬겨 따르다.
503) 이언(利言) : 상황에 따라 자기에게 유리하게 지어내거나 실속 없이 번드르르하게 하는 말.

세흥이 그 형을 위하여 미리 도적하여 두다 하니, 화공이 너르지 못함으로 돌이켜 생각지 못하고, 한갓 강박열직(强薄烈直)한 기운을 굽히지 못하여, 몽숙의 말을 들으며 즉시 청대(請對)한즉, 벌써 오왕이 흉서(凶書)를 얻어 상께 드렸으니, 화공은 더욱 정·진 양문 흉역이 반듯함을 알아 분해(憤駭)함을 이기지 못하더라.

구몽숙이 패명(牌命)을 인하여 바삐 입궐하니, 상(上)이 무르시어 왈(曰),

"경이 정·진 두 집으로 가장 친절하다 하고, 그 하는 바 일을 다 안다 하니, 과연 정천흥이 수도(首導)504)하여 흉역을 꾀함이 옳으냐."

몽숙이 문득 눈물을 뿌려 주 왈,

"신이 임군을 위하여 적심단충(赤心丹忠)을 세우고자 함으로, 사사 은혜와 덕을 배반하여 잊음이 심하온지라. 신의 명도(命途) 기험(崎險)하와 나이 어려서 부모를 여의옵고, 강근지친(强近之親)505)이 없으며 한낱 동기 있지 않아, 고혈무의(孤孑無依)한 인생이 죽음이 반듯하고 삶이 어렵거늘, 낙양후 진광이 아비 골육 같사온 친우로, 신의 혈혈(孑孑)함을 자닝히 여겨, 거두어 기르매 지극한 정이 피차에 저버릴 뜻이 없고, 금평후 정연이 또한 진광같이 신을 사랑하더니, 등과(登科) 후로부터 진영수 정천흥과 지취(志趣) 달라, 정이 나뉘고 마음이 다름은, 다른 일이 아니라, 정천흥은 아시(兒時)로부터 그윽이 외람한 의사 있어, 스스로 제 얼굴을 칭찬하며 이르대, '융준일각(隆準日角)506)이 의여(疑如)507)

---

504) 수도(首導) : 앞장서서 이끌고 나감.
505) 강근지친(强近之親) : 도움을 줄 만한 아주 가까운 친척.
506) 융준일각(隆準日角) : 코가 우뚝하여 높고 이마의 중앙의 뼈가 태양처럼 둥글고 두두룩함. 관상(觀相)에서 귀인의 상(相)을 이르는 말. *일각(日角); 관상에서, 이마 한가운데 뼈가 불거져 있는 일. 귀인이 될 관상(觀相)이라 함.
507) 의여(疑如) : 생각건대. 모름지기. 사리를 따져 보건대 마땅히. 또는 반드시.

제왕(帝王)의 상(相)이요, 인신(人臣)의 골격이 아니라.' 함은, 신도 여
러 번 듣자왔더니, 또 상재(相者) 천흥을 보고 기려 왈, '용의 눈썹과 봉
의 눈이며, 유선주(劉先主)508)의 귀요, 한고조(漢高祖)509)의 이마이니,
상모의 비범함이 사해만방(四海萬邦)을 통령(統領)할 것이요, 만조 문무
의 산호배무(山呼拜舞)를 받을 것이니, 구구(區區)히 허리를 굽혀 사군
(事君)할 상(相)이 아니라.' 하오니, 천흥이 이로부터 더욱 방자하여 당
(唐) 태종(太宗)510)의 '집을 화(化)하여 나라를 만듦'을 효칙하려 하는지
라. 진영수 등이 천흥 추앙함이 태산 같아서 한가지로 흉역을 꾀하되,
정연과 진광이 처음은 각각 그 아들의 불의(不義)를 금단(禁斷)하더니,
천흥이 인심을 취합하고, 천명이 당당이 제게 돌아가다 하여, 저의 주성
(主星)이 각별 빛남을 이르니, 정연과 진광이 '그러하다' 여겨 방자외람
이 하는 행지를 아른 체함이 없는지라. 진영수와 정세흥이 더욱 천흥의
대역지사(大逆之事)를 도와, 천흥이 북해로 나간 후, 주야(晝夜) 밀밀
(密密)히 모계(謀計)함이라. 천흥이 대군을 몰아 황성으로 올라오는 날,
한가지로 금궐(禁闕)을 범하려 하는 고로, 용포와 옥새를 먼저 도적하여
깊이 감춤은, 신이 사색(辭色)을 거의 스쳐 분명이 짐작함이 있사오니,

---

508) 유선주(劉先主) : 중국 삼국시대 촉한의 제1대 황제 유비(劉備 : 161~223)를
     이르는 말. 자는 현덕(玄德). 제갈량의 도움을 받아 제위에 올랐다. 팔이 길어
     그대로 뻗어 무릎까지 닿고, 귀도 남달리 커서 거울을 사용하지 않고도 자신
     의 귀를 볼 수 있었다고 한다.
509) 한고조(漢高祖) : 중국 한(漢)나라의 제1대 황제(B.C.247~195). 성은 유(劉).
     이름은 방(邦). 자는 계(季). 시호는 고황제(高皇帝). 고조는 묘호. 항우와 합세
     하여 진(秦)나라를 멸망시킨 후, 해하(垓下)의 싸움에서 항우를 대파하여 중국
     을 통일하고 제위에 올랐다.
510) 당(唐) 태종(太宗) : 중국 당나라의 제2대 황제(598~649). 성은 이(李). 이름
     은 세민(世民). 삼성 육부와 조용조 따위의 제도를 정비하였고, 외정(外征)을
     행하여 나라의 기초를 쌓았다.

폐하는 이제 급급히 정연의 집을 뒤여 역모를 발각케 하소서."

상이 화승상의 주사와 구몽숙의 말을 들으시매 크게 의심하실 뿐 아니라, 오왕이 잡은 서간에 분명이 정·진의 모역하는 일이 적실하니, 평일의 정원수를 총우하심은 이르지도 말고, 금평후와 낙양후를 믿으시며 중히 여기심이 범연치 아니하시어, 휴척(休戚)을 국가와 한가지로 할 줄로 아시다가, 이 같이 흉역을 꾀함을 분완 통해하시어 천노(天怒) 진첩(震疊)하시니, 용안에 묵묵한 노기를 띠시어 구몽숙더러 문 왈,

"경이 정천흥의 얼굴 기리던 상자를 능히 알소냐?"

몽숙이 벌써 요괴로운 꾀를 온 가지로 생각하였는지라, 이에 대주(對奏) 왈,

"신이 정천흥의 상모(相貌)를 칭찬하던 자를 수일 내로 잡아들이려니와, 다만 그 상자(相者)가 남 다른 술업(術業)이 있어 몸이 경각에 변화하여 인간과 만물(萬物)에 되고자 하는 것은 다 되어, 공중에 왕래하여 천만 리(里)라도 수고로이 다니는 일이 없어, 구름을 멍에[511]하여 행한다 하오니, 그런 비상(非常)한 사람을 잡아 오다가 화를 만날까 근심 되오나, 이 또 흉역을 돕는 일이 무궁하여 용포와 옥새를 그 상자(相者)가 도적하여 정세흥을 주다 하오니, 하늘이 어찌 요괴로이 변화하여 불의를 꾀하는 역적을 도우려 하시리까?"

상이 오왕을 명하시어 먼저 그 서간 가져가던 놈을 잡아 올리라 하시니, 오왕이 즉시 궁에 나와 신묘랑을 앞세워 궐정으로 향할 새, 묘랑이 어찌 도망할 줄 모르리오마는, 궐정의 들어가 성상이 친문(親問)하시는 때에 정부 노자(奴子)인 줄 명백히 하려 함으로, 잡혀 궐정의 들어가니, 상이 형위(刑威)를 베푸시어 바야흐로 엄문코자 하실 즈음에, 북주자사

---

511) 멍에 : 수레나 쟁기를 끌기 위하여 마소의 목에 얹는 구부러진 막대.

여숭이 정원수의 반서(叛書)를 가져 고변하니, 궐중이 소요하고 만조(滿朝)가 황황하여 아무리 할 줄 모르더라.

상이 여숭을 가까이 부르사 정천흥의 반상을 물으시니, 여숭이 주왈,

"정천흥이 절월(節鉞)을 북으로 돌이키매, 인인(人人)이 그 청망재덕(淸望才德)을 공경하여 망풍귀순(望風歸順)하나, 실로 대역지심은 알지 못할 뿐 아니라, 정천흥의 공근 겸퇴하옴이 삼만 정병과 십원 명장을 수하의 거느렸으되, 지나는 바에 추호(秋毫)를 불범(不犯)하고 행군기율이 엄숙 정제하여 위엄이 중하니, 삼군장사(三軍將士)가 감은하는 바나, 천흥을 두려워함이 엄부도곤 더하니, 천흥의 기특함을 보는 이마다 항복치 않는 이 없더니, 이미 해수(海水)를 건너 번국에 들어가 이적(夷狄)과 접전(接戰)하매, 강용(强勇)이 만고에 하나이며 모략(謀略)을 당할 이 없어, 북이(北夷)의 세강(勢强)하기로도 갑주(甲冑)를 벗어 항복함을 듣자오니, 국가의 제갈무후(諸葛武侯)512)같은 충량(忠良)이 있음을 흔열(欣悅)하였사옵더니, 뜻밖에 모일(某日)에 반서를 본즉 사어(辭語) 흉참하옵거늘, 인읍 주현 등과 의논하여 황성에 주하려 제읍 주현의 말씀을 듣자오니, 곳마다 반서를 보내어 대역을 도모함을 일렀삽거늘, 신등이 통해함을 이기지 못하여, 여러 관읍(官邑)에 보낸 반서를 다 거두어 황성에 올라와 고변(告變)하옵고, 다른 일은 알지 못하나이다."

상이 그 반서(叛書)를 어람하시니, 사(辭)에 왈(曰),

"천하 영웅 정죽청은 심곡의 소회를 써 해북 제읍 주현에게 부치나니, 희(噫)라! 천하는 일인의 천하 아니요, 덕 있고 민망(民望)이 돌아가는 곳에 만 리 강산의 임자 나나니, 원간 송(宋)이 '고아(孤兒)와 과부(寡婦)'513)를 속여 얻은 나라니 불인지국(不仁之國)이라. 자고(自古)로 현

---

512) 제갈무후(諸葛武侯) : 촉한(蜀漢)의 제갈공명(諸葛孔明). 이름은 량(亮).

금택목(賢禽擇木)514)과 양신택군(良臣擇君)515)이라 하나니, 제읍 주현
이 송주(宋主)의 신하가 되었으나, 당금에 송 천자가 불명(不明) 혼암
(昏暗)하여 신민의 선악을 알지 못하고, 정사가 망국지주(亡國之主)를
따르며, 오히려 매달(妹姐)516)같은 계집이 궁중에 있지 않고, 밖에 왕망
(王莽)517) 동탁(董卓)518) 같은 적신(賊臣)이 없으므로 겨우 사직(社稷)
을 보전하나, 해외 번국이 천자의 교화(敎化)가 멀리 흐르지 못하였으므
로, 인하여 때때 병혁(兵革)을 일으켜 황성을 침범코자 하고, 천운과 기
수(氣數) 벌써 진(盡)하였으니, 대송이 오래지 못할지라. 정모(某) 때를
응하여 해내(海內)를 삭평하고 만민을 안락케 하려 하나니, 이미 북이를
항복 받고 천하 병권이 내 손에 있음으로, 인하여 불인의 천자를 없애고
민망(民望)을 길이 좇으려 하나니, 해북 제읍이 마음을 한가지로 하며,
뜻을 좇아 황성으로 돌아가기를 임하여, 군사를 거느려 후응장이 되면,
뜻을 이룬 후 각각 큰 땅에 봉하여 개국공신을 삼으려니와, 일분이나 송
주(宋主)를 위하여 적은 신절(臣節)을 생각할진대, 머리를 보전치 못할

---

513) 고아(孤兒)와 과부(寡婦) : 송(宋) 태조 조광윤(趙匡胤)이 후주(後周)의 군(軍)
총수(總帥)로서 세종(世宗) 사후 7살의 어린 나이로 제위에 오른 공제(恭帝)를
압박해 양위(讓位)를 받고 제위에 오른 사실을 빗댄 말이다. 여기서 고아는 후
주의 마지막 황제인 공제를, 과부는 세종의 비(妃) 두(杜)황후를 말한다.

514) 현금택목(賢禽擇木) : 영리한 새는 나무를 가려 깃든다는 말.

515) 양신택군(良臣擇君) : 어진 신하는 임금을 가려서 섬긴다.

516) 매달(妹姐) : 중국의 대표적인 악녀(惡女)인 하(夏)나라 걸(桀)의 비(妃)인 매희
(妹喜)와 주(周)나라 주(紂)의 비(妃) 달기(妲己)를 함께 이르는 말.

517) 왕망(王莽) : B.C.45~A.D.23. 중국 전한의 정치가. 자는 거군(巨君). 자신이
옹립한 평제(平帝)를 독살하고 제위를 빼앗아 국호를 신(新)으로 명명하였다.
한(漢)나라 유수(劉秀)에게 피살되었다. 재위 기간은 8~23년이다.

518) 동탁(董卓) : ?~192. 중국 후한(後漢) 때의 정치가. 소제(少帝) 유변(劉辯)을
시해하고 헌제(獻帝)를 옹립한 후, 권력을 잡고 폭정을 일삼다가, 여포(呂布)
를 비롯한 자신의 측근들에 의해 암살당했다.

뿐 아니라, 그 이해(利害)가 어떠하뇨? 권하나니, 제읍 주현은 익히 생각하고 뉘우치지 말라."

하였더라.

상이 남필(覽畢)의 더욱 대로(大怒)하시어, 만조문무를 다 모이라 하시고, 서간을 가져가던 놈을 머물러 두어, 물으시되,

"네 뉘 집 노복으로서 그 서간을 가져 어디로 향하더뇨?"

묘랑이 대주 왈,

"천신(賤臣)은 금평후 정연의 노자이니, 주인의 명으로 서간을 가져 해북으로 향코자 하옵다가, 미처 경사를 떠나지 못하여서, 십자가(十字街)에 볼 사람이 있어 기다리다가, 오왕 전하의 거륜을 몰라보고 길을 건너다 잡힌바 되어, 서간을 오왕 전하 보신 바라. 천신이 무지하여 서간 사어(辭語)는 알지 못하오나, 다만 진태우 등과 소주인(小主人) 학사 천 번이나 당부하되, 이 서간에 극한 대사를 의논하였으니, 도중에 잃는 일 곧 있으면 한갓 천신이 죄를 면치 못할 뿐 아니라, 일이 크게 어지러우리라 하였으니, 천신이 그 서간을 품 사이에 단단이 감춘 바이더니, 하졸이 옷을 찢고 요란히 쟁힐(爭詰)할 즈음에, 품 가운데 서찰이 빠져 이렇듯 거칠어졌나이다."

구몽숙이 주왈,

"정가 노자를 저주지 않아서 저의 아는 바는 다 직고하오니, 다시 물을 것이 없삽는지라. 신의 소견인즉 정인홍 진영수 등을 나래(拿來)하시어, 설국(設鞫) 엄문(嚴問)하심이 가할까 하나이다."

상이 몽숙의 말인즉, 아니 마땅히 여기시는 일이 없는지라. 즉시 정세홍 형제와 진영수 등을 나래하라 하시니, 화승상이 주왈,

"신의 소견인즉 정·진 양가를 에워싸고 자세히 뒤여 용포와 옥새를 얻어낸 후, 진영수와 정세홍을 나래하여도 늦지 않을까 하나이다."

상이 그러히 여기사, 정왕과 오왕을 명하시어 태감 수인과 허다 군졸을 거느려 정·진 이부를 에워싸고, 내외 방사를 다 뒤여 용포와 옥새를 얻으라 하시니, 정·오 이왕이 수명하여 취운산으로 나아오니, 벌써 날이 어둡는지라.

이때 금평후 청죽헌에서 낙양후 부자 형제와 정국공 부자로 더불어 종용이 담화할 새, 예부와 학사 좌하에 모셔 부숙의 담소하심을 들으며, 방중이 어둡고자 함으로 불을 밝히더니, 서동 영학이 밖에 나갔다가, 경해(驚駭)하여 급고(急告) 왈(曰),

"정·오 이왕이 허다 군졸을 거느려 부문에 임하시어 에워싸고 들어오시나이다."

금평후 비록 단엄견고하나 어찌 놀라움이 없으리오. 겨우 사색을 강인하여 화기를 일치 않고, 낙양후 삼곤계와 정국공을 돌아보아 왈,

"조명이 가장 예사롭지 아니하니 근심이 비상하거니와, 만사 천명(天命)이라. 인력으로 할 바 아니니, 소제 요동치 못할 바로되, 다만 천흥이 연소부재(年少不才)로 작록과 위권이 융중(隆重)하니, 가득하면 터지는 환(患)이 없지 않을까 하노라."

정국공이 위로 왈,

"창백은 하늘이 각별 유의하여 내신 바 복록지인이오. 형은 곽영공(郭令公)519)의 유복함을 효칙할 것이니, 아무 변괴 있어도 위태로운 일이 없으리라."

말이 마치지 못하여서, 정·오 이왕이 태감 등을 데리고 들어와 중계에 미치니, 정·진·하 삼공이 각각 아들을 거느려 맞을 새, 정·오 이

---

519) 곽영공(郭令公) : 곽자의(郭子儀). 697~781. 중국 당(唐)나라 중기의 무장(武將). 안녹산 사사명의 반란을 평정하고 토번을 쳐 큰 공을 세워 분양왕에 올랐다.

왕이 다만 이르되,

"과인 등이 상명을 받자와 정·진 양부를 뒤여 얻을 것이 있으니, 명공 등은 괴이히 여기지 말라."

낙양후 등이 대왈,

"대왕이 누처에 친림하시어 각각 방사(房舍)를 뒤여 얻고자 하는 것이 있으면, 소생 등이 내외 가사(家舍)와 일용즙믈(日用什物)을 다 보시게 하리이다."

양왕이 그 흉역지의(凶逆之意)를 무상(無狀)히 여기나, 당면하여 그 추천(秋天) 같은 기상과 송백지절(松柏之節)을 보니, 저들로써 대역부도(大逆不道)로 미루지 못하여, 자연 기탄(忌憚)함이 일어나는지라. 경설(輕說)치 못하여, 오왕은 태감 일인을 데리고 낙양후로 더불어 협문으로 좇아 진부의 나아가 집물(什物)을 다 뒤려 하고, 정왕은 정부에서 청죽헌으로부터 외당을 다 뒬 새, 불과 서책 밖에 있는 것이 없고. 정학사 등이 화법을 시험하노라 사이사이 보암직한 그림은 많이 있으되, 그 침금으로부터 상석이 다 검박하기 심하여 청빈한사(淸貧寒士)의 집 같으니, 일분 의심된 것이 없더니, 채죽헌을 뒤매 협실 궤중(櫃中)에 용포(龍袍)와 옥새(玉璽) 들었고, 정병부 형제와 진태우 등의 글 창화한 것이 많되, 뜻이 다 궁흉하여 반역이 나타나니, 정왕이 용포와 옥새를 보매 자연 면색이 달라짐을 깨닫지 못하여, 태감으로 하여금 좋은 함을 가져오라 하여 용포 옥새를 담고, 시사(詩詞) 창화한 것을 다 거두어 궐정으로 갈 새, 정부를 겹겹이 에워싼 후, 다만 수상한 사람이 있거든 잡으라 이르고, 거륜을 돌려 오더니, 오왕이 또 진부 외헌을 다 뒤여 진영수 등의 반역지의(叛逆之意)로 지은 글과 낙양후의 계자손(戒子孫)한 책을 얻어, 태감을 주어 궐정으로 따라 오라하고, 동문을 거의 닫게 되었음으로 급급히 정왕을 따라 나오니, 정왕이 문 왈,

"현제는 진가의 가 무엇을 뒤여 얻었느뇨?"

오왕이 대왈,

"진영수 등이 천흥으로 더불어 창화한 글이 있어 사의 흉참하거늘, 일일이 모아 궐내로 가져가고, 진광이 계자손(戒子孫)한 책이 있으되, 충절을 으뜸으로 권장하고 백행을 온전히 하라 하는 설화가, 실로 보암직하니, 반역하는 시사와 내도함을 의아하여이다. 성상이 하람(下覽)하시어 결단하시게 가져가나이다."

정왕이 탄 왈,

"속담에 '천장수세(千丈水勢)는 알아도 사람의 깊이는 알기 어렵다' 함이, 정·진 등의 부자 같은 이를 이름이라. 그 처소와 의복 침금을 보기로는 청검(淸儉)이 남다르고, 인물을 대하매 그 가슴 가운데 백일(白日)이 비춘 듯, 그 집 부자가 다 충렬이 출류(出類)하며, 성행이 특이함 같되, 용포와 옥새를 도적하여 궤 가운데 넣고, 흉역지심(凶逆之心)으로 글을 지어 천위(天位)를 찬탈할 뜻이 무궁하니, 어찌 흉해(凶害)함이 여차하뇨?"

이리 이르며 빨리 행하여 금궐의 다다르니, 이미 밤이 이경(二更)이 지났으되, 황상이 용침(龍寢)에 취침치 않으시고 양왕(兩王)을 기다리시더니, 만조가 감히 물러나지 못하고, 저마다 정·진 이문을 위하여 원억히 여기는 자 가득하나, 그 죄명이 등한(等閑)치 아니함으로 감히 입을 열어 이르지 못하더니, 정·오 이왕이 용포 옥새를 드리고, 정·진 이부를 뒤여 시사 창화한 것과 낙양후의 '계자손'한 책을 가져옴을 주하고, 정연 진광의 처소 의복이 빈한한 선비 같음을 일일이 고하니, 상이 용포와 옥새를 보시매 통해함이 극하시어, 옥음을 높여 이르이되,

"정천흥의 역모가 이 지경에 미치되, 짐은 골경지신(骨骾之臣)으로 알아 만조의 위에 두던 줄 헤아리니, 불명함이 심한지라. 만일 오왕이 흉

서를 잡으며, 화·구 양경의 주사(奏事)가 아니었다면, 짐이 아득히 알
지 못하였을지라. 용포와 옥새를 잃되 의심이 천흥에게 미치지 않더니,
이렇듯 불의 간사함이 있을 줄 알았으리요. 죄악이 관영(貫盈)하니 삼족
(三族)520)을 멸하여도 아깝지 않으리로다.”

정왕이 주왈,

“용포와 옥새는 정연의 집에서 얻고, 반시(叛詩) 창화한 것은 진광 정
연의 집에서 다 얻사오니, 그 죄상인즉 삼족을 멸함이 가하거니와, 정연
부자와 진영수 등의 충근 관후함이 타인과 다른지라. 하물며 정천흥이
재주 비상하고 지모(智謀) 유여하여, 혹자 흉역을 꾀함이 있어도 일을
주밀(周密)이 하여 스스로 멸문지화를 취치 않을 듯하옵거늘, 흉역지서
(凶逆之書)를 번거히 두며, 용포 옥새를 도적하여 감추리까? 귀신의 희
롱 같아서 실(實)함을 알지 못하옵거늘, 역신 흉적은 대(代)마다 있고,
소인이 군자를 해함은 고금에 흔한 일이라. 신의 마음은 정·진의 세권
(勢權)을 시애(猜礙)하는 자가 요악지사(妖惡之事)를 행하여, 충량(忠良)
을 함정에 함닉(陷溺)하는가 하옵나니, 복원 황야는 명찰하시어, 원억한
죽음이 없게 하소서.”

정왕이 본디 총명이 과인하고, 도량이 굉원(宏遠)하여 황자 중 으뜸이
니, 상이 총애하시는 바라. 상이 또한 요약에 천심이 변치 않아 계시면
어찌 정왕의 헤아림 같지 못 하시리오마는, 성정이 바뀌신 바에 어찌 정·
진 등의 충절을 생각하시리오. 천안이 엄렬(嚴烈)하여 가라사대,

“정천흥 진영수 등의 죄상이 천사무석(千死無惜)이라. 어떤 간인(奸人)
이 그런 공교한 꾀를 행하리오. 정가 노자가 흉서를 가져 해북의 가려 하
니, 세흥 등을 잡아 일처(一處)에 면질(面質)한즉 정적이 드러나리라.”

---

520) 삼족(三族) : 부계(父系), 모계(母系), 처계(妻系)를 통틀어 이르는 말.

하시고, 정·진 등을 나래(拿來)하라 하시니, 옥새(獄事) 대단하여 정·진 등의 참화를 묻지 않아 알 것이로되, 만조 문무의 정·진 등을 위하여 원억히 여기는 이는 목숨을 버려 구하고자 하는지라.

승상 조진과 동평장사 양필광 등이 고두(叩頭) 주왈,

"신등이 불충불인(不忠不仁)하오나, 국가를 위한 마음이 대역의 머리를 베고 염통을 빼내고자 하옵나니, 어찌 흉역(凶逆)을 구하리까마는, 금평후 정연과 낙양후 진광은 충렬지신(忠烈之臣)으로, 각각 자식을 교훈하매 충절을 으뜸하옵는지라. 정천흥 진영수 등이 오히려 그 아비에게서 지모재략(智謀才略)과 충심이 더하오며, 하물며 정천흥은 남정북벌(南征北伐)에 간뇌도지(肝腦塗地)521)하나 나라를 위해 갚사올 뜻이 있는지라. 다만 성정이 결호하고 위인이 구차치 않음으로 사람에게 아요첨녕(阿撓諂佞)522)치 못하며, 추세이욕(趨勢利慾)에 탐연(耽戀)하는 유(類)를 보면 비위를 정치 못 함으로, 소인의 무리 천흥을 깃거 않는 재 많은지라. 이러므로 가만한 가운데 공교로이 해하는 간인이 있는가 하옵나니, 진영수 정세흥 등을 나래(拿來)하시기는 잠깐 늦추시고, 바삐 위사(衛士)를 보내시어 정천흥을 나래하시면, 천흥이 만일 반역지심이 있으면 위사가 나명(拿命)을 전하여도 순히 잡혀 오지 않을 것이요, 흉역지의(凶逆之意) 없사오면 즉시 나명을 응하올 것이니, 복원 성상은 신등의 주사를 윤허하시고 살피소서."

"신 양필광은 정연으로 더불어 친옹이요, 천흥과 구일(舊日) 옹서지의(翁壻之意) 있으며, 세흥이 또 신의 여서(女壻)니, 말씀이 공언(公言)이

---

521) 간뇌도지(肝腦塗地) : 참혹한 죽임을 당하여 간장(肝臟)과 뇌수(腦髓)가 땅에 널려 있다는 뜻으로, 나라를 위하여 목숨을 돌보지 않고 애를 씀을 이르는 말.
522) 아요첨녕(阿撓諂佞) : 지나치게 아첨하거나 굴종함.

아닌 듯하오나, 신의 마음은 백일이 비추옵고, 신 등이 대역을 듯덮고[523] 성은을 저버리오면, 하면목으로 천일지하에 서리까? 복원 성상은 간당의 흉모를 살피실까 하나이다."

상이 조·양 양인을 총우(寵遇)하심이 범연치 않으시되, 그 주사가 이같기에 다다라는 옥색이 불예(不豫)하시고, 천안이 엄렬하시어, 오래도록 묵연하시더니, 날호여 가라사대,

"정천흥 진영수 등의 반역이 드러났거늘, 경 등의 구언(救言)이 인사(人事)에 불가함을 생각지 못하느뇨?"

조공이 사색을 불변하고 다시 주왈,

"신이 외람히 성주의 대은을 입사와 위거삼공(位居三公)하오니, 어린 충성이 몸이 죽어 나라를 갚사올 뜻이 있사오며, 천흥의 역모(逆謀)가 시사(詩詞) 창화(唱和)함과 반서(叛書)와 같을진대, 삼족(三族)을 이멸(夷滅)[524]하여도 족히 아깝지 아니하오되, 천흥은 개세군자(蓋世君子)[525]로 충렬이 고인을 압두하고, 진영수 등이 또한 충의 직신(直臣)이오니, 헛된 누언(陋言)을 곧이들으시어 충량지신(忠良之臣)을 이런 일로 미룰 것이 아니오니, 복원 성상은 세 번 생각하시어 현인을 죽이지 마시고, 요악(妖惡)한 소인을 찾아 성총(聖聰)을 가리온 죄를 다스리소서."

조승상의 주사로 인하여, 만조가 정·진을 위하여 원억히 여기는 이 가득하여, 다투어 그 애매함을 주하여 일시에 칭원(稱寃)하니, 상이 가장 불안하시어 조승상으로부터 정·진을 구하는 말씀을 듣지 않으시고, 바삐 위사(衛士)를 북해에 보내어 정천흥을 나래하라 하시고, 진영수 정

---

523) 듯덮다 : 두둔하다. 비호(庇護)하다.
524) 이멸(夷滅) : 멸하여 없앰.
525) 개세군자(蓋世君子) : 기상이나 위력, 재능 따위가 세상을 뒤덮을 만한 인품을 갖춘 인물.

인흥 형제를 다 나래하라 하시고, 천노(天怒) 진첩(震疊)하시어 새도록 침수(寢睡)를 폐하시고, 용침(龍寢)에 나아가지 않으시니, 정·오 이왕이 절민하여 취침하심을 주하오대, 상 왈,

"진영수 등과 정인흥 형제를 엄형 국문하여 그 참역(僭逆)의 초사(招辭)를 받은 후 짐이 침금의 나아가리라 하시니, 제신이 옥체 손상하심을 주하여 연(連)하여 아뢰니, 상이 마지못하여 만조(滿朝)를 물러가라 하시고, 내전(內殿)으로 들으시매, 정연의 노자를 가두라 하시니, 나졸이 묘랑을 대리시(大理寺)526)에 가두니, 묘랑이 전혀 두려워하지 않고 앙연(昂然)이 옥중에 들어가는지라.

옥리(獄吏) 잠깐 조는 듯하니, 묘랑이 몸을 흔들어 변하여, 적은 새 되어 옥문 틈으로 내달아 공중에 올라 구몽숙의 집에 이르니, 몽숙이 서재(書齋)에 혼자 앉았거늘, 묘랑이 본형을 내어 몽숙의 곁에 앉으며, 웃으며 왈,

"상공이 빈도를 기다려 계시리이다."

몽숙이 희색을 띠어 칭사 왈,

"사부의 법술로 대사가 거의 일게 되었으니 어찌 기쁘지 않으리오. 내, 상께 '정천흥의 상을 보고 기리던 상자(相者)를 얻어 들이마.' 하였으니, 사부 수고로우나 여차여차하여 천의(天意)를 경동(驚動)하고 정가를 아주 대역으로 아시게 함이 어떠하뇨?"

묘랑 왈,

"이곳 쉬운 일이라. 명일 상공이 빈도를 잡아 가지고 입궐하소서."

몽숙이 더욱 깃거 만사(萬事)를 형왕과 의논하며 묘랑의 신기한 법술

---

526) 대리시(大理寺) : 고려 시대에, 형옥(刑獄)을 맡아보던 관아. 성종 14년(995)에 전옥서를 고친 것으로, 문종 때에 다시 전옥서로 고쳤다.

(法術)을 전하노라 날마다 운화산 정자의 왕래하더라.

차시 정·진 양부에서 정·오 이왕이 외당을 다 뒤여 용포와 옥새를 얻어내니, 금평후의 단엄함과 낙양후의 침위함으로도 놀랍고 차악함이 만신이 서늘하니, 지은 죄 없이 원억한 죄를 무릅써 문호(門戶) 망멸(亡滅)함을 받을지라. 차변(此變)을 당하여 장부의 철석간장(鐵石肝腸)527)이나 사위528)기를 면치 못하되, 금평후는 사생지제(死生之際)에 요동치 않으려 정하였는지라. 신색을 불변하고 제자를 당부하여 이런 말을 태부인께 고치 말라 하고, 오직 일이 되어 감을 볼 뿐이로되, 가중이 자연 물 끓 듯하여 시녀 양낭(養娘)의 무리 경황한 심신을 정치 못하여, 진부로 왕래하며 서로 놀라움을 일컬으니, 경색이 가장 괴이한지라. 태부인이 문 왈,

"가중에 무슨 일이 있느냐? 시녀 등이 분황(紛遑)529)하며 모든 기색이 괴이하뇨?"

진부인이 경악한 마음을 측량치 못하나 강인하여 사색을 화(和)히 하고 대왈,

"무슨 일이 있으리까. 춘경이 보암직하니 세흥 등이 후원에서 야화(夜話)하오니 시녀 등이 주찬을 가져 분분이 다니나이다."

태부인이 그 가내에서 용포와 옥새를 얻어 감은 천만의외일 뿐 아니라, 정·오 이왕이 친히 와 뒤짐은 몽매에도 알지 못하는 고로 편히 취침하니, 진부인이 또한 침소에 물러와 경참(驚慘)한 마음이 측량없어,

---

527) 철석간장(鐵石肝腸) : 굳센 의지나 지조가 있는 마음.
528) 사위다 : 불이 사그라져서 재가 되다. 늑삭다.
529) 분황(紛遑) : 몹시 허둥거리고 어수선함.

상요의 나아가지 않았더니, 금평후 들어와 부인을 대하여, 왈,

"용포와 옥새를 채죽헌에서 얻어내고, 흉역지심(凶逆之心)을 두어 시사(詩詞) 창화(唱和)한 것을 진부와 우리 서재에서 얻어내니, 이는 반드시 정·진 이문의 성만(盛滿)함을 시애(猜礙)하여 멸망지화를 내리오미라. 만사 천명(天命)이니, 부인은 마음을 굳게 잡아 무익히 슬퍼 말고, 한결같이 자위를 위로하며 일이 되어 감을 볼지니, 생이 헤아리건대 날이 밝지 않아서 나명(拿命)이 급할까 하나니, 우리 부자가 집에 있지 못할지라. 부인은 복(僕)과 제아(諸兒)가 참형을 당할지라도, 지레 과도히 굴지 말고 자위 아시게 마소서."

부인이 비록 금옥의 견고함이 있으나, 차변을 당하여 금후의 말씀을 들으매 심장이 미어지는530) 듯하니, 자연 오열비읍(嗚咽悲泣)함을 면치 못하는지라. 금후 정색 왈,

"생이 부인을 앎이 이렇지 않을까 하였더니, 어찌 미처 참화를 당치 않아서 슬퍼하느뇨? 불행하여 우리 부재 다 죽음이 있을지라도, 부인이 종시를 보지 않고 무익히 비척(悲慽)함은 가장 조보야온지라531). 모름지기 자위를 위로하여 필경을 채 보고 사생을 결하소서."

부인이 강인 대왈,

"용포 옥새를 채죽헌에서 얻어내는 것이 벌써 참화를 보지 않아 짐작하려니와, 다만 저 하늘이 충렬지문(忠烈之門)의 멸망하는 흉벌을 내리지 않을 듯한지라. 첩은 신명의 도움을 바라는 바니, 군후는 괴이한 말씀을 마시고, 존고를 위로함을 여러번 당부치 마소서. 첩이 비록 불초(不肖)하오나 지레 변고를 아시게 않으리니, 군후는 다시 이르지 마소서."

---

530) 미어지다 : 가슴이 찢어질 듯이 심한 고통이나 슬픔을 느끼다.
531) 조보얍다 : 속 좁다. 너그럽지 못하고 옹졸하다. =조배얍다. 조바얍다.

금후 추연 탄식하기를 마지 아니하고, 예부와 학사 부모의 취침하심을 청하고 사색을 화(和)히 하여, 놀라는 빛을 나토지 않으나, 심사(心事)인즉 형상하여 이를 것이 없는지라. 금후 비록 슬픔을 나토지 않으나, 침금에 잘 마음이 없어 묵묵히 앉았거늘, 예부 등이 물러나지 못하여, 모부인을 위로하며 야야의 취침하심을 재삼 청하더니, 춘야(春夜) 덧없이 저른지라[532], 문득 계성(鷄聲)이 악악하여 새배를 보하니, 금후 즉시 관소(盥梳)하고 제자를 거느려 태원전에 신성(晨省)하고 나명(拿命)이 급할 줄 지기하여, 모친께 고 왈,

"소자와 인·세 양아(兩兒)가 일시에 슬하를 떠남이 결연하오나, 성지(聖旨)계시어 재직자(在職者)는 다 궐정에 모이라 하여 계시니, 반드시 국가에 무슨 일이 있는가 하옵나니, 이제 궐정에 들어가면 쉬이 나오지 못하올지라. 유·필 양아가 미거하오나 밖을 지킬 것이니 그 사이 성체 안강하소서."

태부인이 청필에 홀연 비척함을 이기지 못하여, 좌수로 금후의 손을 잡고, 타루(墮淚) 왈,

"천애 북정한 후 노모의 심사(心思) 자못 비상하더니, 북적을 항복받은 첩음이 천문에 오르고 회군하는 소식이 있으니, 노모 굴지계일(屈指計日)하여 천아의 돌아옴을 기다리더니, 나라에 무슨 일이 있관데 쉬이 나오지 못함을 이르느뇨? 유·필 양아가 있으나 결훌한 회포를 어찌 참으리오."

금후의 출천성효(出天誠孝)로 북당(北堂)[533]을 아득히 기이고 참화를

---

532) 저르다 : 짧다.
533) 북당(北堂) : 집안의 북쪽에 있는 당(堂)이란 뜻으로, 집안의 주부가 이곳에 거처하였기 때문에 '어머니'를 지칭하는 말로 쓰였다. =자당(慈堂).

당할 마음이 꺾어지고 미여지나, 천만 강인하여 이성화기로 왈,

"국사가 비밀하와 재직자(在職者)를 다 궐정으로 부르시니 곡절을 모르오나, 위태함은 제렴(除念)534)하시고, 천아의 무사히 돌아옴과 소자의 나오기를 기다리소서."

예부와 학사 행혀 위사(衛士) 이르러 잡혀나가는 지경(地境)을 조모 보시고 놀라실까 두려, 부전에 고 왈,

"상명이 효신(曉晨)으로 모이라 하여 계시니 바삐 감이 옳을까 하나이다."

공이 깨달아 모전에 절하여 하직하니, 부인이 재삼 쉬이 나옴을 당부하니, 공이 대왈,

"소자의 부자 뿐아니라 후백재렬(侯伯宰列)로부터 미말(微末) 낭관(郎官)535)이 다 모이라 하여 계시니, 각각 물러가라 하시면 돌아오리이다."

언파에 이자(二子)를 데리고 중당(中堂)에 나와, 부인을 당부하여 아직 경동치 말고 일이 되어 감을 보아 사생을 결하라 하더니, 서동의 무리 황황이 들어와 위사 시방 진부와 본부 문에 달려듦을 고하니, 금후 바삐 나올 새, 진부인과 이·양이 심사를 형언할 바 없어 자연 유체(流涕)함을 면치 못하니, 금후 손을 저어 부인과 자부 등의 슬퍼함을 말리고, 외헌에 나오매 위사 나명을 전하고, 예부와 학사의 소매를 떼어 그 낯을 싸며 바삐 감을 재촉하니, 양인이 부안(父顔)을 향하여 절하고 말에 올라가매, 허다 나졸이 뒤를 몰아 집 문을 나니, 진부의 들어갔던 위사 또한 진태우 등의 형제 군종을 등과자(登科者)는 다 잡아가는 거동이 측량치 못하니, 그 부모지심이야 더욱 이르리오.

진공 등의 부인은 가슴을 허위여 실성통읍(失性慟泣)함을 마지 않되,

534) 제렴(除念) : 염려를 털어버림.
535) 낭관(郎官) : 조선 시대에, 정오품 통덕랑 이하의 당하관을 통틀어 이르던 말.

낙양후 곤계와 금평후는 마음을 요동치 않으려 하였으니, 금후의 정리(情理)는 타인과 달라 노년편친(老年偏親)을 아득히 속이고, 흉화(凶禍)가 장차 아무 지경에 미칠 줄 알지 못하니, 참통(慘痛)한 심사를 지향(指向)치 못하니, 이자(二子)를 잡혀 보내고 유·필 양공자를 경계 왈,

"여등이 비록 어리나 훤당(萱堂)536)의 승안양지(承顏養志)할 바는 알리니, 문호의 화란이 아무리 될 줄 알지 못하거니와, 나와 여형 삼인이 다 죽든 않을 것이니, 일이 되어 감을 보고, 괴이히 서둘러 자정이 아르시게 말지어다. 허다 군졸이 오가(吾家)와 진부를 에워싸 왕래하는 것을 막을 것이니, 내 금일 궐하의 간 후는 또 쉬이 나오기를 믿지 못하리니, 여등이 밖을 지키고 구태여 변고를 알려 말며, 아직 너희 인사를 책망할 이 없으리니, 네 아비 대리시(大理寺)의 드는 일이 있어도, 부질없이 궐하의 대죄치 말고, 오직 자정을 위로하며 가중을 요란치 아니케 함이 지극한 효라."

이때 유흥은 십삼세요, 필흥은 십일세라. 신장(身長) 거지(擧止) 나이로 좇아 내도히 숙성하여 장부 위풍을 이뤘으되, 평남후 해북으로서 돌아오지 못한 전이요, 가중에 사고 많아 관례(冠禮)도 않았으나, 출류(出類)한 기질이 특이하여 부형여풍(父兄餘風)이라. 차변을 당하여 어이 놀랍고 슬프지 않으리오마는, 야야의 참황하신 심사를 요동치 않으려, 재배 고 왈,

"하늘이 높으시나 살피심은 소소(昭昭)하시니, 대인과 삼위 형장의 정충대절(貞忠大節)은 신명이 감동할지라. 일시 화란이 경참(驚慘)하오나 황상이 명성(明聖)하시니, 마침내 옥사를 처결하심이 원억케 할 일이 없

---

536) 훤당(萱堂) : '훤초북당(萱草北堂; 원추리꽃이 피어있는 북당)'의 줄임말로 '어머니'를 이르는 말. 훤초(萱草)나 북당(北堂)이 다 어머니를 이르는 말이다.

을지라. 복원 대인은 물우(勿憂)하시고 왕모(王母)를 받듦은 소자 등이 있사오니, 비록 효성이 흡흡(洽洽)치 못하오나, 일시도 대모 슬하를 떠나지 아니하여 엄교(嚴敎)를 봉승(奉承)하리이다."

공이 양자의 손을 잡고 추연 탄 왈,

"너희의 말을 들으매 내 마음이 일분 염려를 덜게 되니, 여등이 말을 이같이 하고 아비를 속이지 않으리라. 자정이 슬하에 여러 자녀를 두지 못하시고, 여부 외로운 몸으로 수족(手足)[537]의 정(情)을 알지 못하여, 여등 칠남매를 두매, 내 집의 자녀 귀중도 타인지가(他人之家)와 많이 다르거니와, 자정의 천흥 기다리심이 굴지계일(屈指計日)하시거늘, 몽리(夢裏)에도 생각지 않은 참화(慘禍)를 당하매, 필경이 어떻게 될지 알지 못하니, 천흥이 다시 훤당에 봉배(奉拜)함을 기필(期必)치 못하거니와, 여부(汝父) 평생에 적불선(積不善)이 없고, 천흥의 의기현심(義氣賢心)은 오히려 여부에게 지난 곳이 많으니, 복선(福善)의 명응(冥應)이 있을지라. 여부(汝父)와 여형(汝兄) 등이 원억히 누설중(縲絏中)에 마치지 않으리니, 나는 실로 천리를 깊이 믿고 상모(相貌)를 많이 바라나니, 혹자 일이 무사하여 부자형제 다시 모이는 날은, 이때 화변을 일장 옛일로 이르리니, 오아(吾兒) 등은 여부(汝父)의 당부와 믿는 바를 저버리지 말고, 자위(慈闈)를 모셔 일시를 떠나지 말라."

언필에 몸을 일으켜 궐하(闕下)로 나아갈 새, 이 공자 문외(門外)의나 배별(拜別)하매 눈물이 소매를 적시더라.

낙양후 삼곤계는 각각 아들을 잡혀 보내고 체면에 안연이 집에 있지 못하여, 금평후로 더불어 궐하의 나아가 대죄한데, 상이 대명(待命)함을 이르지 아니하시더라.

---

537) 수족(手足) : ①손발. ②형제나 자식을 비유적으로 이르는 말.

위사(衛士) 진영수 등과 정인홍 형제를 나래(拿來)하되, 상이 새도록
취침치 못하여 계시다가, 밝은 후 용침(龍寢)에 나아가사 옥후(玉候) 불
평하신 고로, 정·진 등을 올려 묻지 못하시고, 다 대리시에 가도라 하
시니, 진영수 군종 형제와 정예부 형제 생어부귀(生於富貴)하고 장어호
치(長於豪侈)하여, 세상 염려를 알지 못하고, 스스로 검박(儉朴)을 취하
여, 몸에 금수의복(錦繡衣服)을 입지 않으며 처소를 빛내지 아니하나,
어찌 대리시 같은 누옥(陋獄)의, 한 거적538) 위에 의지하는 경계를 잘
견디리오마는, 뜻잡기를 굳게 하여 조금도 우수척척(憂愁慽慽)한 일이
없으되, 능히 보전치 못할 듯하니, 형은 아우의 몸을 염려하고, 아우는
형의 몸을 근심하여 참연한 회포를 이를 것이 없더라.

신묘랑을 정부 노자(奴子)로 알아 지켰던 옥리(獄吏) 잠깐 졸다가 깨
매, 죄인이 칼을 벗어 버리고 간 데 없으니, 창황(愴惶) 경혹(驚惑)함을
이기지 못하여, 즉시 정가 노자가 월옥 도주하되, 옥문도 잠은 채 간 곳
이 없음을 고하니, 금위관(禁衛官)이 천정(天廷)의 주하매, 상이 더욱
분해하시어 옥리를 저주어 그 간 곳을 찾으라 하시니, 금위관이 옥리의
애매함을 짐작하여 차마 저주지 못하여 가두어 두고, 연일 좌기(坐
起)539)를 아니하더라.

구몽숙이 신묘랑을 동여 주필(朱筆)로 '제요(制妖)' 두 자를 써 등에
부쳐, 모든 하리로 뒤를 밀며 앞을 당겨 이미 궐하의 다다라, 요괴로운
상자(相者)를 잡아 왔음을 주(奏)한데, 상이 불러 들이사 보시니 안모
(顔貌) 곱고 혈기 방강(方强)하여 소년이나 다르지 않으니, 상이 요정

---

538) 거적 : 거적. 짚을 두툼하게 엮거나, 새끼로 날을 하여 짚으로 쳐서 자리처럼
     만든 물건. 허드레로 자리처럼 쓰기도 하며, 한데에 쌓은 물건을 덮기도 한다.
539) 좌기(坐起) : 관아의 으뜸 벼슬에 있던 이가 출근하여 일을 시작함.

(妖精)인 줄 알지 못하시고 가장 기특히 여기시되, 그 언사 경경(梗梗)함을 노(怒)하시어, 옥음(玉音)을 높여 책(責)하시어 왈,

"도인이란 것이 심산의 거하여 채약(採藥)하며 세상을 사절하였으나, 군신대의(君臣大義)는 명명(明明)하고, 도인의 술법이 기특할지라도 이 곧 짐의 신자(臣子)라. 어찌 예모를 알지 못하느뇨? 네 상격(相格)을 일컬어 아노라 하니, 정천흥을 만리(萬里) 강산의 임자 될 이라 하여 요망지설(妖妄之說)을 하뇨?"

묘랑이 짐짓 비상한 도사인 체하여 웃기를 마지않다가, 날호여 대왈,

"천운과 기수(氣數)를 모르고 오직 만승지위(萬乘之位)의 존귀를 생각하여 여천지무궁(如天地無窮)히 누리고자 하시느뇨? 이 도인이 비록 구몽숙 요인(妖人)의 꾀의 빠져 폐하 당하(堂下)에 섰으나, 자취 그대도록 가볍지 아니하니, 폐하는 너무 업신여기지 마시고, 다만 일이 되어감만 볼지라. 어찌 긴 설화를 하리요마는, 빈도는 한당(漢唐)540) 전 세상에 난 바이거늘, 폐하가 송국(宋國)의 신자라 하시니 우습게 여기는 바요, 당당이 제왕의 상격과 천명이 돌아간 곳은 나중을 보지 않아도 거의 짐작하는 바라. 정천흥의 융준용안(隆準龍顔)541)이 진정 천자기상(天子氣像)이요, 재주를 이를진대 문무양군(文武兩君)542)에 내리지 아니하니, 아직 때를 만나지 못하여 폐하의 신자 되었으나, 그 나이 삼십이 찬 후 사해만방(四海萬邦)을 통령(統領)할 사람이 될지라. 도인의 얼굴을 세상이 알 이 없으되, 다만 도관에서 천기를 한번 살펴 길흉을 알아 보더니,

---

540) 한당(漢唐) : 중국의 한나라와 당나라.
541) 융준용안(隆準龍眼) : 우뚝한 코와 튀어나온 눈을 한 얼굴.
542) 문무양군(文武兩君) : 중국 주나라 문왕(文王)과 그 아들 무왕(武王), 이 두 임금을 말함. 주나라의 건국기반을 다진 성군(聖君)들로, 고대 중국의 이상적인 성인 군주의 전형으로 꼽힌다.

황성 동문 밖에 천자의 상서 어리었고, 송국(宋國)의 기(氣)는 오래지
않을까 싶거늘, 도인이 그 상서의 기운을 찾아 정가에 이른즉, 과연 정
천흥이 천자(天子)의 상(相)이라. 기이함을 참지 못하여 그 상모를 칭찬
하고 깊이 사귀어, 피차 분분 왕래하여 정의(情誼) 범연치 않아, 천흥이
날더러 묻되, '어느 때에 병을 일으키면 가히 천하를 얻으리오.' 하거
늘, 내 이르대, '이십칠 세에 기병한즉 가히 천하를 얻어 삼십에 천자의
위를 누리리라.' 하니, 천흥이 내 손을 잡고 언약을 두어, 기병하는 시
절에 나를 맞아 문왕(文王)543)의 태공(太公)544) 대접하듯 하렸노라 하
되, 내 나이 벌써 누천세(累千歲)요, 진세물욕(塵世物慾)이 없으니, 나를
찾지 말라 한즉, 천흥이 간절히 빌어 그 나이 이십칠 세 되거든, '나를
먼저 데리러 오마.' 하거늘, 도인이 그 지성(至誠)을 막자르지 못하였더
니, 천수(天壽)의 정함을 기다리지 않고 지레 기병하매, 재앙이 일어나
잠깐 굿김이 있으려니와, 폐하가 천흥을 가벼이 없애지 못 하리이다."

　상이 도사의 말을 들으시매, 더욱 정원수를 통해(痛駭) 분완(憤惋)하
시어, 이에 도인을 엄형추문(嚴刑推問)하여 흉역 꾀하던 바를 알려 하실
새, 금위관을 모으시고 묘랑을 저주라 하시니, 금위관이 성교를 받들어
도인을 추문하랴 하매, 구몽숙은 잡아들일 때에 묘랑의 두 손을 매었더
니, 나졸이 그 손을 풀어 형틀에 맬 즈음에, 묘랑이 몸을 흔들어 누런
나비 되어 공중에 치달으며 소리를 높여, 왈,

　"송 진종의 위엄이 아무리 장(壯)하여도 태운도인은 간대로 국문치 못
하리니, 어찌 천운(天運)을 그대도록 모르느뇨? 내 마땅히 정천흥을 도

---

543) 문왕(文王) : 중국 주나라의 왕. 이름은 창(昌). 주나라 건국의 기초를 닦았고
　　고대의 이상적인 성인군주(聖人君主)의 전형으로 꼽는다.
544) 태공(太公) : 중국 주(周)나라 초기의 정치가 태공망(太公望). 강태공(姜太公).
　　여상(呂尙) 등의 다른 이름으로도 불린다.

와 공을 세우는 날이면, 송주와 구몽숙을 만단(萬斷)에 내리라."

하며, 아아히 나라 공중에 올라 경각에 간 바를 알지 못하니, 위로 천심(天心)과 아래로 만조백관(滿朝百官)이 놀라고 차악하여, 오래 말을 못하고 서로 볼 따름이거늘, 구몽숙이 급히 내다라 잡으려 하는 체하다가 못잡고, 상께 주왈,

"신이 그 요정(妖精)을 겨우 잡아 등에 '제요(制妖)' 두 자를 붙여 감히 움직이지 못하다가, 팔을 놓으매 등의 부작을 스스로 떨어뜨리고 달아나니, 이제는 쉬이 잡기 어려운지라. 어이 애달지 않으리까?"

상이 크게 분노하시어 왈,

"천홍이 궁흉극악(窮凶極惡)함이 괴이(怪異)한 요정을 처결하여 나라를 도모하니, 국가에 이런 불행이 없는지라. 진영수·정인홍 등을 일시도 살려두지 못할 것으로되, 짐이 연일 불평하여 다스리지 못하였더니, 요악한 도사 놈이 또 흉언패설을 무수히 하고 요술을 행하여 도망하니, 어찌 분해(憤駭)치 않으리오."

몽숙이 애달음을 이기지 못하는 체하며, 말마다 정·진을 함해(陷害)하니, 승상 조공이 상께 주왈,

"구몽숙이 정·진 양가에 양육된 바로, 정천홍의 모역이 진정한 일일진대, 처음 알았을 때 즉시 고하여 흉사가 이르지 않아서 다스리시게 함이 옳거늘, 묵묵함인(黙黙含忍)[545]하여 있다가, 정·진 등의 역모가 발각케 된 후, 비로소 아뢰는 것이 그 마음을 측량치 못할지라. 신의 뜻인즉 정·진 등을 저주시기 전, 구몽숙을 엄형 추문하시어 정·진 등의 유죄무죄를 자세히 아뢰라 하심이 마땅할까 하나이다."

상이 조공을 총우(寵遇)하심이 범연치 않으신 고로, 그 주사(奏辭)가

---

545) 묵묵함인(黙黙含忍) : 말없이 마음속에만 넣어 둔 채 참고 있음.

성의(聖意)예 불합(不合)하시되 과도히 책지 못하시어, 다만 용안에 불예(不豫)한 빛을 띠시어 왈,

"경은 주석지신(柱石之臣)이라. 님군을 섬기는 도리 소인과 흉역을 다스리고, 충량을 가까이 쓰게 함이 옳거늘, 정·진 등을 갈구(渴救)하고 구몽숙을 이다지도 미워함은 어찌된 일이뇨?"

조공이 정색 주왈,

"폐하께서 신으로써 불충 무상함으로 아시어, 한낱 소인 구몽숙만 못하게 여기시나, 신의 마음은 백일(白日)이 비추고 있으니, 비록 정확(鼎鑊)에 삼기고 부월(斧鉞)에 주(誅)함을 당하올지언정, 부끄러온 일이 없삽는지라. 신의 아비 태조(太祖)546) 고황제(高皇帝)547)를 돕사와, 고황제 아비를 총우하심이 만조의 으뜸이요, 축단(築壇) 배장(配葬)548)하시어 인신(人臣)의 얻기 어려운 은영(恩榮)이라. 신의 형제 아비의 충심을 미치지 못할지언정, 나라를 저버려 대역을 두호(斗護)하올 뜻은 없삽나니, 폐하께서 신자(臣子)의 현우선악(賢愚善惡)을 살피실진대, 신으로써 구몽숙과 같이 여기지 않으실 것이거늘, 어찌 몽숙같이 간악한 소인의 요괴로운 정태(情態)를 깨닫지 못하시고, 충량을 의심하시나니까? 정천흥을 잡으러 갔으니, 천흥이 만일 반역지심이 있으면 순히 잡혀 오지 않을 것이니, 혹자 작변하는 일이 있거든, 폐하께서는 신을 처참하시어 삼족을 멸하시고, 만일 공순히 잡혀 오거든 그 애매함을 살피시어, 신의

---

546) 태조(太祖) : 중국 송(宋)나라를 건국한 조광윤(趙匡胤; 927-976). 본지 후주(後周)의 절도사(節度使)로, 송나라를 건설하여 문치주의에 의한 군주 독재화를 꾀하였다. 재위 기간은 960~976년이다.

547) 고황제(高皇帝) : 나라를 세운 황제를 높여 이르는 말.

548) 배장(配葬) : 임금, 조상, 남편 등의 묘역에 공신, 자손, 부인 등을 안장(安葬)하는 일.

주사가 그르지 않았음을 아소서."

상이 분기를 이기지 못하시어 다 물러가라 하시고, 내전으로 들어 계시더니, 차야(此夜)에 몽숙이 또 신묘랑을 가르쳐 여차여차하라 하니, 묘랑이 도사의 모양으로 비수를 품고 공중으로 행하여 금궐의 다다라는, 상이 몽롱하신 침수(寢睡) 가운데 얼핏 보시니, 낮에 도망하던 도사가 칼을 저으며 바로 용상하(龍床下)로 나아오는지라.

상이 경악함을 이기지 못하시어, 즉시 좌우를 불러 요정을 잡으라 하시되, 도사 두려워하지 않고 칼을 들고 용상하(龍床下)로 달려드니, 상이 대경하시어 손을 놀리지 못하시고, 환시 등이 전후 좌우로 상을 붙들어 도사의 칼을 막자를 즈음에, 어림군병(御林軍兵)이 도사를 잡으려 들어오니, 상이 옥음을 높여 가라사대,

"아무나 저 요정을 잡아들이는 자는 천금상(千金賞)에 만호후(萬戶侯)를 봉하리라."

하시니, 묘랑이 몸을 뛰어 공중에 오르며 칼로 용수(龍繡) 소매를 베고, 즉시 나는 짐승이 되어 경각에 간 곳이 없으니, 모든 어림군병이 요괴의 거처를 알지 못하고, 궐문 앞에 금낭(錦囊) 떨어진 것이 있는 고로 가져와 상께 드리니, 상이 그 금낭을 친히 보시매, 두어 장 서간이 있어 한 장은 금평후와 낙양후 열성명(列姓名)하여 글을 부쳤으니, 쓰였기를,

"천흥이 선생의 가르침을 받들어 거사(擧事)치 않고, 지레 기병하여 문호에 대화(大禍)를 취하고, 제 몸이 보전치 못하리니, 이런 망극지변(罔極之變)이 어디 있으리오. 선생의 명을 받들지 않은 죄 중(重)하나, 선생은 측은지심(惻隱之心)을 발하여, 신기한 재주를 시험하여 모야(暮夜)에 칼을 비껴 제좌(帝座)를 한번 범하면, 태자 같은 유(類)는 근심할 것이 아니라, 대사가 거의 일 것이니, 선생은 은혜를 드리워 정·진 이문(二門)을 구하라."

하였고, 한 장은 정원수의 서간이로되, 사어(辭語)가 흉참하여 기록기 어렵더라.

상이 두 장 서간을 보시고 더욱 대로하시어, 정·진 형제를 다 잡아 가두라 하시며, 명을 내려, 가라사대,

"정·진 이문(二門)을 다시 구언을 내는 자가 있으면 호역지죄(護逆之罪)549)를 역률과 같이 엄히 다스리리라."

하시니, 조야(朝野) 황황(惶惶)하고 정·진 등의 친척(親戚) 고구(故舊) 다 슬퍼함을 마지 아니 하더라.

어시에 금후와

---

549) 호역지죄(護逆之罪) : 역적을 두둔하여 감싸준 죄.

ფ

명주보월빙 권지오십팔

차설 금평후와 낙양후 삼곤계 궐하에 대죄(待罪)하여 오히려 물러가지 않았고, 정국공 하공이 정부 변고를 당하여 황황 우려하여, 궐문 밖에 의막(依幕)550)하고 정·진 등 제공을 자주 위로코자 하매, 초후 또한 부친을 모셔 의막의 있더니, 야반에 상명이 내려 정·진 등 사공(四公)을 하옥하라 하시매, 하공 부재 금후를 붙들고 진후 등의 손을 잡고 눈물을 흘려 왈,

"정·진 이문의 이런 참화 있을 줄 생각지 못한 바라, 죄명이 참참(慘慘)하고, 천노(天怒) 진첩(震疊)하시나, 필경 원억을 신설(伸雪)하고 옥사 물결 흩어지듯 하리니, 너무 조급히 심려를 허비치 말라."

금후 탄 왈,

"장부 사생간 마음을 요동할 바 아니로되, 다만 참지 못함은 노년 편친(偏親)이 그런 참화를 모르시고, 우리 부자의 쉬이 돌아오기를 기다리실 것이니, 몸에 대역명(大逆名)을 싣고 남에 없는 불효를 끼쳐, 자정을 속임이 인자의 참지 못할 불효니, 형 등은 소제를 위로치 말고 집에 돌아가, 유·필 양아를 불러 일시 떠나지 말도록 경계하라."

---

550) 의막(依幕) : 막사로 쓰는 천막이나 장막이라는 뜻으로, 임시로 거처하게 된 곳을 이르는 말.

낙양후 삼곤계 개연이 웃고 왈,

"죄명이 망극하여 아등의 멸망지화는 대수롭지 않거니와, 성주의 실덕하심을 애달아하나니, 우리 구몽숙이 그릇됨을 불상이 여길지언정, 미운 마음은 추호도 없으되, 주상의 일월지명(日月之明)이 부운(浮雲)에 옹폐(壅蔽)키를 면치 못하심이 애달을 뿐이라. 일시 화란을 가히 슬퍼하리오."

초후 또한 눈물이 떨어짐을 깨닫지 못하니, 낙양후 등과 금평후 하공 부자의 손을 잡고 다시 말하고자 하다가, 위사(衛士) 재촉하니 나명(拿命)을 지류(遲留)치 못하여, 즉시 잡혀 대리시에 들어가니, 하공이 스스로 이르대,

"우리 부자가 역쟁고간(力爭固諫)하여 정형의 부자를 구치 못하면, 정가의 대은을 저버림이라."

초후 대왈,

"아직 함구불언(緘口不言)하여 죽청이 오기를 기다려 그 애매함을 변백(辨白)함이 옳을까 하나이다."

하공이 왈,

"여언(汝言)이 옳다."

하더라.

차설 정원수 승전 회군하여 황성을 향하매, 삼군(三軍) 장사(將士)의 즐기는 기운이 하늘에 오를 듯하여, 개가를 불러 돌아오더니, 홀연 위사 나명을 전하니, 군장사졸(軍將士卒)의 경황함은 이르도 말고, 오직 원수 액회를 헤아려 불변안색(不變顔色)하고 대원수인(大元帥印)을 끌러 부원수에게 전하고, 즉시 위사를 따라 관문(關門)에 나오니, 추천(秋天) 같은 기상이 만고(萬古)에 무적(無敵)한 군자영풍(君子英風)이러라.

위사(衛士) 그 기질(氣質)을 보매, 말에 내려 나명을 전하니, 원수 흠신(欠身)하여 듣고 다른 말이 없더니, 위사 마지못하여 계설속박(繫緤束縛)551)하여 함거(檻車)에 넣어 행거(行車)를 돌이킬 새, 부원수로부터 사졸에 이르기까지, 원수를 우러르는 마음이 적자(赤子) 자모(慈母) 바람 같더니, 천만 기약치 않은 위사 이르러 함거의 죄인을 삼아 경사로 향하니, 망극 초조함을 이기지 못하여, 일시에 실성 통읍 왈,

"우리 원수 남정북벌(南征北伐)의 충절을 빛내고, 영명(英名)이 해내(海內)에 진동하거늘, 황상이 무슨 연고로 충량의 대공을 알지 못하시고 도리어 잡아가시느뇨? 아등이 원수의 참화를 무릅써 한가지로 죽을지언정, 우리 원수를 차마 저버리지 못하리로다."

하고 부원수 이하가 다 함거를 좇아 행하며 체읍하기를 그치지 않으니, 원수 함거 중에서 말하기 불가(不可)하여 금치 못하더라.

차시 구몽숙과 신묘랑이 날마다 운화산에 왕래하여 형왕을 보고, 정·진 등을 아주 함정의 넣었음을 일러 기쁨을 이기지 못하니, 형왕이 '몽숙의 지혜는 양평(良平)552)의 일류(一類)'라 하여 칭찬하고, 신묘랑은 천궁보살(天宮菩薩)이라 하여 공경하고 대접함을 스승같이 하니, 묘랑이 스스로 신기로운 체하여, 형상이 비위 아니꼬워 바로보지 못할 것이로되, 형왕과 몽숙이 존경하기를 마지않으니, 묘랑이 또한 정성을 다하여 형왕과 구몽숙의 악사를 돕되, 오히려 김탁의 부자를 후리다가 선경사에 둔지 삼년이로되, 구몽숙더러도 이르지 않으니, 이는 다름이 아니

---

551) 계설속박(繫緤束縛) : 죄인을 마음대로 움직일 수 없도록 몸을 형구(刑具)에 묶거나 얽어맴.
552) 양평(良平) ; 중국 한(漢)나라 때의 책사(策士) 장량(張良)과 진평(陳平)을 함께 이르는 말.

라, 김탁이 흉역을 꾀하여 장사와 군기를 모아, 가만한 가운데 극악지사를 하려 할 새, 매양 묘랑의 은혜를 감사하여 스스로 이르되,

"대사(大事)를 소원과 같이 이루는 날이면, 천하강산의 임자는 내 아들 밖에 나지 않으리니, 나는 태상황으로 있어 묘랑을 올려 대비를 삼으려 하노라."

하니, 묘랑이 점점 뜻이 외람하고 욕심이 그칠 줄 알지 못하여, 김탁의 흉역을 도우며 두루 장사를 구하여 김탁에게 천거하고, 선경사에 쌓은 재보를 흩어 군기(軍器)와 갑주(甲冑)를 장만하니, 김탁이 흉역을 도모함이 장차 대단하여, 군병 모은 것이 그 수를 혜기 어렵고, 김중광이 향리로 헤지르며 괴이한 무리라도 용력이 강장(强壯)한 유(類)는 다 청하여 은혜로이 대접하고, 의식을 후히 이어 감은(感恩)케 하고 대사를 이루려하니, 군기를 성히 하되, 이름이 나지 않은 도적이요, 김탁의 부자가 분명이 비호(飛虎)에게 후려가553) 죽었음을 거세(擧世) 다 아는 고로, 선경사에서 흉역을 꾀함은 '사광(師曠)의 총(聰)'554)이라도 깨닫지 못할지라. 김탁 흉적이 황상을 원(怨)하고, 정병부를 미워함이 골똘하여, 한결같이 승니(僧尼)555)의 모양으로 있으나, 사람의 생각지 못할 흉계 백출(百出)하여, 군기와 갑병을 무수히 모았다가 상이 교외의 나가시는 일이 있거든, 난여(鸞輿)를 범(犯)하려 하더라.

이때 만세 황야 요약에 옥체 불안하시어, 용침(龍寢)을 떠나지 못하시고 신음하시는 고로, 능묘(陵墓)의 배알하실 날을 가려 만조 문무를 거느려 선황제 능침에 나아가실 새, 승상 조공과 초후 등이 여러 번 간하

---

553) 후리다 : ①남의 것을 갑자기 빼앗거나 슬쩍 가지다. ②휘몰아 잡아채다.
554) 사광(師曠)의 총(聰) : 사광(師曠)의 총명함. 중국 춘추(春秋) 때 사광이란 사람이 소리를 잘 분변하여 길흉을 점쳤다는 고사에서 유래한 말.
555) 승니(僧尼) : 비구와 비구니를 아울러 이르는 말.

여 금춘은 능침 전알(展謁)556)을 마시기를 간하되, 상이 불윤하시니, 만조가 하릴없어 부득이 성가(聖駕)를 모셔 선능(先陵)에 배알하시고 돌아오시기를 당하여, 좌우 산곡으로 좇아 중첩한 군병이 크게 납함(吶喊)하고 내다라, 성가(聖駕)를 에워싸고 시석(矢石)이 비 오듯 하여, 만조 문무를 다 무찌르려 하니, 차시 흉변을 당하여 담략(膽略)이 과인(過人)하고 용맹이 절륜(絶倫)한 자라도 미처 손을 놀리지 못할 바라. 호위장군(護衛將軍)과 용호장군(龍虎將軍)557)이 앞을 당하여 성가를 가리오고 도적을 막자르다가, 흐르는 살을 맞아 이장(二將)이 다 팔이 상하여 마하(馬下)의 떨어지니, 좇은 자가 겨우 구하여 난여 뒤에 피하나, 적병(賊兵)이 좌우 전후로 중중첩첩(重重疊疊)하여 어가를 에우며, 적장 일인이 갑주를 빛내고 낯에 털광대558)를 써 흉녕함이 귀신같은지라. 쌍천검(雙天劍)을 손에 쥐고 바로 난여 앞에 달려들며 고성하여 왈,

"혼군이 불명무도(不明無道)하여 충량을 알아 쓰지 못하고, 소인을 위하여 현신(賢臣) 군자(君子)를 죽이고자 할 뿐 아니라, 만기(萬機)를 다 스리매 덕이 널리 흐르지 못하여, 밖으로 번국(蕃國)의 엿보는 환이 있고, 안으로 공후재렬(公侯宰列)이 다 반하여 대역지심을 품으니, 송나라 사직 안위가 조석에 있는지라. 내 특별이 대병을 일으켜 혼군을 없애고, 천하 구주(九州)의 창생을 구하여 탕화(湯火)에서 건지려 하나니, 항우(項羽)559)의 용력으로도 시절을 만나지 못하고, 천명을 얻지 못하매 힘

---

556) 전알(展謁) ; 전배(展拜). 궁궐, 종묘, 문묘, 능침 따위에 참배함.
557) 용호장군(龍虎將軍) : 용호군(龍虎軍)의 장군. 용호군; 고려 시대에, 임금을 호위하던 군대. 충선왕 때 잠시 호분군으로 고쳤다.
558) 털광대 : 털로 만든 가면.
559) 항우(項羽) : B.C.232~B.C.202. 중국 진(秦)나라 말기의 무장. 이름은 적(籍). 우는 자(字)이다. 숙부 항량(項梁)과 함께 군사를 일으켜 유방(劉邦)과 협력하여 진나라를 멸망시키고 스스로 서초(西楚)의 패왕(霸王)이 되었다. 그 후 유

힘히 오강(烏江)560)에 자문(自刎)함을 면치 못하였나니, 송(宋)이 오래 지 못할 것이요, 혼군이 종신토록 만승지위(萬乘之位)를 누리지 못할지니, 만일 일명을 보전코자 하거든, 바삐 내려 항복하여 날로써 그 난여에 올리고, 만일 싸우고자 하여 자웅(雌雄)을 결할 대장이 있거든 바삐 불러 접전케 하라."

이렇듯 이르며 승승장구(乘勝長驅)하여 바로 칼날이 성궁(聖躬)을 범코자 하는지라. 대사마(大司馬) 초평후 하원광이 성가(聖駕)를 모셔 나갈 때는 앞을 당하였더니, 어가(御駕) 환궁하실 때는 선후를 바꾸어 후진을 영(領)하였더니, 적세(賊勢) 급하여 어가를 범코자 하니, 비록 몸에 갑주(甲胄)가 없으나 성가가 위태하시기에 미치니, 창황망극(蒼黃罔極)하여 청룡언월도(靑龍偃月刀)를 빗겨들고 말을 뛰어 난여 앞에 다다르니, 상이 바야흐로 적장(賊將)의 흉언을 들으시고, 그 칼날이 어의(御衣)에 당하니, 정히 아무리 할 줄 모르사 천안이 실색대경(失色大驚)하실 뿐이요, 옥음을 열지 못하시거늘, 하사마 적장으로 접전 사오합(四五合)에 장수 연하여 쏘는 살이 분분한 고로, 하사마의 좌비(左臂)에 살을 맞아 피 흐르되, 이연(怡然)이 빼어 던지고, 흐르는 살을 속속히 칼로 뿌리쳐 버리니, 멀리서 상이 보시고 더욱 경참(驚慘)히 여기시되, 사마가 불변안색하여 무수한 적장을 좌로 치고 우로 짓쳐561), 앞으로 싸우며 뒤로 막잘라, 천병만마(千兵萬馬) 가운데 하사마 필마단검으로 접전

방과 패권을 다투다가 해하(垓下)에서 포위되어 자살하였다. 초패왕(楚霸王)으로도 불린다.

560) 오강(烏江) : 중국 양자강(揚子江)의 지류(支流). 귀주고원(貴州高原)에서 시작하여 중경(重慶) 동쪽을 거쳐 양자강으로 흘러든다. 초패왕(楚霸王) 항우(項羽)가 한고조(漢高祖) 유방(劉邦)에게 패해 이 강에서 자결하였다.

561) 짓치다 : 시살(弑殺)하다. 함부로 마구 치다.

하는 거동이 신기하며, 용맹과 여력(膂力)이 당세무쌍이라.

적장 오십여 인을 경각에 베고, 다만 털광대 쓴 도적으로 싸우기를 그치지 않더니, 하사마 몸을 뛰쳐 적장의 말 위에 뛰어 올라, 그 칼을 앗아 땅에 던지고 급히 털광대를 벗겨버리니, 이 문득 초왕으로 더불어 자기 삼형을 참해(慘害)하여 문호에 참화를 끼친 김탁 흉인이라. 당차시(當此時) 하여는 자기 사원(私怨)은 이르지 말고, 그 죄악이 천지에 관영(貫盈)하여 흉역(凶逆)이 이같이 나타나니, 일시를 살려둠이 분완(憤惋)한지라. 그 멱562)을 틀어잡고 큰 힘을 다하여 마상에서 휘두르기를 이윽히 하다가, 난여를 향하여 상께 주 왈,

"차적(此賊)의 죄상이 천지의 쌓을 곳이 없사온지라. 오히려 전일 도주하옴은 적은 일이니, 차적(此賊)을 일시도 살려두지 못하올 바라. 죄상을 물으려 하시거든 김후와 중광이 있을 것이니, 탁을 먼저 일만 조각에 썰어 죽이고, 김후 부자를 잡아 전전(前前) 죄상(罪狀)을 추문하심이 옳을까 하나이다."

상이 크게 놀라 계시므로, 오히려 옥색(玉色)을 정치 못하시어, 다만 '김탁을 촌참(寸斬)하라' 하실 뿐이니, 하사마 난여 아래서 김탁의 머리와 수족(手足)을 베고, 그 배를 갈라 창자를 칼끝에 꿰여 멀리 던지며, 염통을 두드려 없애고, 말에 올라 제적(諸賊)을 베고 항(降)하는 자는 구태여 죽이지 아니하여, 많은 적당을 스스로 흩어지게 할 새, 김후와 중광을 찾으매 역시 털광대를 쓰고 제 아비 죽음을 보매, 제 목숨 살기를 위하여 말을 채쳐 달아나거늘, 하사마 따라 생금(生擒)하여 김후를 마상에 눌러 타고 중광을 옆에 껴, 난여를 호위하며 흉적 여당(餘黨)을 짓치라 하고, 비로소 반열을 차려 성가가 환궁하시니, 상이 본디 요약

562) 멱 : 목의 앞쪽.

(妖藥)에 성후(聖候) 상하여 계시므로, 금일 김탁의 반형(叛形)에 크게 놀라시어 옥후가 도로 불평하시어, 난여에 내려 용전(龍殿)에 들으시며, 중광 부자를 엄히 가두고 김귀비를 액정(掖庭)563)에 하옥하라 하시며, 태자의 손을 잡아 이르시되,

"짐이 하원광 곧 아니런들 진실로 무사히 환궁함을 얻지 못하였으리니, 금일 후는 원광을 여느 신료와 같이 대접지 못하리라."

태재 황야를 붙들어 용침에 안휴(安休)하시매, 초후를 인견하시어, '흉적의 불의지변을 만나 황야 위태하시거늘 경의 덕으로 성가가 무사히 환궁하심을' 못내 일컬으시니, 초후 불감(不堪)함으로써 고사(固辭)하니, 상이 초후를 곁에서 떠나지 말라 하시고, 어수(御手)로 초후의 손을 잡아 사마를 자주 집수(執手)하시어, 이르시되,

"짐이 불명하여 석년에 경(卿) 형 삼인을 참형지하(慘刑之下)의 마치니, 차는 천대(千代)에 민멸치 못할 실덕(失德)이라. 도금(到今)하여 추회(追悔) 막급(莫及)이거늘, 경의 적심단충(赤心丹忠)과 남다른 용맹으로 적류(賊類)를 물리치고, 짐이 무사히 환궁하니, 이 다 경의 충심이라. 이 공은 범연한 곳의 비치 못하리로다."

초후 돈수배복(頓首拜伏) 왈,

"신등이 무상하여 흉적의 변을 미리 방비치 못하와 폐하 크게 놀라시니, 스스로 죄를 청코자 하옵거늘, 도리어 이렇듯 하오신 성은을 받자오니, 황공(惶恐) 불감(不堪)하와 아뢰올 바를 알지 못 하리로소이다."

상이 더욱 아름다이 여기사 물러가지 말라 하시며, 그 팔이 상함을 염

---

563) 액정(掖庭) : 액정국(掖庭局). 고려 시대에, 왕명의 전달 및 궁궐 관리를 맡아 보던 관아. 성종 14년(995)에 액정원을 고친 것으로, 충선왕 복위년(1308)에 내알사로 고쳤다가 1년 뒤 복구하였으며, 충선왕 2년(1310)에 항정국으로 고쳤다가 고려 말에 다시 환원하였다.

려하시어 약을 싸매라 하시니, 사마가 대단히 상치 않았음을 주하여, 상
후(上候)를 구호하매, 늠연한 충성이 동동촉촉(洞洞屬屬)하여 태자께 많
이 내리지 아니하니, 상이 또한 사랑하시며 총우하심이 만조의 위라. 자
주 천안이 추연하시어왈,

"짐이 정천흥을 총애함이 태자의 버금이러니, 천흥이 짐의 마음을 알
지 못하여 흉역을 일으키매, 처음 그릇 초방(椒房)564)의 가서(佳壻)를
삼아 문양의 일신이 천흥에게 매였으니, 천흥이 흉사(凶死)한즉, 공주
역적의 처실로 청춘 박명(薄命)이 금고에 희한하여, 왕희의 존(尊)과 만
승의 부귀 헛되게 되니, 어찌 참연치 않으리오."

초후 배수(拜手)565) 왈,

"금(今)에 정인흥 진영수 등의 죄명이 해연(駭然)하여 흉역을 면치 못
할 뿐 아니라, 폐하가 정·진 등을 구할 이 있으면 죄율을 같이하리라
하시니, 중신이 감히 입을 여지 못하옵는데, 신이 홀로 아뢰오미 천의
(天意)에 불합하실 바를 모르지 아니하오대, 신의 부자가 뜻을 정하여,
정천흥이 원억히 마쳐 천고충현이 참화를 받을진대, 신의 부자가 전폐
에 머리를 부숴 스스로 몸을 형벌하여, 위로 폐하의 실덕을 간치 못하
고, 아래로 정가의 은혜를 저버림을 사죄하오리니, 천흥이 비록 신의 집
에 대은을 끼쳤사오나, 그 역모가 적실하올진대, 신이 비록 불충(不忠)
이오나, 저를 위하여 죽고자 하지 아니 하올지라. 연이나 천흥의 충렬은
백일(白日)이 비추었으니, 안과 밖에 다 한가지로 추수(秋水)를 헤친듯
하여, 한 곳 애체(礙滯)함이 없으니, 당금에 석년 신의 집 화란을 구애

함이 아니라, 천심이 성명(聖明)하심으로써 정·진의 위인을 모르지 않으실지라. 천흥이 진실로 반역지심이 있을진대, 위사(衛士)를 죽여 나명(拿命)을 불수(不受)하고, 대병을 몰아 황성을 돌입할 것이요, 반역이 없는 즉, 순히 나래(拿來)하올지니, 일로 보실진대 현인과 소인을 살피시고 죄명을 핵실(覈實)하실지라. 이러한 까닭으로 신은 분분이 정가를 칭원(稱寃)치 아니하옵거니와, 천황지로(天荒地老)566)하여도 정연 부자의 위국정충은 변치 않으리이다."

상이 초후를 총우하시므로 정가를 구하되 구태여 노(怒)하지 않으시고, 다만 가라사대,

"이러나 저러나 천흥이 나래함을 기다려 죄명을 핵실함이 있으리로다."

초후 배사하더라.

이때 구몽숙이 윤학사를 마저 역모에 넣을 새, 운화산에 가 형왕과 의논하고, 종이를 펼치고 붓을 들어 흉참지설(凶慘之說)을 갖추 쓰니, 사어(辭語) 흉험하여 대역을 도모함이 극진하니, 형왕이 종이를 들어 보고 웃으며 왈,

"윤희천이 양주 적객(謫客)으로 이런 일은 전연 부지(不知)로, 액회 중하여 공연이 대역에 걸리게 되니, 어찌 우습지 않으리오."

몽숙이 역소(亦笑)하고 쓰기를 다하여 묘랑을 준데, 묘랑이 품 사이의 넣고 희천을 어지럽게 함을 맞추고 헤어지려 하더라.

이때 혜원이 주영으로 더불어 운화산 합장(閤牆) 뒤에서 엿보더니, 묘랑의 악사 점점 성하여 정·진·윤 삼문을 다 멸망코자 함을 통해할 뿐

---

566) 천황지로(天荒地老) : '하늘은 황폐하고 땅은 늙었다'는 뜻으로, '오랜 시간이 흐름'을 나타낸 말.

아니라, 주영이 더욱 가슴을 허위여567) 가로되,

"저 요괴가 변화 불측하여 우리 주인을 다 해하여 생각지 못할 간계 무궁하니, 만일 요괴를 잡지 못하면 윤·정·진 삼문의 지원극통을 신백하기 어려울까 하나니, 법사는 저 요괴를 잡게 하소서."

혜원이 소왈,

"그대 이르지 않으나 금일은 마지못하여 잡을 것이니, 수일지내의 정원수 상경할지라. 저 요정을 잡고 부인이 격고(擊鼓)568)하시면, 정·진 이문이 죄명을 벗어 화(禍)가 돌이켜질 것이요, 윤학사는 급히 잡혀 오는 변을 보지 않으시리라."

주영이 환희하여 어서 요정을 잡으라 하니, 혜원이 구몽숙과 형왕이 있는 곳에 변화하여 들어가 묘랑을 잡음이 괴로워, 몽숙이 먼저 돌아가고 묘랑은 뒤에 처져가려 하거늘, 혜원이 주영으로 더불어 따라가다가, 날이 거의 어둡고자 하고 길이 회곡(回曲)한데 다다라, 혜원이 진언(眞言)을 염하며 작법하니, 운무(雲霧) 사색(四塞)하며 광풍이 대작하여, 사람의 정신이 어질하기를 면치 못하는 가운데, 요정을 제어(制御)하는 술법이 있음으로, 묘랑이 홀연 정신이 어득하여 행보를 잘 이루지 못하여 홋걸어569) 가거늘, 혜원이 제요가(制妖歌)를 부르며 하늘께 요정을 잡게 하심을 축(祝)하고, 몸을 뛰쳐 공중에 솟으니, 오운(五雲)이 애애(靄靄)하여 혜원을 두르고, 금광(金光)이 일어나는 바에 혜원이 철삭(鐵

---

567) 허위다 : 허비다. 손톱이나 날카로운 물건 따위로 긁어 파다.
568) 격고(擊鼓) : 격고등문(擊鼓登聞). 등문고(登聞鼓)를 울려 임금께 직접 억울한 사정을 아룀. 등문고; 조선 시대에, 임금이 백성의 억울한 사정을 듣기 위하여 매달아 놓았던 북. 태종 원년(1401)에 처음으로 두었다가 이후 '신문고'로 이름을 고쳤다.
569) 홋걷다 : 산보(散步)하다. 비틀거리며 걷다.

索)을 가져 묘랑을 옭으려 하니, 묘랑이 진정 부처의 조화를 당하여 벌써 요괴로운 정신이 빠지는 듯하니, 수족을 놀닐 길이 없으되 잠깐 피하여 면코자 함으로, 몸을 흔들어 변하여 검은 새 되어 흑무(黑霧)를 몰아서 남(南) 다히570)로 향하거늘, 혜원은 백운을 타 검은 안개를 헤치고 흑조(黑鳥)를 잡으려 하니, 묘랑이 창황하여 도로 사람이 되어 근두운(筋斗雲)571)을 타 동(東) 다히로 도망가거늘, 혜원이 진력히 따라가 철삭으로 신묘랑을 옭으니, 묘랑이 평생 요술을 믿어 두려워하며 거칠 것이 없어 참아 못할 노릇이라도 안연이 하더니, 금일 혜원의 따라 잡기를 당하여는 벗어날 길이 없어, 다시 변화도 못하고 속절없이 손을 묶어 잡힘이 되니, 혜원이 재주와 힘을 다 발하여 묘랑을 잡아 철삭으로 옭아매며 꾸짖어 왈,

"요정이 진실로 본형(本形)을 드러내지 않으려 하는다? 너를 경각에 촌참(寸斬)할 것이로되 오히려 물을 말이 많으니 모름지기 나를 좇아오라."

묘랑이 부처의 정기(精氣)를 당하니, 요괴로운 정신이 아득하여 하염없이 본형을 드러내매, 천년이나 지난 늙은 여우로, 머리는 하나요, 꼬리는 일곱이라. 혜원이 통완 분해함을 이기지 못하여, 급급히 철삭을 다래여572) 묘랑을 훌그며573) 주영의 곁으로 내려서니, 주영이 묘랑의 변화함과 혜원의 신행(新行) 도술(道術)을 어린 듯이 바라보다가 도리어 정신이 황홀하더니, 이미 묘랑을 잡아 땅에 내려 바로 산사(山寺)로 향하니라. 주영이 따라 암자에 오니, 혜원이 묘랑을 옭아 윤부인 침소의

570) 다히 : 쪽, 편, 방향, 닿은 곳. 부근.
571) 근두운(筋斗雲) : 거꾸로 내려오는 구름. 근두(筋斗)치다; 곤두치다. 높은 곳에서 머리를 아래로 하여 거꾸로 떨어지다.
572) 다래다 : 당기다. 잡아당기다.
573) 훌그다 : 후려 끌다. 잡아채어 끌다. * '후리다'와 '끌다'가 합쳐진 말.

나아와 소리를 높혀 왈,

"윤·양·오 삼부인아! 빈도 금일 천고무쌍(千古無雙)한 요정을 잡아
왔으니, 부인네를 이심(已甚)히 해하던 원을 갚을 뿐 아니라, 정원수의
급화(急禍)를 구하고, 간인의 악사(惡事)가 요정의 입으로 본 듯이 드러
날 것이니, 윤·양 이부인도 자연 옥같이 벗을 것이요, 오부인도 즐거이
돌아 가시리이다."

윤·양 이 부인이 오부인으로 더불어 고금을 담론(談論)하더니, 혜원
의 말로 좇아 문을 열고 보매, 꼬리 일곱 가진 황금 같은 여우를 잡아
철삭에 옭아 왔거늘, 삼 부인이 놀라 그 까닭을 물은 데, 혜원이 비로소
윤·정·진 삼부 소식을 자세히 기록하여 두었던 고로, 이에 가져와 윤·
양 양부인을 보게 하며, 잡아온 여우가 바로 신묘랑 요승임을 고하니,
윤·양 이부인(二夫人)이 혜원의 말을 듣고, 형왕과 몽숙이 묘랑으로 더
불어 정원수 등 제인을 함해(陷害)함으로, 평남후가 대역에 걸렸음을 비
로소 들으매, 놀랍고 차악함이 일신이 떨리는 듯하고, 묘랑의 전후 요악
한 간모를 헤아리매, 통완함이 형상치 못할지라.

윤부인이 본디 제요(制妖)하는 재주 있으며, 남 다른 정기(精氣)라.
묘랑을 행여 잃을까 염려함으로, 친히 주필부작(朱筆符籍)을 써 그 등에
붙이고, 꾸짖어 승니(僧尼)의 모양이 되라 하니, 묘랑이 즉시 변하여 얼
굴이 백설 같고 양안(兩眼)이 별 같은 승니(僧尼)가 되어, 백라장삼(白羅
長衫)을 떨치며 사초(莎草)고깔574)을 숙였는지라. 은은한 살기(殺氣)와
맑은 기운과 독한 기운이 바로 보기 아니꼬우니, 윤·양 이부인이 질왈,

"요정이 이미 혜원에게 잡힘이 되었은즉, 일명이 주륙할 바를 모르지

---

574) 사초(莎草)고깔 ; 사초(莎草) 곧 왕골과 같은 사초류(莎草類) 풀로 만든 고깔.
    *고깔; 승려나 무당 또는 농악대들이 머리에 쓰는, 위 끝이 뾰족하게 생긴 모자.

않으리니, 빨리 전전 죄악을 낱낱이 고하고 은닉치 말라.”

묘랑이 앙천 탄 왈,

“내 평생 자부하여 재주 한갓 운중자(雲中子)[575]와 귀곡(鬼谷)[576]에 내림이 없을까 하여, 천상 인간을 다 통하여도 나를 잡으며 제어할 자(者)가 없을까 하더니, 어찌 도리어 활인암 니고에게 잡힐 줄 생각하였으리오.”

혜원이 분매(憤罵)하여 달려들어 윤학사의 위조서간(僞造書簡)을 빼앗아 윤부인께 드리고, 꾸짖어 왈,

“전전 과악을 고하라.”

하니, 묘랑 왈,

“내 재주 용렬하여 그대에게 잡혔으니 다시 무슨 말을 하리오. 다만 내 입을 여는 날이면, 윤부인의 조모와 숙모의 허다 악사 드러나리니 이르지 못하리로다.”

혜원이 대로(大怒)하여 쇠채[577]를 들어 묘랑의 대골로부터 일신을 피 나게 두드려 왈,

“내 본디 일생 도를 수련하고 사람으로 더불어 싸워본 일이 없더니, 너는 천하에 희한한 요물이요, 죄악이 천지의 쌓을 곳이 없으매, 시러금[578] 한번 두드림을 면치 못하나니, 정·진 양문을 해하려 도모하던 바는 네 이르지 않으나, 내 이미 아는 바거니와, 윤부인의 조모와 숙모

---

575) 운중자(雲中子) : 중국 종남산(終南山)에 산다는 상상적인 신선이름. 중국소설 〈봉신연의(封神演義)〉에 나온다.

576) 귀곡(鬼谷) : 중국 전국 시대 초나라의 종횡가. 은신하던 지방인 귀곡(鬼谷)을 따서 호로 삼았으며, ≪귀곡자(鬼谷子)≫ 3권을 지었다고 한다.

577) 쇠채 : 쇠로만든 채찍.

578) 시러금 : 이에, 능히

를 꾀와 무슨 못할 노릇을 하였관데 이렇듯 공교히 꾸미느뇨?"

묘랑이 아픔을 이기지 못하여, 이에 유부인 고부(姑婦)579)를 도와 허다 간교한 행악과 문양공주를 꾀와 평남후의 처첩자녀(妻妾子女)를 다 없이함을 이르고 빌어 왈,

"제자가 일심(一心)을 그릇 먹어 재물을 탐함으로, 죄를 신명께 얻고 몸이 이 지경에 미치니 화(禍)가 장차 어디에 미치리오. 연(然)이나580) 회과불인(悔過不仁)581)은 성교(聖敎)의 허하신 바라. 사부는 대자대비(大慈大悲)하시어 죄를 사하실진대, 정도(正道)에 나아가 다시 사나운 마음을 먹지 않으리니, 일명을 사(赦)하소서."

이때 혜원이 묘랑의 말을 들을수록 통해하고, 윤부인은 조모와 숙모의 악사를 양·오 이부인이 낱낱이 들으매 참괴하거늘, 남후의 급화를 구하려 요정을 잡아 나라에 드리게 되었으니, 위·유 이부인의 만상(萬狀)582) 강포지악(强暴之惡)이 만성(萬姓)583)의 들레는584) 바를 스스로 낯이 달아오르고 몸이 베는 듯하되, 뜻을 정하여 평남후의 대화(大禍)를 구하고, 자기 스스로 요인을 국가에 바쳐 조모와 숙모의 과실을 드러나게 한 허물과 부끄러움을, 한번 죽어 모르고자 함으로, 도리어 사기(辭氣) 태연(泰然)하여 요정 잡음만 다행하니, 어찌 천사만려(千思萬慮)의 남다른 비회를 나토리오585).

이에 묘랑을 수족을 잠가 능히 벗어날 길이 없게 하니, 양부인은 정·

---

579) 고부(姑婦) : 시어머니와 며느리를 아울러 이르는 말. 늑고식04(姑媳).
580) 연(然)이나 : 그러나. 앞의 내용과 뒤의 내용이 상반될 때 쓰는 접속 부사.
581) 회과불인(悔過不仁) : 허물과 어질지 못한 행동을 뉘우치는 것.
582) 만상(萬狀) : 온갖 모양. 온갖.
583) 만성(萬姓) : 온갖 성씨 곧 만민(萬民).
584) 들레다 : 야단스럽게 떠들다. 널리 알려지다.
585) 나토다 : 나타내다.

진 이문 화를 구하고 각각 신누(身陋)를 벗을 바를 행열(幸悅)하나, 윤
부인 심회는 이를 것이 없더라.

익설, 선시에 위사(衛士)가 정원수를 함거(檻車)에 실어 올라오니, 황
야의 옥후(玉候) 평복(平復)하시므로, 정원수 잡아옴을 들으시고 바로
친국엄문(親鞫嚴問)하려 하실 새, 태학사 위현은 구몽숙의 간계는 다 알
지 못하되 원간 소인이라. 투현질능(妬賢嫉能)함이 저에서 승(勝)한 자
를 꺼려 미워하는 품(稟)이 있고, 구몽숙과 가장 호간(好間)586)이라. 몽
숙의 다래는587) 말을 듣고 정·진 이문을 대역지가(大逆之家)로 치우는
지라. 저의 당류 오륙 인과 몽숙으로 더불어 열명상소(列名上疏)588)하
여, 정천흥을 부질없이 국문치 마시고 바로 처참효시(處斬梟示)하여 그
죄를 정히 하심을 청하니, 상이 그 소를 보시고 비답(批答)589)에 충성
됨을 칭찬하시되, 천흥을 바로 참함은 듣지 않으시니, 구몽숙이 정원수
죽이고자 함이 착급 초조하기에 미쳐, 다시 청대(請對)하여 왈,
"신이 천흥으로 더불어 정의(情誼) 골육동기 같아서, 아시에 한 그릇
에 음식을 먹고, 일침(一枕)에 밤을 지내고, 정가와 진광의 은혜 중함
이, 신 같은 혈혈무의(孑孑無依)한 인생을 거두어 기른 덕을 받으니, 이
른 바 하늘이 낮고 땅이 좁은 덕음(德音)이라. 마땅히 정·진 등 제인이
아무리 정의 중하여도, 위인신자(爲人臣者)하여, 차마 대역을 안연(晏
然)이 교도(交道)의 심다(甚多)함을 꺼려, 군은(君恩)을 저버리오미 또한

---

586) 호간(好間) : 서로 좋은 관계를 갖고 지내는 사이.
587) 다래다 :① 달래다. 꾀다. ②당기다. 잡아당기다.
588) 열명상소(列名上疏) : 여러 사람이 연명(連名)으로 올리는 상소. 열명(列名);
　　　여러 사람의 이름을 나란히 벌여서 적음.
589) 비답(批答) : 임금이 상주문의 말미에 적는 가부의 대답.

대역(大逆)의 일류(一類)라. 고로 우충(愚忠)이 격발(激發)하는 바에 소소(小小) 사은(私恩)을 돌아보지 못하옴이니, 복원 성상은 빨리 처참(處斬) 효시(梟示)하시어, 불의지변을 방비하소서."

상이 미급답(未及答)에 초평후 하원광이 주왈,

"신수불충(臣雖不忠)이나 군상(君上)을 돕사오미 관인정도(寬仁正道)가 아닌즉 입을 엷이 없삽고, 친현신원소인(親賢臣遠小人) 하심을 진정으로 바라오대, 구몽숙 같은 소인이 있는 연고로, 성주의 일월지총(日月之聰)을 가리고, 충현을 함해함이 용납할 땅이 없게 하는지라. 정천흥의 관일정충(貫一貞忠)으로써 남에서 뛰어난 일은 못한들, 결단하여 모역(謀逆)은 하지 않을 것이요, 저의 수하(手下)에 삼만정병(三萬精兵)과 십원명장(十員名將)을 거느렸고, 천하병마사(天下兵馬使)로 구주대병(九州大兵)을 가음아니590), 비록 위사 나명을 전할지라도, 들으며 즉시 함거의 죄인으로 잡혀 올 니 없사오니, 복원 성상은 명찰하소서."

상이 미급답(未及答)에, 몽숙이 변색 왈,

"정천흥의 역모는 이미 드러났거늘, 그대 군상께 내 홀로 적발한 양으로 고하니, 신자의 도리 아니로다."

초후 봉안을 흘리 떠 몽숙을 보고, 차게 웃으며 왈,

"그대 무슨 일로 충량(忠良)을 함해코자 하느뇨?"

몽숙이 대로(大怒)하여 낯을 붉히고 크게 겨루고자 하거늘, 상이 엄정이 이르시되,

"하경이 비록 역적(逆賊)을 구하나 그 소견이 구경과 내도하여, 정가를 진정 애매한가 여김이오. 구경의 준급함을 배척함이니, 구경이 과히 노할 일이 없으니, 짐이 정천흥을 금일 국문코자 하였더니, 양경(兩卿)

---

590) 가음알다 : 관장(管掌)하다. 어떤 일을 맡아 다스리다.

이 심히 다투고 날이 저물었으니, 명일 죄인을 올려 물으려 하나니, 물러갔다가 명일 모이라.”

몽숙이 분하고 애다오나 하릴없어 물러나고, 초후도 퇴하여 집으로 돌아가매, 정국공이 평남후가 잡혀 왔음을 물어 알고, 즉시 조의(朝衣)591)를 입고 금궐에 들어와 청대(請對)하여, 정천흥의 지원극통을 주하매, 말씀이 사리의 당연하고 기운이 열렬(烈烈)하여 서리592)를 업신여길지라. 상이 탄하여 가라사대,

“경이 이다지도 이르지 아니하나, 천흥은 짐의 사위라. 왕법이 사사(私私) 없어 부득이 다스리려 하거니와, 짐이 공주를 위하여 참연한 뜻이 없으랴?”

하공이 정원수의 충절을 누누이 주하여 죄명이 허무(虛無)함을 일컫더니, 궐문 밖에 북해를 정벌하고 돌아온 부원수 이해(以下) 석고대죄(席藁待罪)함을 환시(宦侍)가 고하니, 상이 놀라 가라사대,

“천흥은 역적인 고로 나수(拏囚)하였거니와, 부원수 이하는 만리 새북(塞北)의 흉봉(凶鋒)을 소탕한 공이 있고 죄 없거늘, ‘무슨 연고로 죄를 청하는고?’ 물으라.”

하시니, 부원수로부터 말좌(末座) 장졸(將卒)에 이르기까지 여출일구(如出一口)히 아뢰기를,

“대원수 정천흥의 덕화가 삼군 장사에 덮혀, 바람이 적자(赤子)의 어미 바람 같음은 이르도 말고, 국가의 주석고굉지신(柱石股肱之臣)이라.

---

591) 조의(朝衣) : 공복(公服). 조복(朝服). 삼국 시대부터 관원(官員)이 평상시 조정(朝廷)에 나아갈 때 입던 제복. 신라 진덕 여왕 2년(648)부터 착용하기 시작하였는데, 머리에는 복두를 쓰고, 곡령(曲領)에 소매가 넓은 옷을 입었으며, 손에는 홀(笏)을 들었다.
592) 서리 : 대기 중의 수증기가 지상의 물체 표면에 얼어붙은 것.

이미 위엄이 서고 덕이 행하여, 기치(旗幟)와 절월(節鉞)이 향하는 바에
귀순치 않을 자가 없고, 북이(北夷)의 세(勢) 강장함으로도 속절없이 기
(旗)를 뉘고 갑(甲)을 벗어 항복하니, 신등이 옛 명장의 용병함은 보지
못하였거니와, 당시에는 천흥을 당할 자가 없을지라. 인심이 흡연히 '물
이 동으로 흐름'593) 같되, 천흥이 공근하고 겸손함이 날로 더하여 검박
(儉朴)하기를 위주하니, 백행(百行)에 한 허물도 없을 뿐 아니라, 울연
(蔚然)한 정충이 몸을 죽여 나라를 갚고자 하며, 군상 우러름이 그 부모
에서 더하여, 만리 전진(戰陣)에 누월 조회를 참예치 못함을 혈심진정으
로 울결(鬱結)하여, 사친지회(思親之懷)와 다름이 없음은 사졸이 다 한
가지로 아는 바이거늘, 간악한 소인이 충현을 시애(猜礙)하여 참혹한 누
얼(陋孼)을 신게 하니, 입공승전(立功勝戰)하여 개가(凱歌)로 회군하던
즐거움이 없는지라. 신등이 종시를 채594) 보아 정천흥이 누얼을 벗지
못하고 지원극통을 품어 죄사(罪死)할진대, 신등이 따라 죽어 그 어진
덕을 갚고자 하오며, 사람이 미(微)하고 충성되지 못하여, 성주의 실덕
을 간(諫)치 못하여 충현을 화에서 건지지 못한 허물을 면코자 하옵나
니, 바라건대 천지 부모는 일월지명으로써 정천흥의 누명이 애매함을
생각하시어, 대공(大功)이 있는 신자로하여금 참화에 떨어지게 마소서."
　상이 청파에 그 천흥을 위함이 이 같음을 더욱 의심하시어, 정원수를
크게 바람이 있어 천하를 도모함인가 여기시니, 정국공이 천의를 스치

593) 물이 동으로 흐름 : 중국의 하천은 대부분 서쪽에서 발원하여 동쪽으로 흐른
　다. 즉 서쪽은 높고 동쪽은 낮아 '물이 동(東)으로 흐르는 것'은 지극히 자연스
　러운 일이다. 여기서 '물이 동으로 흐름'은 민심이 절로 한 사람에게 쏠리고 있
　음'을 나타낸 말이다.
594) 채 : 미처. 아직. 어떤 상태나 동작이 다 되거나 이루어졌다고 할 만한 정도에
　아직 이르지 못한 상태를 이르는 말.

고 재삼 정가의 원억함을 주하니, 상이 침음양구(沈吟良久)에 이르시되,

"경의 부자가 정가를 칭원(稱寃)함이 이렇듯 하나, 천흥의 역모는 여러 가지로 흉참하니, 다만 저를 올려 물을 때에 자세히 알리니, 물러가라."

하공이 천성이 항항열일(伉伉烈日)[595]한 것을 참지 못하여, 다시 황상의 실덕하심을 주하고, 날이 어두운 후 물러나 궐문 밖에 의막(依幕) 잡아 있더라.

상이 내전에 들으시어 정·진 등 처치할 바를 그윽이 생각하시어, 그 역모 적실한 줄로 아시고, 정병부의 위인이 만고에 희한함을 깊이 염려하시어, 비록 공순히 잡혀 왔으나 그윽한 가운데 무슨 변을 지을까 염려하시되, 태자가 정·진 등의 원억함을 힘써 간하여 하원광 부자의 뜻과 같으시니, 상이 탄식하고 이르시되,

"짐이 평일에 정천흥 총우함이 만조에 솟아나더니, 그 흉역이 극악하기의 미처는 마지못하여 다스리고자 함이라. 정천흥 부자 형제와 진영수 등을 올려 묻고, 여승의 고변함을 일러 간정(奸情)을 자세히 물으리라."

태자, 천흥의 원굴(寃屈)함을 재삼 아뢰시더라.

구몽숙은 신묘랑으로 하여금 윤학사 해할 서간을 맡겨두고, 수일이 지나되 기척이 없어, 신묘랑의 그림자도 보지 못하니, 몽숙이 괴이함을 이기지 못하여, 친히 선경사에 가 찾되 역시 자취 묘망(渺茫)타 하는지라. 본디 저의 죄악이 많으므로 묘랑이 아무데나 가 투탁(投託)하여 저의 과악을 창설할까 자겁(自怯)하더라.

---

595) 항항열일(伉伉烈日) : 기개가 매우 굳고 세참.

혜원니고는 묘랑을 잡아 가두고 정원수의 잡혀오기를 기다리더니, 이미 함거의 실려 올라와 바로 대리시(大理寺)로 듦을 알고, 소문을 널리 듣보아 원수 잡혀오는 날 황상이 설국친문(設鞫親問)하려 하시다가, 일세(日勢) 늦고 하·구 양인이 다투므로, 명일 형위를 베풀어 정·진 등 제인을 다 국문하려 하심을 자세히 알아, 윤·양 이부인께 고하니, 윤부인이 묘랑을 잡아 정·진 이문의 신원(伸寃)이 쾌할 바를 기뻐하나, 조모와 숙모의 과악이 자기로 인하여 들어날 바를 그윽이 슬퍼, 차라리 목숨을 그쳐 조모와 숙모의 죄명을 듣지 말려하더라.

정원수의 잡혀옴과 명조(明朝)에 친국(親鞫)하려 하심을 듣고, 즉시 손가락을 찢어 피를 내 혈소(血疏)를 지을 새, 지원극통을 베풀며 구몽숙과 형왕의 궁흉극악을 갖추 쓸 새, 필하의 주옥이 분분하여, 난봉(鸞鳳)이 춤추며, 철사(鐵絲)를 드리운 듯, 자획이 찬란하고, 사어(辭語)가 명쾌(明快) 자세(仔細)하여, 한 곳 몽롱함이 없으니, 양씨 탄지칭선(歎之稱善)하며 오씨 또한 흠앙경복(欽仰敬服)하고, 윤부인이 수지(手指) 중상(重傷)하였으니, 양인이 다 염려하여 약을 싸매라 하되, 윤씨 듣지 않고 유자(幼子)를 어루만져 이윽히 비상(悲傷)하다가, 날호여 양씨를 향하여 왈,

"첩이 부인으로 더불어 명위적국(名爲敵國)이나, 피차 정의를 이를진대 골육동기에 감치 않은지라. 외람히 '황영(皇英)의 고사(故事)'[596]를 효칙하여 백년의 즐김을 길이 바라더니, 첩의 명도 기구하여 사람의 당치 못할 경계를 많이 지내고, 시금의 또 당한 바 살고자 의사 없으니, 설사 첩이 장수치 못하여 혹자 일찍 죽음이 있어도, 부인이 있으니 유아

---

596) 황영(皇英)의 고사(故事) : 중국 요(堯)임금의 두 딸인 아황(娥皇)과 여영(女英)이 함께 순(舜)에게 시집 가, 서로 화목하며 순임금을 섬겼던 일.

(幼兒)에게 첩이 있음과 어찌 다르리오. 일생일사(一生一死)는 천리(天理)에 떳떳하고, 첩이 본디 세념(世念)이 적으니, 비록 명일 죽는다 하여도 슬픈 일이 없으되, 구고존당(舅姑尊堂)의 양춘혜택(陽春惠澤)을 갚삽지 못하고, 혈혈(孑孑)한 자모(慈母)의 지극한 정을 그침이 통할(痛割)하도다."

양씨 윤부인 말씀이 괴(怪)함을 가장 놀라고 깃거 않아, 문득 척연 왈,

"첩이 부인으로 더불어 동렬(同列)이 된 지 팔년에, 지극한 정이 진실로 골육동기에 지나고, 화란 중 서로 의지하여 피차의 슬픈 회포를 위로함이 되고, 혜원 사부의 구활한 은덕으로 사문(寺門)에 여러 일월을 보내어 유치(幼稚)의 자람을 두굿기고, 풍운의 길시를 바라거늘, 부인이 어찌 불길한 말씀을 하시느뇨? 첩이 생각건대, 묘랑을 잡으매 그 입으로 좇아 나는 말이 무상(無狀)하여 영존당(令尊堂)을 해함이 많으리니, 부인이 대의를 굳게 하여, 묘랑을 잡아 바치고, 격고등문(擊鼓登聞)[597]코자 하시나, 영존당의 해로움을 슬퍼하여 스스로 살고자 마음을 두지 않으시니, 차라리 부인이 산사에 계시면 첩이 격고(擊鼓)하여 묘랑을 바치고, 천문(天門)의 결사(決事)하심을 보고자 하나이다."

윤씨 탄 왈,

"첩이 묘랑 잡은 줄을 알지 못하여서, 부인이 구가의 급화를 구코자 하여 격고(擊鼓)하시면 하릴없거니와, 첩이 아는 바를 조모와 숙모께 유해(有害)타 하여, 부인에게 하도록 시키고 첩이 물러 있을진대, 간사키를 면치 못함이니, 부인은 이런 말을 마소서."

---

597) 격고등문(擊鼓登聞) : 등문고(登聞鼓)를 울려 임금께 직접 억울한 사정을 아룀. *등문고; 조선 시대에, 임금이 백성의 억울한 사정을 듣기 위하여 대궐의 문루(門樓)에 매달아 놓았던 북. 태종 원년(1401)에 처음으로 두었다가 이후 '신문고'로 이름을 고쳤다.

양씨 그 언사를 수상히 여겨 염려함이 없지 않되, 이미 격고하기를 뇌정(牢定)하였으니 능히 말리지 못하여, 새도록 손을 잡고 참연한 심회를 금억치 못하며, 윤씨는 죽음을 결(決)하여 천수만려(千愁萬慮)를 머무르지 않으나, 다만 모친을 생각하매 눈물을 금치 못하더라.

이미 효계(曉鷄) 창명(唱鳴)하매, 윤씨 혜원으로 하여금 묘랑을 잡아 뒤를 좇으라 하고, 자기는 주영 모녀로 더불어 먼저 성내(城內)로 들어갈 새, 양씨와 오씨 암자 문까지 나와 보내매, 홀연한 마음을 이기지 못하여, 양씨의 이러함은 괴이치 아니하거니와, 오씨의 울결(鬱結)함은 전혀 윤부인 성행사덕(性行四德)과 숙자인풍(淑姿仁風)을 깊이 흠앙하여 높은 스승같이 하던지라, 금일 떠나매 다시 모이기 어려움을 척연(慽然)하여 의의(依依)하더라598).

윤부인이 궐하의 다다라, 잠깐 친국하는 소식을 알려 의막(依幕)599)을 잡아 쉬고, 혜원이 묘랑을 결박하여 끌고 성내에 들어오니, 그 요술을 제어(制御)하여 아무 데도 움직이지 못할 뿐 아니라, 윤부인의 제요가(制妖歌)가 그 등에 붙어 떨어지지 않게 하니, 묘랑의 요괴로운 신행(神行)이 발뵈지600) 못하더라.

황상이 이날 금위관(禁衛官)을 모으시고 크게 천위를 베풀어 위의를 엄숙히 하신 후, 정·진 등 제죄인(諸罪人)을 다 올리라 하시니, 허다 나졸이 상명을 응하여 진공의 삼 곤계와 진태우 등 군종 형제며, 금평후 사부자(四父子)를 궐정에 올릴 새, 다 칼 아래 죄수로 몸에 대역지명(大

598) 의의(依依)하다 : 헤어지기가 서운하다.
599) 의막(依幕) : 임시로 거처하기 위해 마련한 막사.
600) 발뵈다 : 발을 보이다. 드러내다. 착수하다. 하수(下手)하다. 이루다.

逆之名)을 싣고, 군상의 통해 분완하심이 장차 주륙(誅戮)고자 하는 지
경이로되, 낙양후 부자의 늠연한 신광(身光)과 출류(出類)한 기상은 개
개히 관옥승상(冠玉丞相)601)이요, 헌아사인(軒雅舍人)602)으로, 태평성
대에 청현명공(淸賢名公)이 될 바이거늘, 금평후의 단엄침중(端嚴沈重)
한 거동과 숙연예중(肅然禮重)한 위의는, 비록 참참(慘慘)한 누얼 가운
데라도 감(減)함이 없어, 동용(動容)이 안서(安舒)하고 사기(辭氣) 태연
(泰然)하여 망극한 화변을 모름 같거늘, 예부의 온중정대(穩重正大)함과
학사의 쾌활상랑(快活爽朗)함이, 각각 사생지제(死生之際)에 요동(搖動)
하는 마음을 두지 아니하니, 하물며 원수의 중산지중(重山之重)과 하해
지심(河海之心)으로, 어찌 액수(厄數)를 알지 못하여 일시 화란을 설설
(屑屑)603)이 슬퍼하리요마는, 구별지여(久別之餘)에 부자형제 서로 대
하매, 이 같이 참참한 경색(景色)이라.

　원수의 출천지효로 금일 그 부친이 대리시 누옥(陋獄)으로 좇아 칼을
메고 허다 나졸에게 끌려 정하(庭下)에 꿇음을 당하여, 효자의 촌장이
구비구비 사라져 망극통절(罔極痛切)함이 실성비읍(失性悲泣)함을 면치
못할 것이로되, 마음을 굳게 잡아 머리를 숙이고 눈을 낮추어, 비척한
사색을 나토지 아니하니, 천일(天日)의 의의(猗猗)한 기상과 태산이 암
암(巖巖)한 거동이, 구석604)과 가605)을 엿보지 못하고, 용봉자질(龍鳳
資質)이 죄수의 모양일수록 더욱 기이하여, 만고(萬古)를 기우려 둘이

---

601) 관옥승상(冠玉丞相) : 관옥(冠玉: 관을 꾸미는 옥)처럼 아름다운 풍채를 지닌
　　　승상. *승상(丞相); 우리나라의 정승에 해당하는 중국의 벼슬.
602) 헌아사인(軒雅舍人) : 풍채가 뛰어나게 아름다운 사인 벼슬아치. *사인(舍人);
　　　조선 시대에, 의정부에 속한 정사품 벼슬.
603) 설설(屑屑)하다 : 자잘하다.
604) 구석 : 모퉁이의 안쪽. 마음 속.
605) 가 : 경계에 가까운 바깥쪽 부분.

없는 풍신용화(風神容華)라. 흉중(胸中)에 경천위지(經天緯地)하며 제세
안민(濟世安民) 할 덕화를 감추고, 복중(腹中)에 만권(萬卷) 시서(詩書)
를 장(藏)하여 백행예의(百行禮儀)가 외모에 나타나니 궁흉모역(窮凶謀
逆)은 비겨 이르도 말고, 반점 불의비법(不義非法)의 거조가 없음은 묻
지 않아 알지라. 상이 다른 죄인은 오히려 묻기를 어려이 여기지 아니하
시대, 정병부에 다다라는 전일 총우(寵佑)하심이, 문왕(文王)606)의 여
상(呂尙)607)과 고종(高宗)608)의 부열(傅說609) 같고, 겸하여 금전여서
(禁殿女壻)로 사정(私情)의 각별하심을 또 어찌 이를 바이리오. 당차시
(當此時)하여 그 흉역이 분명함으로 아심이 되어, 대역을 다스리고자 하
시매, 아주 사정을 베시어 공주의 일생도 여념(慮念)치 못하시는지라.
　이에 금평후와 낙양후 등 삼인을 책하여 가라사대,
　"짐이 경 등을 저버린 일이 없고 총우함이 융성(隆盛)하거늘, 무엇이
부족하여 영수 등과 천흥을 가르쳐 그윽이 흉역을 꾀하고, 상자(相者)에
게 여차여차 서간을 부쳐 국가를 반함이 그 지경에 미쳤으니, 짐이 마지

---

606) 문왕(文王) : 중국 주나라 무왕(武王)의 아버지. 이름은 창(昌). 기원전 12세기
　　경에 활동한 사람으로 은나라 말기에 태공망 등 어진 선비들을 모아 국정을
　　바로잡고 융적(戎狄)을 토벌하여 아들 무왕이 주나라를 세울 수 있도록 기반을
　　닦아 주었다. 고대의 이상적인 성인 군주의 전형으로 꼽는다.
607) 여상(呂尙) : '태공망(太公望)'의 다른 이름. 여(呂)는 그에게 봉해진 영지(領地)
　　이며, 상(尙)은 그의 이름이고 성은 강(姜)이다. 중국 주나라 초기의 정치가로
　　무왕을 도와 은나라를 멸하고 천하를 평정하였다. 저서에 ≪육도(六韜)≫가
　　있다.
608) 고종(高宗) : 중국 은(殷)나라 제22대 임금. 이름은 무정(武丁). 꿈에 나타난
　　현신(賢臣)의 초상화를 그려 부열(傅說)이라는 훌륭한 신하를 등용하고 정사를
　　바로잡아 은나라를 부흥시켰다.
609) 부열(傅說) : 중국 은(殷)나라 고종(高宗) 때의 재상(宰相), 토목(土木) 공사(工
　　事)의 일꾼이었는데, 당시(當時)의 재상(宰相)으로 등용(登用)되어 중흥(中興)
　　의 대업을 이루었음.

못하여 다스림이니, 경 등은 형벌의 괴로움을 당치 말고 전전(前前) 악사를 다 고하라."

정·진 사공(四公)이 상교(上敎)를 듣잡고 돈수(頓首) 청죄 왈,

"신 등이 무상(無狀)하와 자질(子姪)이 연기(年紀) 유충한 때에 과갑을 허하여, 각각 용루(龍樓)에 비등(飛騰)하오매 조물(造物)이 미워하여 망극한 화앙(禍殃)을 내리오미라. 당차지시(當此之時)하여 신 등의 욕심이 그칠 줄을 알지 못하던 바를 천 번 뉘우치나 능히 미칠 길이 없고, 지어(至於) 모역지사(謀逆之事)는 한갓 형벌의 괴로움은 의논치 말고, 부월(斧鉞)의 주(誅)하고 정확(鼎鑊)의 삼길지언정, 차마 않은 노릇을 하였노라 무복(誣服)튼 못 하오리니, 다만 신 등의 작록(爵祿)을 탐(貪)하던 바를 엄히 다스리시고, 흉역지사(凶逆之事)로 신 등의 좋은 마음을 더럽히지 마소서."

사공이 주파(奏罷)에 안모 씩씩하고 사기(辭氣) 숙엄(肅嚴)하여, 만승의 위엄이라도 다시 죄를 묻기 어려운지라. 상이 돌아 평남후를 책하시어 왈,

"여부(汝父) 비록 애매함을 일컬으나, 너의 흉역이 도도히 드러나, 짐의 용포(龍袍)와 옥새(玉璽)를 세흥이 미리 도적하여 네 거처하던 서당에 감추고, 오왕이 네 집 노자(奴子)의 길 넘음을 인하여 여차(如此)한 서간이 잡힘이 되고, 북주 자사(刺史)의 고변이 급하매, 의심이 중하여 네 집을 뒤매, 반역지의(叛逆之意)로 시사(詩詞)를 창화(唱和)한 것과 용포 옥새를 다 얻어 내고, 구몽숙이 상자를 잡아들이거늘, 엄히 추문하려 하였더니 그 요괴로운 도사가 여차여차 이르고 도망하니, 변새(變事) 불측(不測)하여 잡을 길이 없고, 모야(暮夜)에 침궁에 들어와 흉변을 지으려 하다가, 제 도리어 달아나고 금낭(錦囊)이 떨어져, 두 장 서사(書辭)가 다 모역을 낭자(狼藉)히 의논하였으니, 네 온 가지로 감추려 하여도

짐이 세세히 다 알았으니, 능히 발명치 못할지라. 너더러 묻지 않고 바
로 처참 효시하여 후세 난신적자(亂臣賊子)를 징계함이 마땅하되, 짐이
오히려 전후 흉역지사를 자세히 묻고 죽이려 함이라. 모름지기 한 일도
은닉치 말라."

　정병부 부복 대주 왈,

　"폐하께서 신을 바로 참효(斬梟)610) 치 않으시면, 역적을 다스리는 도
리 원정(原情)을 받으신 후 물으시는 것이 옳고, 비록 원정을 받지 않으
셔도 엄히 국문하시어, 골육이 미란(靡爛)키에 이르게 하신 후 물으심이
마땅하오니, 어찌 형벌 전에, 다만 신의 마음이 백일(白日)이 비추었으
되, 폐하는 대역난신(大逆亂臣)으로 아시어 삼족을 주멸(誅滅)할지라도,
신은 앞이 굽지 않고 지은 죄 없음을 인하여, 죽어 영백이 천대(泉臺)
아래 돌아가도, 용봉(龍逄)611) 비간(比干)612)의 뒤를 따르나 부끄럽지
아니 하오되, 다만 개연(慨然)한 바는 다른 일이 아니라, 신이 연기(年
紀) 이칠(二七)에 용루(龍淚)에 어향(御香)을 쏘이고, 더러운 자취 경악
(經幄)에 근시(近侍)하여 성총(聖寵)이 융융(融融)하심을 당하오되, 신이
한 일도 군상을 돕삽지 못하고, 신의 행신이 미덥지613) 아니 하오므로,
폐하께서 신을 망측한 죄루에 의심하시고, 기괴(奇怪)하고 가소로운 일
을 신이 한 바로 아시니, 신이 누누(累累)히 발명하오미 구차하온지라.
그러나 성상 실덕이 여차하시니 어찌 간치 않으리까? 신이 설사 극악하

---

610) 참효(斬梟) : 죄인의 목을 베어 높은 곳에 매달아 놓음. 또는 그런 형벌
611) 용봉(龍逄) : 중국 하(夏)나라 마지막 왕인 걸왕(桀王) 때의 충신. 이름은 관용
　　봉(冠龍逄). 걸왕의 폭정을 직간하다가 주살(誅殺) 당했다.
612) 비간(比干) : 중국 은(殷)나라 마지막 왕 주왕(紂王)의 숙부(叔父). 현인(賢人).
　　주왕의 폭정을 직간하던 중, 대로한 주왕이 '옛부터 성인은 심장에 구멍이 7개
　　가 있다는데 정말 그러한가 보자'며 그의 심장을 도려내어 죽였다 함.
613) 미덥다 : 믿음성이 있다.

여 모역(謀逆)함이 있을지라도, 일을 반드시 주밀(周密)이 하여 행여 소
문날까 두려워할 것이요, 경사에 있는 때에 병권을 총령(總領)하니, 그
윽한 가운데 변을 지으리니, 어찌 만리(萬里) 해북(海北)에서 이적(夷狄)
과 동심하여 흉모를 행하며, 비록 북이(北夷)와 동심함이 있어도, 대군
을 몰아 승전(勝戰) 반사(班師)하기를 이름하여 돌아오면 의심할 바 없
거늘, 해북 제북(諸北)에 반서(叛書)를 돌려, 어찌 고변함이 있을 바를
생각지 못하오며, 신제(臣弟) 등이 용포와 옥새를 도적함이 신을 위함이
라 하시나, 비록 궁흉한 의사 있어 천위를 찬탈코자 하는 지경이라도,
신이 그런 뜻을 이루는 날이면 용포와 옥새는 자연 돌아올 것이거늘, 미
리 도적하여 얻어내기 쉽게 서재에 두었으며, 흉역지의(凶逆之意)가 있
다고 한들 낭자히 시사(詩詞)에 들놓아 스스로 멸망지화를 취코자 할 마
음이 없을 것이요, 신의 상모 폐하의 이르신 바와 같을지라도, 불측한
적심(賊心)이 있으면 내념(內念)에 그리 여기나 인신(人臣)이 되어 남더
러 제 상모를 그대도록 기려 외람한 곳에 견주어 비길 인사는 없을 듯하
옵고, 그 상자(相者)가 진실로 신의 상모를 그같이 칭찬함이 진실할지라
도, 그 간술(奸術)이 능히 어전에서 변화하여 달아날 신술(神術)이 있으
면, 구몽숙이 능히 잡을 바 아니요, 진실로 잡았을진대, 그 잡는 재주로
써 단단이 지킬 바이오니, 폐하의 일월지명이 부운(浮雲)에 옹폐키를 면
치 못하와, 이런 간사한 마디를 사무치지 못하심이니, 이는 전혀 소인
(小人)과 영신(佞臣)을 가까이 두신 연고라. 그 요괴로운 상자(相者)가
심야에 칼을 비껴 대변을 짓고자 하다가 도망할진대, 그런 비상한 재주
로 또 무슨 잡힐 리 있으며, 또 의괴(疑怪)한 바는, 무슨 까닭으로 금낭
(錦囊)이 떨어져 두 장 흉서를 공교히 폐하의 안탑(案榻)에 어람케 하오
며, 신의 제제(諸弟) 등이 모역하는 서간을 신에게 부치노라 노자를 보
내어도, 그런 중난(重難)한 서간을 난만이 허수케614)하여 보낼 일도 없

고, 또는 길을 에워615) 보내거나 그렇지 아니면 차라리 바른 길로 취운
산으로서 바로 북으로 감이 옳거늘, 부질없이 십자가(十字街)에서 오왕
전하의 행하시는 길을 건널 일이 없고, 비록 길을 건너도 그 서간을 짐
짓 빠뜨리지 아니 하오리니, 어찌 일이 거칠기를 취하여 서간을 빠뜨리
고, 신의 집 노자임을 일일이 고하여, 다시 묻지 못하여서 무슨 재간으
로 옥리를 속이고 월옥도주(越獄逃走)하였으리까? 일마다 진실로 삼척
(三尺)616)도 곧이들을 말씀이 아니라. 신이 누명을 애달아하는 것이 아
니라, 일신에 참형을 받으며 삼족이 굿길 바를 슬퍼함도 아니요, 폐하의
실덕하심을 애달아 혈심진정(血心眞正)으로 설워하옵나니, 신의 사생유
무는 불관하거니와, 성주는 신민의 선악현우(善惡賢愚)를 자세히 살피시
고, 죄의 경중을 헤아리심 직하오니, 신은 다만 작녹을 탐하여 젊은 나이
에 위권(威權)이 과도하오되, 물러남을 얻지 못 하옴이 죄로소이다."

언주(言奏)하기를 마치매, 그 추상천(秋霜天)같은 위의(威儀)와 산두
명월(山頭明月) 같은 얼굴이 볼수록 기이하여, 눈을 옮기기 아까우니,
척탕(滌蕩)한 풍류와 수앙(秀昻)한 골격이, 이백(李白)이 다시 살고 반
악(潘岳)617)이 돌아오나 감히 채 잡아 병구(竝驅)치 못할지라. 상이 그
조건조건618)한 발명이 꾸미며 은닉할 것이 없고 원억한 바를 들으시고,
천안이 유예미결(猶豫未決)619)하시어 아무리 처치할 바를 알지 못하시

614) 허수하다 : 짜임새나 단정함이 없이 느슨하다.
615) 에우다 : 에워싸다. 둘레를 빙 둘러싸다.
616) 삼척(三尺) : 삼척동자(三尺童子)의 줄임말.
617) 반악(潘岳) : 247~300. 중국 서진(西晉) 때의 문인. 자는 안인(安仁). 미남이
    었고 망처(亡妻)를 애도한 〈도망시(悼亡詩)〉가 유명하다.
618) 조건조건 : 조근조근. 차근차근. 말이나 행동 따위를 아주 찬찬하게 순서에 따
    라 조리 있게 하는 모양.
619) 유예미결(猶豫未決) : 망설여 일을 결정하지 못함.

거늘, 조상국과 모든 재렬명사(宰列名士) 아울러 사십여 인이 정천흥의
지원극통을 주하고, 정국공 부자가 역쟁(力爭) 고간(苦諫)하여 정·진
등을 칭원(稱冤)하매, 위하여 죽을 뜻이 있으니, 상이 천흥의 인심 얻음
이 이 같음을 도리어 깃거 않으시어 의려(疑慮)를 풀지 못하시거늘, 구
몽숙을 위한 당류 일반 소인 이십여 인이 상께 역주(亦奏)하여, '역적을
엄히 다스리소서' 청함을 마지않고, 구몽숙은 더욱 정천흥의 언사 능휼
(能譎)함을 여러 번 간하여, 한 말도 아니 꾸미는 일이 없음을 주하니,
원수는 그 거동을 어이없이 여겨 묵연하되, 태우 진영수와 학사 정세흥
이 천성의 과격함을 능히 참지 못하여, 몽숙의 낯을 향하여 길게 춤 받
고, 고성 질왈,

"간악 소인이 성주의 일월지명(日月之明)을 가리고, 연고 없이 충현을
모해하여 우리 두 집이 멸문함을 보고자 하거니와, 천일이 재방(在傍)하
고 신명이 묵우(黙祐)하니 네 저리하고 능히 복을 받으며 수를 향(享)하
랴? 모름지기 삼가고 조심하여 화앙(禍殃)을 당치 말고, 궁흉간교(窮凶
奸巧)히 사람을 갱참(坑塹)에 함닉치 말지니, 네 비록 겉으로 말을 꾸며
성총을 흐리오나, 스스로 네 마음이 부끄럽지 아니냐?"

몽숙이 대로하여 눈을 흘겨 양인을 삼킬 듯이 노려보다가, 상께 주왈,
"신이 어려서 진광의 거두어 양육한 은혜를 받음은 이미 폐하께 아뢰
온 바라. 이제 진영수 등과 정천흥의 흉역이 만고에 드믄 바를 알지 못
하고, 저 역당으로 더불어 정의(情誼) 동기 같사왔던 일이 한심하온지
라. 만일 국가를 위하지 아니하오면, 신이 진광과 정연의 은덕을 저버려
진영수 정천흥 등의 대역지죄를 어찌 차마 적발(摘發)하리까마는, 님군
의 은혜를 저버려 흉역을 꾀하오미 극악할 뿐 아니라, 천하 만민이 폐하
의 신자(臣子)요, 정·진 등으로 더불어 군부를 해코자 하는 자는 원수
니, 곧 신의 불공대천지수(不共戴天之讎)620)라. 신이 차라리 소소 사은

(私恩)을 저바려 불의지인(不義之人)이 되어 배은망혜(背恩亡惠) 하는
사람이라 꾸짖음은 감수할지언정, 어찌 흉적을 위하여 국가의 위태하옴
을 전연 괄시하리까? 복원(伏願) 성상은 신의 적심단충(赤心丹忠)을 살피
시어, 간하는 바를 윤허하시고, 역적을 구하는 소인을 물리치시고, 정충
직신(貞忠直臣)의 군자를 가까이 신임하시어, 태평안낙(太平安樂)을 누리
오사, 국가 사직(社稷)이 반석(盤石)같이 평안케 하심을 원하나이다."

　상이 미처 옥음을 열어 답지 못하여서, 정원수 봉안을 기우려 양구히
보다가 완이(莞爾)히 웃고 가로되,

　"나는 너의 모해함을 입어 검하죄수(劍下罪囚)로 흉역지명(凶逆之名)
을 신상(身上)에 실으매, 화(禍)가 삼족에 미칠 것이로되, 오히려 구구
척비(區區慽悲)함이 없음은, 나의 적심단충을 저 명명상천(明明上天)이
조감(鳥瞰)하심이라. 비록 명도(命途) 기구(崎嶇)하여 죽기를 남같이 못
하나, 일생일사(一生一死)는 천리에 떳떳하고, 사는 것이 부친 나그네
같고, 죽는 것이 돌아감 같으니, 장부 사생지제(死生之際)에 마음을 요
동하여 구구설설(區區屑屑)621)할 것이 아니므로, 내 몸이 차세(此世)에
는 여배(汝輩) 같은 무리의 해함으로써, 난신흉역지명(亂臣凶逆之名)을
벗지 못하나, 지하에는 충신열사의 뒤를 좇아도 참괴함이 없을 것이므
로 부끄러움이 없으려니와, 실로써 경상재렬(卿相宰列)에 너 같은 무거
(無據)한 군자는 몽매에도 부러워 아니하노라."

　하더라.

---

620) 불공대천지수(不共戴天之讎) : 이 세상에서 같이 살 수 없는 원수.
621) 구구설설(區區屑屑) : 구차하고 자질구레함.

명주보월빙 권지오십구

어시에 정원수 가로되,

"내 실로 경상재렬(卿相宰列)에 너 같은 무거한 군자는 몽매에도 부러워 아니하나니, 모름지기 행실을 삼가 언사를 너무 나는 대로 말며, 충현을 해코자 하기에 절박히 초조하여 단명할 징조를 짓지 맒이 옳으니, 너는 나를 못 죽여 근심하거니와, 나는 과연 너를 위하여 염려함이 범연치 않은지라. 상모(相貌)를 이르기는 적은 술사의 말이거니와, 대개 너의 거동이 괴이하여 변화(變禍)를 만나 그칠 듯하니, 심기(心氣) 그대도록 협천(狹淺) 괴악(怪惡)하여 남을 공교히 해코자 함이, 도리어 너의 만리전정(萬里前程)을 마치는 마디임을 알지 못하느뇨? 군전의 경근지례(敬謹之禮)를 잃고 너로 더불어 누누(累累)히 쟁난(爭亂)할 것은 아니거니와, 내 평생 상자(相者)란 것을 본 일이 없으니, 네 어디에 가 요얼(妖孼)을 얻어 와 천의(天意)를 현혹하고 즉시 도망케 하뇨?"

언파의 미미히 웃기를 그치지 아니하여 일분도 노(怒)하는 거동이 없으니, 기량이 바다 같음을 알지라.

전상전하(殿上殿下) 가득한 눈이 다 병부의 신상을 쏘았거늘, 진태우와 정학사는 몽숙의 말을 들으매 통완(痛惋) 분해(憤駭)함을 억제치 못하여, 잠미(蠶眉)를 거스르고 봉안(鳳眼)을 높이 떠, 여성(厲聲) 질왈,

"나라를 병탄(倂吞)하며 님군을 패도(悖道) 악사(惡事)로 돕는 요악소인(妖惡小人)이 긴 혀를 놀려, 충현의 긴 명을 지레 끊고자 하며, 은혜와 덕을 배반하고 의와 신을 잊어 금수이적(禽獸夷狄)만도 못한 소인이, 어느 면목으로 감히 군전에 근시하며 금의인신(錦衣人臣)으로 조항간(朝行間) 셨느뇨? 우리 네 아비를 찢어 죽인 일이 없으니, 하고(何故)로 불공대천지수(不共戴天之讎)리오. 아등이 대역의 이름을 벗지 못하고 부월의 주(誅)할지라도, 황상이 너를 내어 우리를 주시면, 일만 조각을 내 썰어 네 고기를 맛보고 아등이 사화(死禍)를 받으면, 위로 성총을 가리는 소인을 없애고 아래로 마음에 분한 것을 풀어 버리매, 실로 기쁠 듯 싶은지라. 너는 모름지기 조심하라."

몽숙이 원수의 말에는 낯이 붉어지고 가슴이 벌떡여 놀라움을 이기지 못하더니, 진태우 정학사의 언사의 다다라는 노기 형상치 못하되, 대개 지은 죄 있음으로 사색(辭色)이 괴이한지라. 만조(滿朝)가 그윽이 눈 주어 미워함을 마지않고, 상이 정·진의 몽숙 면책(面責)함을 노하시어, 짐짓 세홍 등을 질왈,

"여등이 천고의 희한한 역신(逆臣)으로, 머리를 어깨 위에 보전치 못하고 여화(餘禍)가 구족(九族)에 미칠 바거늘, 하면목(何面目)으로 구 경(卿) 같은 현량(賢良)을 모욕하느뇨?"

정·진 이인(二人)이 연성(連聲) 대주왈(對奏曰),

"사람이 세상의 나매 각각 제 몸을 알고, 또한 부귀 현달코자 하기는 괴이치 아니 하오되, 만사가 천명이니 인력의 미칠 바 아니거늘, 몽숙 요인은 천명을 알지 못하고 범사를 인력(人力)으로 하여, 신등의 사생이 저의 장리(掌裏)에 있음으로 알며, 저의 계교 가운데 사람이 많이 죽는 줄로 헤아려, 무근지언(無根之言)을 주출(做出)하며, 폐하의 성총을 가리와 천의를 온 가지로 현혹하여, 신등을 의심하시도록 하오니, 차사를

빚어내노라 여러 일월을 초조하며 근로하기는, 대리시(大理寺) 사옥(舍獄)의 들어있는 신등의 마음만큼은 못 하올 것이라. 이 또 그 용심이 괴악(怪惡)하고 의사 잔인하여 투현질능(妬賢嫉能)하는 연고라. 자고(自古)로 친현신원소인(親賢臣遠小人)은 성군의 국치지흥(國治之興)이요, 원현신친소인(遠賢臣親小人)은 혼군의 국지멸망지조(國之滅亡之兆)니, 폐하께서 충량(忠良)을 의심하시고 영신(佞臣) 간적(奸賊)을 총우하시어, 언언이 믿으시며 일마다 아름다이 여기시니, 신 등이 폐하의 이다지도 살피지 못하심을 보오니, 사직(社稷)을 위하여 통곡고자 의사 나옵나니, 어느 겨를에 신 등의 화란(禍亂)을 슬퍼하리까? 폐하께서 구몽숙을 내어 주시면 신등이 만단에 내 찢어 죽이고, 미좇아622) 부월(斧鉞)의 주(誅)할지라도 국가의 영신간적(佞臣奸賊)을 없이함이 영행하오니, 즐거운 웃음을 머금어 칼 아래 엎디리로소이다."

상이 청파에 대로대분(大怒大憤)하시어 용상을 쳐 가라사대,

"역신 영수와 세홍이 짐을 당면하여 '혼군(昏君)'이라 하고, '망멸(亡滅)'하리라 하니, 천지간 이런 대역이 어디에 있으리오. 진실로 화경의 청대함과 몽숙의 주사(奏辭)가 아니런들, 차적 등의 극악 흉패함을 알지 못할랏다!"

학사와 태우 성충이 저렇듯 어두우심을 크게 애달아, 본디 적심충렬(赤心忠烈)이 남다른지라. 국가를 위하여 몸을 죽여 써 나라를 갚을 뜻이 있음으로, 상의 실덕을 지사위한(至死爲限) 하고 간함이라. 도리어 웃고 고두 주왈,

"신등이 어찌 감히 혼군이라 하리까? 원현신친소인(遠賢臣親小人)하심을 애달라 혈심간쟁(血心諫爭)하오미니, 원 폐하는 신등의 원을 조차

---

622) 미좇아 : 뒤이어. *미좇다; 뒤미처 좇다.

몽숙을 내어 주시면, 이는 원소인친현신(遠小人親賢臣)하심이라. 어찌 국가의 경사 아니리까? 폐하께서 몽숙 같은 요인(妖人)을 가까이 두시고, 충신열사(忠臣烈士)는 무고히 소인의 함해(陷害)함을 들으사 죄에 몰아넣어 주륙(誅戮)하시면, 진실로 우리 태조 무덕(武德)623) 황제 수고하시어 얻으신 천하가 위태할까 하나이다. 영신과 간적을 내어 베시고, 그 모든 간신의 당류를 다 엄치(嚴治)하시어, 죄의 경중을 알아, 일시도 용납지 마시고 내칠 자를 멀리 내치시면, 조야(朝野)가 성명(聖明)의 처치를 열복(悅服)하려니와, 신등을 애매히 죽이시고 구몽숙 같은 유를 총우하시면, 일세시비(一世是非) 분운(紛紜)키를 면치 못하시고, 인군(人君)의 만대참덕(萬代慙德)이 되리이다."

상이 더욱 대로하시어 고성 질왈,

"짐이 역적을 죽였거든 무엇이 참덕이 되며, 또 어찌하여 천하 위태하리라 하느뇨?"

양인이 대주왈,

"폐하께서 진정 역적을 죽이시면 어찌 기쁘지 않으리까마는, 충현을 살해코자 하시니, 만일 실덕하심이 한결같으실진대 천하가 위태롭지 않으리까?"

상이 진태우 등의 주사를 들으실수록 분노를 더하시거늘, 정·진 등은 사생(死生)을 초개(草芥)624)같이 여겨, 황상이 한 말씀 책하심이 계시면, 양인은 열 말씀으로 대하여 황상의 실덕(失德) 불명(不明)하심을

---

623) 무덕(武德) : 무도(武道)의 덕(德). *'무덕(武德)'이라는 연호는 당(唐) 고조(高祖)가 사용하였다. 송(宋) 태조는 건륭(乾隆)·건덕(乾德)·개보(開寶) 등의 연호를 사용하였고, 시호는 효황제(孝皇帝)다. 여기서 '무덕 황제'는 '무덕이 높으신 황제'라는 뜻으로 쓴 말이 아닌가 생각된다.
624) 초개(草芥) : '지푸라기'처럼 쓸모없고 하찮은 것을 비유적으로 이르는 말.

간하매, 한 일도 천노(天怒)를 아니 돕는 일이 없고 한 말 구겁(懼怯)하는 바 없어, '구몽숙을 갈수록 참효(斬梟)하소서.' 청하며, 황상의 처사 괴이하심을 일컬어, 충천한 기운이 강해(江河)라도 넘뛸 듯, 스스로 발양한 호기를 장축(藏縮)지 못하니, 상이 분완 통해하시어 천노 진첩(震疊)하시니, 어찌 과도함을 생각하시리오. 만조를 돌아보사 왈,

"영수 세흥의 대역부도(大逆不道)는 언어간에 나타나 짐을 욕함이 아니 미친 곳이 없으니, 바로 처참 효시하라."

문무중신이 연성대주(連聲對奏)하여 정·진을 구하되, 상이 분기를 억제치 못하시고, 태우와 학사 황상의 불명하심을 개연(慨然)하여 소리를 높여, 소인의 영참(佞讒)[625]을 신청(信聽)하시고 충현(忠賢)의 열일지심(烈日之心)을 알지 못하시어 죽임을 재촉하심을 주(奏)하여, 정확(鼎鑊)과 부월(斧鉞)이 당전하나 두려워하며 슬퍼함이 없는지라. 상이 대로대분(大怒大憤)하시어 서안을 박차고 이르시되,

"차류(此類)의 죄상이 천사무석(千死無惜)이요, 만사유경(萬死猶輕)이라. 다시 국문(鞫問)할 것이 없으니, 진영수 정세흥을 우선 바삐 내어가 베라."

하시니, 허다 나졸이 양인을 먼저 내어갈 새, 부자 형제의 마음이 차시를 당하여 그 어떠하리요마는, 낙양후 사기 태연하고 금평후 거지 자약하여, 다만 이르되,

"이름이 대역이나 지은 죄 없고, 군상의 실덕을 간하여 신절(臣節)을 다하니 무엇을 족히 슬퍼하리오. 여등이 또 먼저 죽고 우리 미좇아 죄사참화(罪死慘禍)하리니, 그 사이 몇 날이 될동 알리오. 구천야대(九泉夜

---

625) 영참(佞讒) : 간사한 말로 남을 헐뜯어서 죄가 있는 것처럼 꾸며 윗사람에게 고하여 바침.

臺)626)에 부자 형제 영백(靈魄)627)이라도 일처(一處)에 모이리니, 사생
(死生)이 천야(天也)요, 화복이 관수(關數)하니, 현마 어찌 하리오."

진태우와 정학사 각각 부친을 향하여 하직 왈,

"소자 등이 평생에 충의를 섭렵(涉獵)하더니 명도(命途) 괴이하와 대
역 죄수로 화에 떨어지고, 위인자(爲人子)하여 이런 불효를 끼치옵고,
부형의 위태하심을 구치 못하오니, 즉금 원굴(寃屈)한 넋이 천만년 비원
을 품을지라. 더욱 한하는 바는 구몽숙의 고기를 씹지 못하고, 소자 등
이 바삐 죽어 저 소인을 뉘라서 처치할꼬? 국가를 위한 근심이 간절하
도소이다."

언미에 나졸(邏卒)이 상명이 여러 번 재촉하심을 감히 위월(違越)치
못하여 정·진을 내어가니, 정국공 부자가 죽기로써 간하고, 만조가 아
낌을 마지않아, 구몽숙 당류 밖은 뉘 아니 추연하리오. 하공 부자가 극
간하여 극률을 늦추심을 청하되, 천노 진첩하시어 하공 부자를 책하시
어 물러가라 하시고, 정·진 등을 다시 구할 이 있으면 역률을 같이 하
리라 하시니, 만조가 송연(悚然) 함구(緘口)하되, 하공 부자는 죽기를
그음하여 거취(去就)를 금후 부자와 같이하려 하는 고로, 비록 물러가라
하시나 전폐에 머리를 두드려 충현을 참혹히 죽이지 마심을 애걸하니,
상이 크게 괴로이 여기사 환시로 하여금 하공 부자를 밀어 금의부(禁義
府)의 가두었다가 결옥(決獄) 후 내어 놓으라 하시니, 하공 부자가 인신
분의(人臣分義)628)에 하옥하라 하신 후 전폐에 있지 못하여, 사모(紗帽)
를 벗고 옥대(玉帶)를 끌러 단지하(段地下)629)에 놓고, 재배고두(再拜叩

---

626) 구천야대(九泉夜臺) : '땅 속 무덤'이라는 말로 죽은 뒤 넋 돌아가는 곳을 이르
     는 말.
627) 영백(靈魄) : 넋.
628) 인신분의(人臣分義) : 신하의 마땅한 도리.

頭)하여 다시 정·진 등의 정충대절을 누누히 베풀어 고간(苦諫)하매, 갈
수록 사어(辭語)가 정대숙연(正大肅然)하여 사리 명백하되, 상이 환시를
재촉하여 하옥하라 하시니, 하공부자가 하릴없어 금의부로 향하니라.

상이 먼저 천흥을 국문(鞠問)하려 하실 새, 허다 나졸이 평남후를 이
끌어 형위(刑威)에 임하매, 붉은 곤장과 긴 매를 단단이630) 헤치고631)
흉녕(凶獰)한 사예(司隸)는 좌우로 에워싸 위관의 명을 기다리니, 평남
후의 천일 같은 의표와 용봉 같은 품격으로써, 속절 없이 형벌의 나아간
죄수 되어, 옥각(玉脚)을 높이 것고 중형을 대후(待候)할새, 평후는 화
열자약(和悅自若)하여 망극한 경계를 모르는 사람 같으나, 금후 가슴이
비여석(非如石)632)이오 비여철(非如鐵)이라. 문호의 흉화(凶禍) 이 지경
의 이르러 천금소중(千金所重)633)의 장자(長子)가 중형(重刑)에 이르고,
제삼자는 바로 참효(斬梟)하라 나감을 보매, 심장이 끓는 물과 타는 나
무 같아서, 경각에 죽어 보지 말고자 할 뿐아니라, 훤당(萱堂)의 노년
편친을 아득히 기이고, 대리시에 들어 다시 슬전(膝前)에 봉배(奉拜)함
을 얻지 못하고, 부자 사인(四人)이 지원극통(至冤極痛)을 품어 참화에
떨어져, 형체를 완전치 못하여 머리를 어깨 위에 보전치 못할 바를 헤아
리니, 오장(五臟)이 사위고 골절이 스러질634) 듯, 낯을 돌려 남후의 거
동을 보지 않으려 하더니, 이미 사예 매를 들며 위관이 상명을 듣자와
엄히 다스리기를 이르더니, 홀연 등문고(登聞鼓)635) 소리 급하니, 상이

---

629) 단지하(段地下) : 계단의 아래.
630) 단단이 : 단마다. *단; 짚, 나무, 채소 따위의 묶음.
631) 헤치다 : 헤치다. 묶어 놓은 것을 풀어 벌려놓다.
632) 비여석(非如石) : 돌이 아님.
633) 천금소중(千金所重) : 천금처럼 귀중함.
634) 스러지다 : ①형체나 현상 따위가 차차 희미해지면서 없어지다. ②불기운이
약해져서 꺼지다.

병부 추문하시기를 날회시고, '그 뉜고?' 물으라 하시니, 이윽하여 한 여자 청운 같은 녹발을 풀어 낯을 가리오고 삼촌(三寸) 금년(金蓮)636)을 신속히 옮겨 나아오매, 난향(蘭香)이 보욱하며637), 그 신장 체모 남달리 기특하여, 두 어깨638)는 봉조(鳳鳥)가 나는 듯하고, 가는 허리는 촉나(蜀羅)639)를 묶은 듯, 기려(奇麗)한 형상이 학우등선(鶴羽登仙)640)할 듯하나, 신중한 위의(威儀) 임하(林下) 사군자(士君子)의 풍이 있는지라. 만조군졸(滿朝軍卒)을 헤쳐 바로 단지(段地) 아래 다다라, 손에 일봉서(一封書)를 가져 쇄옥낭성(碎玉朗聲)641)을 높여 왈,

"천지간에 지원극통을 우리 성주께 아뢰려 하나니, 언어로 다 주(奏)할 바 아니라, 비록 미세하나 소표(疏表)를 써왔나니, 잠깐 용전(龍殿)에 올려 주소서."

상이 한림학사 윤은천으로 하여금 소표를 받아 읽으라 하시니, 윤학사 소리를 높혀 표를 읽으니,

"신첩 윤씨는 성황성공(誠惶誠恐)642)하고 돈수백배(頓首百拜)하여 우리 주상께 지원극통을 아뢰옵나니, 천지 부모의 일월지명과 호생지덕으

---

635) 등문고(登聞鼓) : 조선 시대, 대궐의 문루에 달아 두어 백성들이 억울한 일을 임금에게 직접 호소하고자 할 때 치도록 한 북. =신문고(申聞鼓).

636) 금년(金蓮) : 금으로 만든 연꽃이라는 뜻으로, 미인의 예쁜 걸음걸이를 비유적으로 이르는 말. 중국 남조(南朝) 때 동혼후(東昏侯)가 금으로 만든 연꽃을 땅에 깔아 놓고 반비(潘妃)에게 그 위를 걷게 하였다는 고사에서 유래한다.

637) 보욱하다 : 속되지 않고 은은하고 그윽하다.

638) 얻게 : 어깨.

639) 촉나(蜀羅) : 촉(蜀)나라에서 생산된 비단.

640) 학우등선(鶴羽登仙) : ①학의 날개를 타고 하늘로 올라가 신선이 됨. ②존귀한 사람의 죽음을 이르는 말.

641) 쇄옥낭성(碎玉朗聲) : 옥이 깨어지는 듯한 맑고 아름다운 목소리.

642) 성황성공(誠惶誠恐) : 몹시 삼가고 두려워 함.

로써, 신자의 현우선악(賢愚善惡)을 살피사 성대지치(聖代之治)의 원굴
(冤屈)함이 없게 하실 바라. 신첩은 고 이부상서 홍문관 태학사 금자광
록태우 윤현의 여아(女兒)라. 금평후 정연의 식부(息婦)요, 평남후 천흥
의 폐체(廢妻)643)라. 신첩이 미세한 사정과 소소한 곡절을 다 지존 엄
하에 아뢰오미 번극한 죄를 면치 못할 바이오나, 일이 선후수미(先後首
尾) 자세한 후에 죄지경중(罪之輕重)을 분변하올지라. 신첩이 연기(年
紀) 사세를 넘지 못하여 아비를 여희오니, 혈혈한 자모로 더불어 남매
삼인이 보전함을 얻어, 신첩이 이륙(二六)을 지나며 정가의 구약을 이루
매, 가부(家夫)의 인연이 모임을 좇아 양씨와 이씨를 연하여 취하니, 다
현문 여자라. 신첩이 불민하오나 대단이 불평한 사단을 일으키지 않았
삽더니, 문양옥주 정문에 하가하시매 산계비질(山鷄卑質)이 난봉(鸞鳳)
과 동렬치 못함은 떳떳한 예새(例事)라. 인신의 더러운 자식이 만승(萬
乘) 귀주(貴主)와 동렬치 못할 것이므로, 구부(舅父) 신첩 등을 심당 별
처에 두어, 감히 공주께 현알치 못하게 하더니, 문양공주 성심숙덕(聖心
淑德)으로 신첩 등을 불러 한가지로 화우(和友)코자 하시고, 조모 연로
(年老)함으로 신첩 등을 잊지 못함이 심하여, 부득이 공주께 현알하고
전일 처소에 돌아오매, 공주의 화우하시는 성덕이 주비(周妃)644)의 남
은 풍(風)이 계시니, 신첩 등의 일신이 편하여 공주의 덕화를 목욕 감아
우러러 섬길까 하였사옵더니, 불행하여 공주 낙태하심을 인하여 몽리
(夢裏)에도 생각지 않은 누얼이 신첩 등에게 돌아지고645), 간비(姦婢)

---

643) 폐체(廢妻) : 파혼을 당하고 내쫓긴 아내.
644) 주비(周妃) : 주(周)나라 문왕(文王)의 비(妃) 태사(太姒). 부덕(婦德)이 높아
    후궁들을 덕(德0으로 잘 거느렸다.
645) 돌아지다 : 돌아가다. 차례나 몫, 승리, 비난 따위가 개인이나 단체 따위의 차
    지가 되다.

의 요악함이 각각 주인을 사지의 몰아넣으매, 성주의 호생지덕(好生之
德)이 미세한 곳에 다다라도 융성하시어, 초로잔천(草露殘喘)646)을 빌
리시고, '니이절의(離異絶義)하여 친정으로 보내라' 성지 계시매, 신첩
은 아자비 이르러 데려 가더니, 길에서 구몽숙 요인이 아자비를 청하여
제집에 들이고, 신첩의 거교는 사나운 노복이 메여 바로 북궁으로 오니,
그 가운데 사고 많사오며, 신묘랑이란 요정(妖精)이 귀비낭랑과 신첩의
할미며 아자미를 다 그릇 만들어, 악행 패도(悖道)를 온 가지로 가르침
이 되니, 신첩과 양씨를 석혈(石穴)과 냉옥(冷獄)의 깊이 가두었다가 추
경지 물 가운데 핍박하여 넣는 화를 만나오니, 죽음이 반듯하고 삶이 어
려울 것이거늘, 운화산 활인사 수승(首僧) 혜원니고(尼姑)의 구활하는
은혜를 입어 산문에 의지하여, 복아(腹兒)를 분산하고, 여러 일월을 보
내어 얼핏 이에 삼재춘추(三載春秋)되나, 감히 살았음을 구고와 가부에
게 통치 못하고, 유아가 아비를 찾는 지경에 이르되, 능히 그 부자의 상
면(相面)함을 구치 않아, 옥주와 동렬(同列)이 예 같기를 바라지 못하
고, 인륜의 온전한 여자 되기를 원치 못하여, 산문에 승니(僧尼)647)를
벗하여 여러 절세(節歲) 바뀌니, 그 정(情)이 처의(悽矣)라. 그러나 각각
신세를 슬퍼할 뿐이요, 다른 근심이 없거늘, 뉘 도리어 배은망덕(背恩忘
德)하는 소인이 투현질능(妬賢嫉能)하는 사나움을 감추지 못하기로, 정
자의 덕망과 세권을 시애(猜礙)하여, 가만한 가운데 공교로운 꾀를 운동
하매, '물이 물을 좇고 유(類)가 유(類)를 따라648)', 소인으로 더불어 동

---

646) 초로잔천(草露殘喘) : 풀잎에 맺힌 이슬처럼 언제 사라질지 모르는 연약한 목숨.
647) 승니(僧尼) : 비구와 비구니를 아울러 이르는 말. 여기서는 비구니(比丘尼) 곧
　　 여승을 이른 말.
648) 물이 물을 좇고 유(類)가 유(類)를 따라 : 물(水)은 물(水)을 따르고, 같은 것은
　　 같은 것 끼리 서로 따른다는 뜻으로, 같은 무리끼리 서로 사귐을 이르는 말.

심모의(同心謀議)하는 흉인과 요정이 갖추 삼긴지라. 상서 구몽숙은 본
디 조상부모(早喪父母) 하고 종선형제(終鮮兄弟)하여 강근지친(强近之
親)이 적으니, 구표숙 진광이 전시랑 구준(寇準)649)과 지극한 친우던
고로, 망우의 일 골육(骨肉)이 혈혈무의함을 참연하여 거두어 기르매,
범사의 연애하며 기렴하는 정이 부자에 감치 않고, 신의 구부 진광과 같
이 구몽숙을 사랑하여 입신(立身) 취처(娶妻) 전은 정·진 이부에 머무
름이 된지라. 몽숙이 일분이나 사람의 마음이 있으면 정·진 양문 은혜
를 감격하여 한결같이 자질과 다르지 않음이 옳거늘, 간흉악인이 행실
이 부정요악하여 그 몸이 청운에 올라 경악(經幄)의 근시(近侍) 되매,
매양 낯빛을 아당하여 천의를 영합하기를 위하고, 한 일도 군덕(君德)을
돕사오미 없어, 공교로운 뜻이 천심을 엿보며, 상총(上寵)이 융융하는
곳에는 시애(猜礙)하기를 비할 곳이 없어, 부디 해하여 죽이고 그치려
하는지라. 신첩의 가부와 진영수 등이 성정이 열직(烈直)함을 감추지 못
하고, 사람의 그릇됨을 깃거 않아, 붕우책선(朋友責善)이 예사(例事)인
고로, 매양 몽숙의 단처를 일러 회심개과하기를 이르매, 몽숙이 저의 허
물을 아는 바를 더욱 증통(憎痛)하여, 점점 해할 기틀을 엿보니, 자연
간당이 모여, 형왕은 정·진 등의 당당한 정론으로 '초왕의 연좌를 저에
게 쓰소서' 함으로, 형왕의 각골원분(刻骨怨憤)이 되어, 구몽숙과 주주
야야(晝晝夜夜)에 흉계를 의논하며, 정·진 이문을 아주 무찌르려 하는
지라. 신첩이 어지 흉모를 자세히 알았으리까마는, 산문에서 생활이 아
득하여 수치(繡致)를 팔아 이우던650)지라. 비자 주영이 운화산 형왕 정

=유유상종(類類相從).
649) 구준(寇準) : 961-1023. 중국 송(宋)나라 초(初)의 정치가. 거란(契丹)의 침입
    을 물리쳐 공을 세웠고 재상에 올랐다. 내국공(萊國公)에 봉작되었다.
650) 이우다 : 잇다. 끊어지지 않게 계속하다.

자에 왕래하여 수치를 팔러 다니다가, 우연이 구몽숙과 형왕의 하는 말을 들은 바라. 그 후(後) 날마다 다니며 형왕이 요정과 몽숙으로 더불어 하는 말을 조건조건 기록하였삽나니, 구몽숙이 신묘랑이란 요정을 촉지에서 사귀어, 경사까지 올라옴이 다 구몽숙의 청한 바라. 정·진 양가를 해코자 함이 궁극하여, 모월모일에 지아비651) 필체를 모떠 반서(叛書)를 써, 신묘랑 요정으로 해북(海北) 제읍(諸邑)에 돌리고, 저는 경사의 있어 '정기진조곡(鄭起陳助曲)이란 동요를 지어 만성(滿城) 아동(兒童)을 가르치니, 원래 몽숙이 몸을 나라 공중에 오르며, 변하여 되고자 하는 바 되는지라. 궐정(闕廷)에 들어와 모야(暮夜)의 용포와 옥새를 도적하여 정가 서실의 감추고, 흉역지심(凶逆之心)의 시사(詩詞)를 창화(唱和)하여 정·진 양가 협사(篋笥)의 넣어두고, 신묘랑 요정이 반서를 돌리고 회환하매, 급급히 정세흥 진영수의 모역하는 서간을 만들어, 묘랑으로 하여금 변화하여 정부 가정(家丁)이 되어 짐짓 오왕전하의 거륜 앞을 건너다 잡히매, 의심된 서간을 나타내어 성상이 진영수 형제와 정인흥 등을 나래(拿來)하시되, 구부(舅父)와 진광을 나옥(拿獄)지 않으시니, 몽숙이 여차여차 묘랑을 상자(相者)의 복색으로 데려다, 정천흥의 얼굴 기리던 상자라 하여 천심을 현혹하고, 즉시 도망케 하며, 또 반야(半夜)의 칼을 껴 어침(御寢)에 돌입하여, 금낭(錦囊)으로 천심을 공동(恐動)하오니, 희(噫)라! 자고(自古)에, 소인 역적이 하대무지(何代無之)리까마는, 실로 구적(賊)652)의 흉심은 듣지 못하던 바라. 신첩의 오라비 광천 희천이 저와 무원무과(無怨無過) 하되, 소인이 군자를 꺼림은 상사(常事)라. 짐짓 광천의 재주를 찬양하여 남정참모(南征參謀)를 삼으시게

---

651) 지아비. 웃어른 앞에서 자기 남편을 낮추어 이르는 말.
652) 구적(賊) : 도적(盜賊) 구몽숙.

하고, 대원수 손확을 여차여차 격동하여 광천을 죽이라 하고, 희천을 모
역죄수(謀逆罪囚)에 몰아넣고자 하여, 또 여차여차 서간을 써 묘랑을 맡
겨 양주로 좇아오는 체하여, 황친 중 성권(聖眷)653)있는 자를 가려, 짐
짓 잡히고자 하오므로, 혜원니고 그 흉모 그칠 줄 모름을 통완하여, 형
왕 등이 헤어진 후, 묘랑을 따라 잡으니, 제 비록 요술변화(妖術變化)
불측(不測)하나, 능히 혜원의 신명한 재주를 미치지 못하여 잡힌 바 되
니, 신첩이 그 지은 죄과를 묻자온즉, 비록 세세히 이르지 아니하나, 다
만 재간(才幹)이 천고(千古)에 무비(無比)하여, 세상에 두루 다니며 상
부후문(相府侯門)의 허박(虛薄)한 부녀를 속여, 사람의 동렬(同列) 사이
를 불화케 하여, 재물을 취하여, 대개 현인이라도 그릇 인도키를 수없이
하여, 천흥의 자녀와 경씨 운영까지 다 없이하여, 공주께 참덕(慙德)을
끼침이 요리(妖尼)의 죄상이라. 신첩이 몸이 사족(士族)에 나고, 규리
(閨裏)의 자취 만조를 헤쳐, 낯가리는 예를 없이하여 당돌이 어전에 소
회를 베풂이, 또한 죄 중하나, 지아비 급화를 위하여 신묘랑 요정을 잡
아 바치니, 그 입으로 좇아 여러 곳을 해할 말이 다 신첩의 할미와 아자
미 아니면 공주와 귀비께 간섭하니, 신첩이 여러 사람을 해코자 함은 아
니로되, 일이 어지럽게 함은 신의 탓이 되오리니, 천문의 결사(決事)를
위하고, 기다려 사죄를 청하옵나니, 복유(伏惟)654) 성명(聖明)은 구몽
숙과 형왕으로 더불어 요리의 간정(奸情)을 일일이 추문하시고, 형왕이
궁인을 동심(同心)하여 괴이한 약을 얻어 상궁을 주어, 어선(御膳)에 섞
어 천심이 변하시며, 성총이 흐리시기를 요구하니, 천고에 희한한 흉인
이 아니리까? 신첩이 주영 소비에게 들은 바를 세세히 기록하여, 한일

---

653) 성권(聖眷) : 은권(恩眷). 임금의 총애.
654) 복유(伏惟) : 삼가 엎드려 생각하옵건대.

도 희미한 일이 없고, 구몽숙이 신제 희천의 모역하는 서간을 만들어 요
리를 맡긴 것을, 신첩이 또 잡았으니, 이에 다다라는 흉당(凶黨)이 하늘
과 귀신은 속여도, 다시 발명할 길이 없으리니, 폐하는 살피심을 등한이
마소서."

하였더라.

혈서 쓴 것이 필획이 영롱쇄락(玲瓏灑落)하여, 지상(紙上)의 주옥이
서리고 난봉(鸞鳳)이 춤추는 듯하니, 윤학사의 보는 눈이 상쾌하고 만조
(滿朝)가 칭찬치 않는 이 없더라.

상이 윤씨의 허다 소표(疏表)를 들으시고, 비로소 정·진 등의 원억함
을 깨달으시어, 경각에 천심이 뉘우쳐 하심을 이기지 못하시는지라. 윤
학사 소표 읽기를 마치지 못하여서, 상이 바삐 전교하시어 진영수와 정
세흥을 죽이지 말라 하시어, 도로 불러들이라 하시니, 원래 윤부인이 격
고(擊鼓)하러 올 때에 양인을 위사(衛士) 영거(領去)655)하여 행형(行刑)
하려 하거늘, 윤부인이 옥성을 높혀 위사 듣게 이르되,

"죄는 지은 곳으로 돌아가나니, 내 이미 지원극통을 품어, 간당이 현
인을 해하려 도모하던 바를 다 알아, 천문에 격고하려 하나니, 일이 즉
각에 신설할 마디 있으니, 위사는 나졸(邏卒)을 명하여 잠깐 시각을 늦
추어, 두 상공의 사화(死禍)를 면케 하라."

하니, 위사 역시 인심이라. 정·진 등의 원억히 죄사(罪死)할 바를 슬
피 여기다가, 부인의 말을 듣고 행법(行法)을 잠깐 늦추었더니, 과연 오
래지 않아, 상교 (上敎) 양인을 궐정의 들이라 하시니, 위사로부터 나졸
에 이르기까지 기뻐 희열함이 있더라.

---

655) 영거(領去) : 함께 데리고 가거나 가지고 감.

상이 윤씨더러 물으시되,

"경이 신묘랑이란 요정을 잡았노라 하니, 어데 잇느뇨?"

윤씨 대주왈,

"활인사 수승(首僧) 혜원니고가 묘랑을 잡아 가지고 궐문 밖에 대후하였사옵나니, 위사로 요정을 잡히소서."

상이 만조를 돌아보아 가라사대,

"아직 형왕과 구몽숙을 일처(一處)의 대질치 않았거니와, 만일 정·진 등이 애매하고, 구몽숙의 작악(作惡)이 이 지경의 미쳤을진대 어찌 통해(痛駭)치 않으리오."

이리 이르시며, 또 정·진 등 제공의 칼을 벗기고, 맨 것을 끌러 평신하라 하시니, 전상전하에 가득한 사람이 정·진 등 제공의 죄의 빠짐을 위하여 슬퍼 추연이 아끼더니, 윤부인 격고등문함을 인하여 허다 소표 가운데, 구몽숙의 죄상이 현저하고, 정·진 등의 누명이 백옥 같을 바를 뉘 아니 깃거하리오. 저마다 큰 경사를 당한 듯 도리어 즐거움을 이기지 못하니, 일시의 주왈, '정연의 부자와 진광 부자의 무죄함이 백일같음을' 주하고, '몽숙의 간활(奸猾)함을' 고하여, 모든 명류 체읍간쟁(涕泣諫爭)하니, 몽숙이 비록 대간대악(大奸大惡)이나 무엇이라 발명하리오. 스스로 머리를 들지 못하니, 만조가 기소(欺笑)[656]하여 얄밉게 여기고, 상이 몽숙에게 천노(天怒) 진첩(震疊)하시어, 위사로 하여금 형왕을 나국(拿鞫)하라 하시고, 몽숙더러 물으시되,

"윤씨 소장(訴狀)이 분명하니, 너의 작죄(作罪)함을 결단하여 알려니와, 하고(何故)로 정·진 등을 그대도록 미워 함해(陷害)함이 사람의 생각지 못할 지경에 미쳤느뇨?"

---

656) 기소(欺笑) : 기소(欺笑). 남을 업신여겨 비웃음.

몽숙이 오사(烏紗)를 벗고 옥대(玉帶)를 끌러 눈물을 뿌리고, 대주하여 가로되,

"신의 원억함은 백옥(白玉)이 무하(無瑕)하여 정·진 등을 해할 의사는 몽리(夢裏)에도 없삽나니, 윤씨의 소장이 비록 그러나, 실은 지은 죄 없사오니, 놀라온 일이 없나이다."

상이 진후 곤계 자질과 금평후의 부자를 가까이 나아오라 하시니, 제공이 사양하여 가로되,

"신 등이 죄명을 쾌히 신백(伸白)지 못하고, 일여자(一女子)의 소장으로써 대옥(大獄)을 풀어버릴 것이 아니라, 신 등이 비록 염치상진(廉恥喪盡)[657]하오나, 신절(臣節)이 명백지 않은 전, 예사 사람과 같이 전폐(殿陛)에 근시하리까?"

상이 정·진 등의 고집을 아시는 고로, 다만 형왕과 요정(妖精)을 빨리 잡아들이라 하시고, 윤씨의 비자 주영을 불러들이라 하시니, 위사 명을 받아 운화산에 가 형왕을 부르고, 묘랑을 먼저 궐정에 잡아들이고, 주영이 또 입궐하니, 상이 전어(傳語)로 물으시어 왈,

"형왕과 구몽숙이 요정으로 더불어 모계하던 바를, 네 자세히 들어 일일이 기록하였다 하니, 원간 어느 때부터 의논하더뇨?"

주영이 품 사이로서 구몽숙과 형왕이며 신묘랑의 모계(謀計)를 기록한 것을 전상(殿上)에 올리고, 눈물을 흘리고, 주(奏)하여, 가로되,

"천신첩(賤臣妾)의 주인 윤씨의 만단(萬端) 액경(厄境)과 참참(慘慘)한 누얼(陋孽)은 생각할수록 비할 곳이 없사온지라. 이미 한 끝이 들쳐나매 주인과 이·양 두 부인의 애매함이 한가지로 신백(伸白)할 터가 마련되었사온지라. 천신이 어찌 지난 바를 고(告)치 않으리까? 초의 주모(主

---

657) 염치상진(廉恥喪盡) : 염치가 없음.

母)의 나이 삼사세에 주군 정병부와 정혼하였사옵더니, 대노야께서 금
국에 가 별세하고, 윤부 가사가 온전치 못하오되, 금평후 맹약을 저버리
지 않으려 하여, 오주(吾主)의 연기(年紀) 차기를 기다려 혼기를 이루려
하매, 마장(魔障)658)이 많아 정일(定日)에 지내지 못하고, 노주(奴主)
적환을 만나 천비로써 위방에게 대신을 보내고, 주모는 변복하고 취월
암에 감초이매, 그 때부터 혜원을 사귄 바라. 혜원은 득도이승(得道異
僧)으로 우리 주모의 특이함을 경복하고, 과거 미래사를 목전(目前)같이
알아, 주모의 액회(厄會)659) 멀었음을 이르더니, 이미 주모 산문에 머
문 바를 정부에서 알아, 윤추밀과 의논하고 성례하매, 정부에서 오주(吾
主) 사랑함이 친녀 같고, 부마노야 양·이 두 부인을 취하여, 삼개 숙녀
의 화우(和友)하는 덕이 '황영(皇英)의 고사(故事)'660)를 효칙하여, 규문
이 맑기 추수(秋水) 같고, 화(和)함이 사시(四時) 같더니, 문양옥주 하가
(下嫁)하시매 삼부인이 선후 차례를 감히 의논치 못하여, 옥주 공경함이
노주간(奴主間) 같으되, 옥주 그 어진 줄 알지 못하시고, 보모 최씨 옥
주를 돕는 바 간교하여, 성녀(聖女) 사덕(四德)을 버리고 궁흉악사를 고
하는지라. 우리 주모의 액회 중함으로 옥주 낙태하시니, 문득 죄명이 아
주(我主)에게 돌아져 상명이 이이(離異)하시므로, 아주 본부로 돌아가다
가, 추밀 노야는 중로(中路)에서 구몽숙이 청하여 가고, 소저 거교는 북
궁으로 메여 가니, 석혈(石穴) 누옥(陋獄)에 가두어 놓고, 또 신묘랑 요
리(妖尼) 범이 되어 야반(夜半)에 양씨를 후려다가 석혈(石穴)에 들이쳤

---

658) 마장(魔障) : 귀신의 장난이라는 뜻으로, 일의 진행에 나타나는 뜻밖의 방해나
　　 훼살을 이르는 말. =마희(魔戱)
659) 액회(厄會) : 재앙이 닥치는 불행한 고비.
660) 황영(皇英)의 고사(故事) : 중국 요(堯)임금의 두 딸인 아황(娥皇)과 여영(女英)
　　 이 함께 순(舜)에게 시집 가, 서로 화목하며 순임금을 섬겼던 일.

더니, 옥주 입궐하시어 두 부인을 추경지 물 속에 구박하여 밀치고, 천신첩 삼모녀(三母女) 주인을 구치 못하매 살 의사 없어 따라 익수하니, 죽음이 반듯할 것이로되, 신명이 도우사 혜원의 구활함을 입어, 노주 오인이 겨우 살아나, 생활이 어려우므로 수선(繡線)으로써 의식을 이우더니661), 모월일에 수(繡)를 가져 형왕의 정자에 이르니, 형왕의 새 미인이 수치(繡致)를 보고 금은을 아끼지 않아 사기로 자주 왕래하더니, 혜원이 신명하여 모계(謀計)하는 바를 짐작하고, 천비로써 그 정자 합장 뒤에서 모의하는 말을 엿들으라 하거늘, 자세히 듣자오매 이 문득 정·진양문을 무찌르려 하는 사어(私語)요, 형왕전하는 정병부 노야와 진태우 형제가 초왕의 연좌 쓰심을 청함을 분원하여, 원수를 갚으려 모의하던 바를 세세히 기록하였삽나니, 신묘랑 요리를 저주시면662) 간정(奸情)을 적발(摘發)하리이다."

상이 주영의 허다 주사를 들으시고, 구몽숙의 간흉함을 통해하시는 가운데, 귀비와 공주의 질투함을 크게 분해하시어, 그런 인물이 만승지녀(萬乘之女)로 삼긴 줄 불행하여 하시더라.

상이 묘랑을 먼저 저주려 하실새, 전상전하의 가득한 눈이 요종(妖種)을 찰시(察視)하매, 얼굴이 백설 같고 눈에 독기 어리었는지라. 상이 통해하시어 위관더러 이르사대,

"차승(此僧)이 전일 운남왕의 여식으로써 경선공주를 속여 양녀를 삼고, 천흥의 선추(扇鎚)와 금선(金扇)을 도적하여 운영을 주어, 일이 어지럽게 되어 부득이 운영으로 천흥의 첩잉(妾媵)을 삼은 바라. 그 때 도망하여 잡지 못하였더니, 또 대변을 지어 조정 공후(公侯)를 함해(陷害)

---

661) 이우다 : 잇다. 끼니를 잇다.
662) 저주다 : 형문(刑問)하다. 신문(訊問)하다.

하니, 죄당주륙(罪當誅戮)이라 각별 엄형추문(嚴刑推問)하라.”

위관이 승명하여 분부 왈,

“요리의 죄상이 범연(凡然)이 다스릴 바 아니니, 한 조각 인정을 두지 말라.”

나졸이 연성(連聲) 응대하고 요리를 형위(刑威)의 올려 무르며,

“죄상이 일명(一命)을 사(赦)치 못할지라. 모름지기 형벌의 괴로움을 밧지 말고, 전전 죄상을 직초하여 죽기나 쉬이 하라.”

묘랑이 제요서(制妖書)를 등의 붙였음으로, 능히 요술을 발하여 도망할 길이 없고, 애매함을 발명코자 하나, 윤씨 노주 벌써 저의 악사를 주달하였으니, 구구삼설(九口三舌)663)이나 발명치 못할지라. 차라리 전후 간정을 복초(服招)코자 하나, 죽기를 설워, 중형을 받으나 때를 타 도주할 뜻을 두고, 입을 물고 눈을 감아 말을 아니하니, 상이 분노하시고, 승상 조공이 주왈,

“요리의 살점을 깎으며 불로 지져 독형으로 복초를 받음이 옳을까 하나이다.”

상이 옳이 여기사 허하시나, 묘랑이 거짓 죽어가는 체하나, 정신은 요연(瞭然)하여 온갖 말을 다 듣고, 제 살을 깎으며 몸을 지져 독형(毒刑)을 가하라 함을 듣고, 죽기를 면치 못할 줄 알매, 하늘을 우러러 도술(道術)을 이런 때 쓰지 못함을 크게 탄하고, 차라리 못견딜 형벌을 받지 말고 죽고자 하여, 일장을 슬피 울고 가로되,

“빈도 사람을 널리 사귄 연고로 몸이 참화의 떨어지니 누구를 한(恨)하리까? 지필을 주시면 초사를 써 올리리이다.”

---

663) 구구삼설(九口三舌) : ‘아홉 입과 세 혀’라는 뜻으로 많은 말을 늘어놓는 것을 말함.

위관이 나졸로 하여금 우는 입을 지르라 하고, 지필을 주어 세세히 아뢰라 하니, 이윽고 초사를 써 올리니, 상이 제신으로 하여금 읽히시니, 대개 하였으대,

"빈도는 서촉 청성산 아래 복거(卜居)한 승니(僧尼)로, 사람의 전정 만리와 길흉을 점복하매, 못 맞힐 일이 없으니, 촉중(蜀中)에 유명하여, 모월일의 구상서를 만나 길흉을 묻거늘, 빈도 소견대로 고하니, 구생이 과거사를 맞힌다 하여 깊이 사귐을 이르고, 문득 심곡을 베풀어 평생에 절색 흠모하는 뜻을 이르고, 하노야 촉지(蜀地)에 정배하신 고로, 그 여식(女息)을 후려다가 달라 하고, 금은을 주거늘 물리치지 못하여, 모야(暮夜)에 범이 되어 하씨 노주를 업고 금사강 정자로 오니, 구생이 대열하여 길례(吉禮)를 이루기를 청하니, 하씨의 추상같은 절개 몽숙의 말을 채 듣지 않고 물에 빠지매, 다시 바랄 것이 없어 무류(無聊)히 상경하여 천승(賤僧)을 오라 당부하거늘, 빈도 경사 번화를 구경코자하여 미좇아664) 이르니, 구생이 그 표숙모(表叔母) 유씨께 뵈라 하거늘, 가르친 대로 윤추밀 부인을 사귀어 친절키에 미친 후, 그 회포를 들으매 다름이 아니라, 윤태우 조모 위씨 그 가군과 원비 기세하였으되, 선부인 소생 자손을 다 없이하려 정하고, 유씨는 금장(襟丈)665) 조부인을 원수같이 미워하여, 고식(姑媳)이 윤태우 형제를 삼키고자 미워하되, 윤추밀이 망형의 두 낫 유복(遺腹)임을 더욱 슬피 여겨, 겸하여 학사를 계후하여 숙질의 정으로써 부자의 의를 매자, 연애(憐愛)함이 양자(養子) 질자(姪子)를 간격지 않아, 오히려 종장(宗長)의 중함은 윤태우기 잇다하여, 더욱

---

664) 미좇다 : 뒤미처 좇다.
665) 금장(襟丈) : 동서(同壻). 주로 혼인한 여성이 시아주버니나 시동생 등 남편 형제들의 아내들 이르는 말로 쓰인다.

귀중하던 바라. 위·유 그를 더욱 미워 윤태우 형제와 조부인을 다 죽이
고, 일가의 다른 명령(螟蛉)666)을 얻을지라도 황부인 자손을 씨를 없애
고자 하고, 윤명천이 세상에 낳던 자취를 없애고, 윤추밀이 형망제급(兄
亡弟及)667)으로, 누대(累代) 종통(宗統)을 받들어 십만 재산을 나눌 곳
없이 다 가지려 하나, 윤추밀이 사시 문안을 모친께 한 밖은, 자질을 데
리고 외당에 처하여 내정사(內庭事)를 아득히 모를 뿐 아니라, 원간 유
씨로 더불어 정의(情誼) 화합(和合)지 못하여 흔연 수작함이 없으니, 유
씨 내외를 달리하여 추밀 보는 데는, 자질을 극진히 사랑하며, 조부인을
공경함이 위태부인과 같이하는 체하다가도, 추밀이 돌아서면 능경(凌
輕)하며, 자질을 조르미 아니 미친 곳이 없고, 태부인이 조부인 삼모자
를 볼 적마다 물어 먹을듯, 아니한 말과 없는 허물을 주출하여, 조르고
보채기를 긴 날에 더하니, 태우형제 아시로부터 혈육이 상하는 중장과
기괴한 천역이, 윤추밀 나간 때는 인가 노복도곤 더한지라. 의복지절도
윤추밀이 이르기 전은 살을 가리오지 못하고, 음식은 맥죽(麥粥) 재
강668)도 두 때를 주지 않아, 기아의 심함이 사람의 견딜 바 아니로되,
태우 형제 효성이 출천하여 위·유의 극악시포(極惡猜暴)함을 한(恨)하
지 않고, 조부인이 설움을 서리담아669), 위씨의 악악히 보채믈 원망치
않고, 갈수록 효순키를 주하되, 위·유 감동함이 없어, 빈도로 하여금
조부인 삼모자를 죽여 달라 하여, 은자를 뫼같이 주대, 빈도 조부인 삼

---

666) 명령(螟蛉) : 나나니가 명령(螟蛉)을 업어 기른다는 뜻으로, 타성(他姓)에서 맞
     아들인 양자(養子)를 이르는 말.
667) 형망제급(兄亡弟及) : 형이 아들 없이 죽었을 때에, 동생이 형 대신 그 가통을
     이음.
668) 재강 : 재강. 술을 거르고 남은 찌끼.
669) 서리담다 : '서리다'와 '담다'의 합성어. 차곡차곡 포개어 담다.

모자를 점복하매, 태우는 천승국군(千乘國君)이 될 바요, 학사는 삼태
(三台)670)의 거하여, 자녀 선선(詵詵)하고 수한(壽限)이 장원(長遠)하여
부귀 극하니, 경이히 해할 도리 없어, 유씨께 금은을 더 징색하여, 부처
를 공양하여 암자를 이뤄야 만사 원을 좇으리라 하고, 삼년을 그음하여
서화문 밖 청벽산 아래에 보옥암을 짓고, 비록 저주사(詛呪事)로써 조부
인 삼모자를 죽이지 못할 줄 아나, 유씨의 뜻을 맞히고자 온갖 요예지물
(妖穢之物)을 모아, 조부인 침소와 태우 형제 침처(寢處)에 묻었더니,
조금도 효험이 없거늘, 묻은 곳을 파 보니 흔적도 없이 파낸 거동이라,
그 후는 해하기 어렵고, 덧없는 광음(光陰)이 '백구(白駒)의 틈 지남'671)
같아서, 윤태우 연기(年紀) 차매, 정소저와 혼기를 이루려 택일 행빙(行
聘)하니, 유씨 정소저의 특이함을 시기하여 황후 낭랑께 정씨의 출범함
을 고하고, 빙폐 받은 여자라도 태자 후비 빠시는 대 참예케 함을 밀주
(密奏)한 고로 정소저 입궐하니, 유씨 혼사가 그릇될까 깃거하더니, 의
외 태우 등과하고, 정소저 정절을 띠여 금자어필로 숙렬문을 높혀 돌아
오니, 위·유 분한 심장이 터질듯하나, 윤추밀이 과도히 사랑하고, 조
부인이 정씨 보호함을 여린 옥같이 하고, 틈틈이 그 기아를 구함으로,
유씨 즉시 해치 못하고, 윤학사 또 하씨를 취하니, 이곳 구생의 욕을 면
하여 금사강에 익수한 하씨라. 기특이 정병부를 만나, 삼년을 정공 부부
은양(恩養)하여 혼례를 이뤄 윤가에 보내니, 유씨 하씨는 죽은 줄로 알
았다가, 그 아름다움이 숙렬로 대두하니, 통악(痛愕)함이 보던 날부터

670) 삼태(三台) : 삼공(三公). 고려 시대에, 태우(太尉)·사도(司徒)·사공(司空)의
세 벼슬을 통틀어 이르던 말. 삼사(三師)와 함께 임금의 고문 구실을 하는 국
가 최고의 명예직으로 초기에 두었다가 공민왕 때에 없앴다.
671) '백구(白駒)의 틈 지남' : =백구과극(白駒過隙).흰 망아지가 빨리 달리는 것을
문틈으로 본다는 뜻으로, 인생이나 세월이 덧없이 빨리 지나감을 이르는 말.

미움을 참지 못하는지라. 정·하 이소저 보채미 윤태우 형제와 한가지
니, 태우 형제는 아시부터 하루도 화열한 거동을 보지 못하여, 위·유의
보챔을 예사로이 알거니와, 양소저는 천단고경(千端苦境)672)을 처음으
로 당하니, 어찌 이를 바 있으리까마는, 그 작인이 비상하며 능히 못 견
딜 험난을 좋은 듯이 지내고, 윤학사 등과하여 장씨를 재취하며, 윤태우
진씨를 재실로 맞아오니, 양소저(兩小姐)의 요조(窈窕)함을 위·유 더욱
미워, 사소저(四小姐)를 보채려 일시도 면전을 떠나지 못하게 하며, 부
부 화락을 막자르대, 홀로 추밀이 자질부(子姪婦)673) 사랑이 병 되니,
유씨 그 가군과 구파를 괴로이 여겨, 빈도더러 사람이 어림장이 되는 약
과, 변심하여 소(疏)한 곳에 후(厚)하고 사랑하던 자를 미워하는 약을
구하거늘, 빈도 낱낱이 얻어 주고, 태우 형제 먹일 독약을 얻어 주었더
니, 추밀과 구파가 인사불성이 될 약을 먹음으로부터 본심을 잃고, 추밀
은 유씨께 황황침닉(遑遑沈溺)하여, 자질부의 유무를 알지 못하고, 유씨
숙소에 머리를 박아 움직이지 못할 뿐 아니라, 약이 독함으로 신상 질양
(疾恙)이 떠나지 않아, 종일 먹는 것이 술이요, 식반도 때를 차려 나옴
이 없으니, 의형이 환탈하고 기부(肌膚) 수패(瘦敗)하여, 형각(形殼)674)
만 걸렸으되, 유씨 악종이 염려함은 없고 자기에게 고혹(蠱惑)함만 행열
(幸悅)하여, 동서(東西)에 기탄할 것이 없이 조씨 모자 고식을 죽이려
하는지라. 가만한 가운데 독약 먹임이 그 몇 번인동675) 알리까마는, 하
늘이 도와 질양도 이루지 않으니, 위·유 더욱 통완함을 이기지 못하여

---

672) 천단고경(千端苦境) : 온갖 어렵고 괴로운 처지나 형편.
673) 자질부(子姪婦) : 아들·조카·며느리를 함께 이른 말. 즉 자는 희천, 질은 광
천, 부는 광천과 희천의 처들(정혜주·진성념·하영주·장설)을 말한다.
674) 형각(形殼) : 겉으로 들어나 보이는 형상.
675) ㄴ동 : -ㄴ지. 무지, 미확인의 경우에 흔히 쓰임.

급급히 모자 고식을 죽이려 할 새, 위씨 조부인더러, '정병부 부인이 별원에 있다 하니 가 보라' 하니, 조부인이 즐겨 갈 뜻이 없으되, 위씨 시포(猜暴)히 호령하여 취운산으로 보내며, 빈도더러 중로(中路)에서 조씨를 후리다가 죽이라 하거늘, 빈도 유씨의 금은을 수 없이 쓰고 한 일도 그 소원을 이뤄주지 못함이 무안하여, 평생 재주를 다하여 조부인 거중의 들이달아 조씨를 업고 공중에 올라, 문외(門外) 강수에 들이치고 옥누항에 가 유씨를 보고, 조씨를 암자의 데려 가 쑤셔 죽였노라 하니, 유씨 은혜를 일컬으며 자질 부부를 마저 죽여 달라 하니, 주사야탁(晝思夜度)하여 모의하는 가운데, 문양공주 또 모든 적국을 소제코자 하여, 스스로 복아(腹兒)를 지니지 못하여 낙태하니, 문득 이로써 최상궁과 설계(設計)하여, 영교 녹섬을 사귀어 저주를 베풀어, 정도위 친히 와 파내고 정·오 양왕의 친견함이 되나, 부마 종시 의심이 윤·양에게 없으니, 다시 설계하여 녹섬을 꾀어 단약을 먹여, 궁녀가 되어 공주를 치독(置毒)게 하고, 죄를 얽어 삼부인을 다 의절(義絶)케 하고, 윤씨를 그 계부 추밀이 배행(陪行)하매, 유씨 구상서로 여차여차 추밀을 청하여 병중(病中) 야행(夜行)이 불가타 하고 머무는 사이에, 북부(僕夫)와 동심하여 윤씨를 김귀비께 바쳐 후한 상을 받고, 귀비 윤씨를 석혈에 가두고, 빈도 또 비호(飛虎) 되어 양씨를 후리다가 윤씨와 한가지로 석혈에 가두고, 기사(饑死)함을 죄와 음식을 주지 않되, 수순(數旬)이 거의나 죽지 않으니, 추경지 물에 들이치고, 정부마 오히려 공주 박대 예와 같고, 매양 벗을 따라 자고 집의 든 때 적음을 의심하여, 경씨를 부마 남정시(南征時)에 부모 모르게 취하여 두고 왕래 빈빈하며 지어(至於) 옥같은 아들을 두었으되, 그 부모 존당은 망연부지(茫然不知) 하고, 연무(煙霧) 중에 있는지라. 빈도 먼저 알아내어, 그 아해 난 지 오륙삭이 된 것을 마저 후리다가 공주께 드려 여환을 주어 없애게 하고, 윤부에서 위·유가 정·진과 태우의 유자까지 없이하매, 하·장과 태우 형제를 죽이려 하는 고로, 하씨를 짓두드려 남강에 띄웠노라 하기로, 하씨는 빈도 범치 않고, 장씨는 설억에게 삼백금을 받고 팔려 하다가, 장씨 사기를 스치고 언사 십분 격렬하니, 위씨 분노하여 친히 칼을 들어 질러 죽이고, 말을 내대, 학사와 언전쟁힐(言戰爭詰)하다가, 급한 성을 이기지 못하여 스스로 질러 죽다 하여, 장부에서 정장(呈狀)676)하는 일이 없게 하고, 필경은 태우 형제를 사지(死地)에 몰아넣으려, 밤을 당하여 빈도는 윤태우 되고 태복은 윤학사 되어, 칼을 들고 위씨 침처에 가 가슴을 지르매, 위씨 상언(上言)하여 양손의 죄를 나토니677), 상이 그 조손을 다 부르사 그 거동을 보시고, 위씨의 말을 곧이듣지 아니 하사, 태우 형제를 남·양 이주(二州)에 찬적하시매, 유씨 그 죽지 않음을 애달아 구학사와 의논하고, 남주 장사 임성각을 보내여 태우를 죽이라 하였더니, 지금 기척이 없고, 양주는 공차를 달래여 학사를 죽여 달라 하여 은을 주니, 공차 처음은 은을 받고 허락하더니 회환하여 은을 도로 보내고, 학사의 기특함을 일컬어 차마 해치 못함을 이르니, 위·유 애달아 하고, 또 주사야탁(晝思夜度)하며 슬퍼하는 바는 유씨의 장녀가 상서 석준의 조강(糟糠)이로되, 석생이 초혼 시로부터 박대함이 행로(行路) 보듯 하니, 이로써 우환을 삼아, 세전(世傳)하는 집물(什物)을 다 기우려 장녀 부부의 화동(和同)함을 축원하되, 효험이 없음을 착급하여 하거늘, 빈도 석생의 재실 오씨를 데려다가 층암절벽(層巖絶壁)에 굴려 죽게 하고, 그 대신(代身)의 얼굴이 되어 변심하는 약을 먹이니, 석상서 오씨 잃음을 슬퍼 않아 윤씨를 박대하던 바를 뉘우쳐, 홀연히 윤씨와 화락이 지극하더니, 의

---

676) 정장(呈狀) : 소장(訴狀)을 관청에 냄.
677) 나토다 : 나타내다.

외에 석상서 광동 참정을 하여 집을 떠나매, 윤씨 외로이 구가에 있어
포장악심(包藏惡心)678)을 견디지 못하여, 오씨의 자녀를 다 독약을 먹
여 죽이려 하다가, 일이 발각하매 석추밀이 윤씨를 가두고, 참정의 오기
를 기다려 처치하려 하니, 유씨 심간을 사르다가 가사가 탕진하여 적채
(積債) 여산(如山)하고, 노복 등이 이산(離散)하며, 의식이 간 데 없이
되었으니, 기간은 빈도 몽숙과 결납(結納)679)하기로 유씨의 일은 본 일
이 없삽고, 빈도 또 옥주의 청으로 대내(大內)에 경씨를 들여와, 옥주
그 두발을 베고 만신을 짓두드려 반생반사(半生半死) 하거늘, 옥주 궁녀
태섬을 맡겨 바삐 내어다가 추경지 연못물에 넣고, 운영을 여차여차 해
함이 다 빈도의 작용이요, 부마의 구창 있는 곳의 불을 놓아 타 죽게 함
은 최상궁의 한 바라. 공주 서적(庶嫡)680) 아울러 십사 인을 해하되, 오
히려 이씨 향리에 편히 있음을 꺼려하거늘, 빈도 이씨의 불미함을 일컬
어 유무 관긴(關緊)치 아니타 한 후, 공주께 왕래치 않음이 달포 되었는
지라. 그 사이 구상서를 도와 역모 꾀함은 처음 사귄 정을 한결같이 하
려 함이라. 빈도 반서(叛書)를 해북에 돌리고, 모역하는 서찰을 가져 오
왕 전하께 짐짓 잡혔고, 또 도사인 체하여 정병부의 얼굴을 기리고 도주
하였다가, 칼을 가져 용좌(龍座)를 범하여 천의를 격동하고, 금낭을 떨
어뜨려 의심이 깊게 하고, 다시 형왕의 정자에 가 의논하여 윤학사를 마
저 모역으로 치우고자, 서간을 만들어 가지고 성내로 들어가려 하다가,
혜원에게 잡힌바 되어 금일 참화(慘禍)를 만나니, 간악한 소인을 사귄
탓이라. 운영으로써 정병부의 옥선초(玉扇貂)와 금선(錦扇)을 도적하여

---

678) 포장악심(包藏惡心) : 마음속에 품고 있는 악한 마음.
679) 결납(結納) : 일정한 목적으로 서로 마음이 통하여 도움.
680) 서적(庶嫡) : 첩(妾)과 정실부인.

주어 인연을 이루려 하다가, 국가에서 빈도를 구색하시므로, 자취를 감추어 다니며, 보옥암을 헌 후 선경사 이룸은 공주의 재물을 수 없이 얻은 연고요, 선경사 가운데 김국구 부자를 두어 흉역을 꾀한 지 오래대, 이런 소유는 몽숙더러도 이름이 없으니, 국구 부자를 갈호(葛虎)가 물어 가는 체함도 빈도의 작용이요, 김중광의 간청함을 떼치지 못함이라. 빈도의 죄악이 천지의 자욱하니 어찌 살기를 바라리까마는, 개과천선은 성인도 허하신 바라. 빈도 비록 악사를 뉘우치나니 일월지덕(日月之德)으로 산천(山川)을 빌리소서."

하였더라. '뉴교아의 말이 빠짐은 하고(何故)오.'681)

상이 청파의 천노 진첩하시어 만조를 돌아보사 가라사대,

"요리(妖尼)의 죄상이 관영(貫盈)하여 만단(萬端)에 썰어도 속(贖)지 못할 뿐 아니라, 위·유 양녀의 극악함은 만고를 기우려도 희한할 바요, 공주의 투악이 또 당세에 무쌍한지라. 어찌 흉참치 않으리오. 몽숙의 죄악이 요리와 다름이 없는지라. 몽숙을 마저 추문(推問)하여 초사를 받고, 금오랑(金吾郎)을 발하여 위·유 양녀의 비자를 잡히라."

하시니, 위관이 명을 받고 제신이 주왈,

"요리의 전후 악사와 몽숙의 극악함이 이를 것이 없는지라. 몽숙의 초사를 받은 후, 요리와 한가지로 처참하여 후세 악인을 징계하소서."

상이 몽숙을 친국(親鞫)하실 새, 노기엄렬(怒氣嚴烈)하시어 간정을 직고(直告)하라 하시니, 몽숙이 자포오사(紫袍烏紗)로 전폐에 근시(近侍)하여, 정·진 등의 역모를 나토며, 제 감히 엄형추문하심을 청하여, 진정 정인군자(正人君子)인 체하여 의기양양하더니, 천도 살피심이 소소

---

681) 작은 글씨로 두 줄로 필사되어 있는데, 필사자가 유교아와 관련된 사건들이 빠진 것을 지적하여 써넣은 첨기로 보인다.

(昭昭)하시어, 윤부인이 저의 악사를 낱낱이 고하여 한 일도 은닉할 것이 없는지라. 천노(天怒) 익익(益益) 진첩(震疊)하시어 엄형 국문 하시니, 자포오사(紫袍烏紗)도 간 곳 없고 옥대(玉帶) 아홀(牙笏)도 쓸 데 없어, 나졸의 이끄는 대로 형위에 나아가니, 영한(獰悍)한 사예(士隷) 힘을 다하여 일장에 뼈 부서지는지라. 몽숙이 비록 대간대악(大奸大惡)이나 생세지후(生世之後)에 희미한 태장도 지내지 않아, 낙양후의 지극한 자애를 받았으니 어찌 이런 형벌을 잘 견디리오. 경각에 넋을 잃었으나 오히려 혀를 물어 일언을 아니 하니, 상이 진노하시어 몽숙의 일신을 편쇠682)로 지지라 하시니, 몽숙이 죽을지언정 복초를 아니 하려 하더니, 편쇠로 지지믈 당하여는 일신에 불이 일고 장위 다 타는 듯하니, 수차 중형에 혼백이 비월(飛越)하여, 복초 후는 머리 없는 귀신이 될 줄 모르지 않되, 잠깐 쉬기를 위하여 이의 주왈,

"전전 죄과를 다 아뢰리니 치기를 날회소서."

하니 상이 그 초사를 받으라 하시니, 나졸이 좌우로 갈라서고 지필을 구하거늘, 전상에서 지필을 내리니, 좌우 나졸이 지필을 받아 몽숙을 주며 초사를 바삐 쓰라할 적에, 벌 같은 나졸이 형장주장(刑場朱杖)683)으로 좌우를 지르며 재촉할 즈음에, 문득 형왕이 입현청대(入見請對)하니, 상이 이에 수돈(繡墩)을 가까이 주시고, 용안이 엄색(嚴色)하시어, 가라사대,

"짐이 덕이 박하여 지친간(至親間) 초왕이 대역을 몸소 행하고, 또 장사왕이 짐의 정을 모르고 태연이 모반하니, 수족(手足) 지친간에 제왕 등이 이렇듯 자주 반하며, 찬역지심(篡逆之心)을 두니, 차는 짐이 박덕

---

682) 편쇠 : 번철(燔鐵). 무쇠.
683) 형장주장(刑場朱杖) : 형장에 있는 붉은 칠을 한 곤장(棍杖).

한 연고니, 도시 짐의 불명함이거니와, 초왕 등의 죄상이 어찌 통한치 않으리오. 짐이 황숙(皇叔) 앎을 충후(忠厚)한 줄로 미루어, 국척류(國戚類)에 대접함이 박(薄)치 않거늘, 짐의 뜻을 알지 못하고 몽숙과 동심모의(同心謀議)하여 충현을 해함이 아니 미친 곳이 없고, 요괴로운 궁인을 꾀어 짐에게 변심하는 약을 나오니, 죄당만사(罪當萬死)라. 왕법(王法)은 사사가 없으니, 숙질정의를 돌아보지 않고 다스림을 어찌 모르리오마는, 차마 황숙으로 하여금 몸에 참형을 더하지 못하나니, 윤씨의 소표(疏表) 여차하고, 요리의 초사 분명하니, 모름지기 발명(發明)치 말고 간상을 실진무은(實陳無隱) 하라."

형왕이 상교를 듣자오매 놀랍고 황황하여 오래 말을 못하다가, 심신을 겨우 정하여 면관(免冠) 청죄(請罪) 왈,

"진영수 정천흥 등이 신을 해코자 하여 초왕의 연좌(連坐) 쓰기를 폐하께 청하오니, 폐해 비록 불윤하시나 신의 뜻이 정·진 등을 한할 즈음에, 몽숙이 정·진 등을 무찌르려 하오매, 과연 한가지로 모계(謀計)하였으니, 구구삼설(九口三舌)[684]이나 이에 당하여 감히 발명할 조각이 없나이다."

상이 탄하시어 왈,

"황숙이 몽숙의 꾀옴을 들어 일을 그릇 생각한 바나, 스스로 흉계를 먼저 빚음이 아니니, 안심 평신하라."

왕이 사은하고 감히 낯을 들지 못하더라. 아지못게라! 몽숙의 초사 하여오? 차관하편(且觀下篇)하라.

---

684) 구구삼설(九口三舌) : '아홉 입과 세 혀'라는 뜻으로 많은 말을 늘어놓는 것을 말함.

명주보월빙 권지육십

차설 몽숙의 초사에 왈,

"신 몽숙은 팔자 기박하와 조상부모(早喪父母)하고 종선형제(終鮮兄弟)하여 무타종족(無他宗族)하니, 외로운 인생이 혈혈무의(孑孑無依)하여 보전함을 얻지 못할 바이거늘, 낙양후 진광이 양휼(養恤)하는 은혜를 입고, 사랑함이 지극하니 차마 어찌 저버릴 뜻이 있으리까마는, 당금의 권세 중한 자를 이를진대 정천흥 진영수라. 신의 풍신재화(風神才華)를 보는 이 다 칭찬하다가도, 정·진에 섞이면 봉황(鳳凰)과 오작(烏鵲)이라. 하물며 천총의 융성하심은 의논할 바 아니라. 신이 천흥으로 정의(情誼) 성김이[685] 다름이 아니라, 신의 아자미는 윤수의 처라. 심사 괴이하여 전상서 윤현의 자녀를 없애고자 발분망식(發憤忘食)[686]하여, 윤씨를 천흥과 성례케 되니, 아자미 신을 청하여 여차여차하여, '천흥이 윤씨를 취(娶)치 않거든 신에게 돌아 보내마.' 하거늘, 신이 그 말을 좇아 윤씨의 간부(姦夫) 맹한인 체하고, 미혼시에 칼을 들고 천흥의 자는 곳에 가 어른거려 욕하니, 천흥이 잡고자 하거늘 피하여 돌아갔다가, 신혼 초일에 또 여차여차하되, 천흥이 윤씨를 의심치 않아 은정이 깊으니,

---

685) 성기다 : 성글다. 관계가 깊지 않고 서먹하다. 사이가 뜨다.
686) 발분망식(發憤忘食) : 끼니까지도 잊을 정도로 어떤 일에 열중하여 노력함.

그 위인이 총명함이 신(臣) 같은 사람이 채잡지687) 못할지라. '유를 내
고 양을 낸 탄'688)이 대(代)마다 있음을 골똘689) 한탄하던 바라. 모년
월일에 아자미를 보러 윤부의 나아가매, 차종매(次從妹) 하원광의 처 소
윤씨가 원광과 혼사를 이루고자 하여, 윤수 딸을 데리고 촉지로 나아가
려 하는지라. 신이 종매를 보오니 화월(花月)이 수태(羞態)할 색광재예
(色光才藝)가, 명주보벽(明珠寶璧)의 온윤(溫潤)한 광채와 폐월수화지태
(閉月羞花之態)를 겸하였으니, 성인(聖人)도 요조숙녀를 오매사복(寤寐
思服)하여 계시니, 신이 시세(時世) 경박자(輕薄子)를 어찌 면하오며,
황홀치 않으리까? 신이 짐짓 선세 묘소에 배알키를 이름하고, 추밀과
동행하여 가대, 종매 위인이 단엄하여 다시 신을 보지 않고, 희미한 소
리도 들을 길 없으니, 신이 혜건대, 시속(時俗)이 종표혼인(從表婚
姻)690)도 있으니, 하가가 종매를 버리면 신이 취할 가망이 있을까 하
여, 하원광 부자가 자는 곳에 들어가, 윤씨의 간부 진고람이로라 하고,
하진 부자를 지르려 하니, 원광이 용력이 비상하여 신을 잡아 죽이고자
하니, 신이 급히 도망하나 원광에게 손이 상한지라. 하가 부자를 그렇듯
놀래니 반드시 퇴혼(退婚)할 줄로 알았더니, 하가가 조금도 구애치 않고
혼사를 지내거늘, 신이 그 금슬을 희짓고691) 종매를 하가에 보전치 못

---

687) 채잡다 : 채를 잡다. 주도적인 역할을 하거나 주도권을 잡고 조종하다. *채;
　　가마, 들것, 목도 따위의 앞뒤로 양옆에 대서 메거나 들게 되어 있는 긴 나무
　　막대기.
688) '유(莠)를 내고 양(良)을 낸 탄(嘆)' : 양유(良莠)의 탄(嘆), 곧 좋은 풀[良]이 있
　　는가 하면 또 나쁜 풀[莠]이 있는 것에 탄식. 세상엔 착한 사람만 있는 것이 아
　　니라 악한 사람도 있음을 비유적으로 이르는 말.
689) 골똘 : 한 가지 일에 온 정신을 쏟아 딴 생각이 없음.
690) 종표혼인(從表婚姻) : 내종사촌과 외종사촌 간의 혼인.
691) 희짓다 : 남의 일에 방해가 되게 하다.

하도록 하여, 간부서(姦夫書)를 종매에게 전하는 체하여 원광을 보이되, 불평한 사단이 없거늘, 다시 비조(飛鳥)가 되어 하가에 들어가 본즉, 하진의 딸이 절승기려(絶勝奇麗)함이 승어윤씨(勝於尹氏)니, 흠모하여 과연 묘랑을 촉하여 하씨 노주를 다 후려692) 왔거늘, 신이 가인(佳人)693)을 삼고자 하였더니, 하씨 절개 추상(秋霜) 같아서 신의 비례패도(非禮悖道)를 책하고 노주 익수(溺水)하니, 분명 죽은 줄로 알았더니, 공교히 천흥이 구하여 데려가 여러 일월을 두었다가, 희천과 구약(舊約)을 성전(盛典)하고, 신이 본디 은악양선(隱惡佯善)을 즐겨, 신의 허물을 남이 알게 않거늘, 천흥 영수 등이 신의 사나움을 짐작하여 매양 색욕(色慾)을 존절(撙節)하고 공검절차(恭儉切磋)키를 당부하니, 신이 괴로움을 이기지 못하여 점점 정이 소(疎)하고 해할 의사 일어나, 정·진 이문을 무찌르고 청망재예(淸望才藝)가 신의 일신에 온전함을 구하더니, 신이 해북에 교유사로 다녀온 지 여러 달이 되지 않아서, 북이(北夷)의 반상(叛狀)이 있어 폐하 근심하시거늘, 천흥이 자원출정(自願出征)하고, 또 정·진 등이 신의 교유(敎諭) 잘못한 죄를 삼으니, 분한이 천흥에게 돌아갔거늘, 문득 천흥이 북이를 파한 첩음(捷音)이 자주 천정에 오르고, 성총이 새로우심을 보매 시애지심(猜礙之心)을 참지 못하여, 형왕과 동심모의하여 반서를 지어 해북 제읍에 돌리고, 모역서간을 만들어 오왕에게 잡히게 하고, 용포와 옥새를 신이 도적하여 정부 협실 궤중에 감추고, 정·진의 글씨체를 모습(模襲)하여 시사(詩詞)를 창화하여 두 집 서첩에 끼우고, 동요를 지어 듣는 자로 하여금 의심케 하고, 화승상의 성도가 급거(急遽)함으로 짐짓 정·진 등의 모역이 적실함을 일러 청대(請對)케

---

692) 후리다 : 잡아채다. 재빠르게 잡고서 당기거나 추켜올리다.
693) 가인(佳人) : 이성으로서 애정을 느끼게 하는 사람.

하며, 윤광천 형제를 해코자 함은 다른 일이 아니라, 아자미 신의 재주를 아는 고로 죽여달라 청하거늘, 신이 야반에 칼을 집고 들어갔다가 광천 등에게 잡혀 하마 죽을 번하고, 놓으며 신을 당부하여 아자미 패덕을 들어내지 말고자 하니, 그 중심에 신을 미워함이 등한치 않을 것이므로 죽여 없애고자 하여, 광천을 참모사로 보낸 후, 손확을 보아 광천을 죽이라 당부하고, 희천은 역모에 넣어 죽이랴 하였더니, 묘랑이 잡혀 악사 발각하니, 원래 천흥이 술사(術士)를 허망이 여겨 상(相)을 뵈는 일이 없어, 묘랑으로 도인을 만들어 의심의 말씀을 성상이 들으신 후, 즉시 도망케 하고, 용좌(龍座)를 범하여 금낭(錦囊)을 떨어뜨려 어람(御覽)케 하고, 광천의 적소에 임성각을 보내어 죽이라 함은 신의 뜻이 아니요, 아자미 간청함이러니, 각이 지금 기척이 없으니 그 사단을 알지 못하고, 윤씨 친정으로 돌아가는 바에 윤수 호행하는 것을, 신이 청하여 밤을 머무름은, 아자미의 당부를 좇음이요, 윤씨를 북궁에 들여간 줄은 모르는 일이나, 죄 많으며 행실이 그릇됨은 아자미 지휘에 많이 이끌린 바라. 금일을 당하여 몸에 참형이 미치고, 평생에 벗지 못할 매명(罵名)을 들으니, 비로소 남을 해함이 제 몸에 사화(死禍)를 이르게 한 줄 깨달아 뉘우치고 슬퍼하나 미치리까."

하였더라.

상이 또 물으시되, 변심(變心)하는 약을 짐에게 진(進)함은 모름이냐?

몽숙이 주왈,

"이는 형왕전하가 하신 바니 신은 알지 못하나이다."

상이 형왕더러 물으시니, 왕이 기망(欺罔)치 못하여 옳은 대로 주하니, 상이 홍상궁을 잡아내어 면질(面質)하시고 더욱 통해하시어, 정·진 등의 애매히 참화에 떨어질 번함을 크게 안타까워하시고, 천총이 흐려 계시던 바를 더욱 뉘우치시어, 진실로 정·진 등을 위유(慰諭)하실 말씀이 빛이 없어, 만승의 위엄이나 가벼이 여기지 못할지라. 이에 낙양후 삼곤계와 정공 부자를 가까이 나아오라 하시니, 정・진 등 사공이 인신 지도에 누명을 벗은 후조차 상교(上敎)를 역정(逆情)하여, 가까이 나아오라 하심을 응치 않음이 불가하여, 탑전(榻前)에 부복하니, 상이 길이 탄하시어 왈,

"짐이 박덕불명(薄德不明)하여 소인의 간참(奸讒)을 혹(惑)하여, 충현을 의심함이 아니 미친 곳이 없어, 경 등의 부자로 하여금 참화의 미치게 할 번하니, 경 등이 어찌 원심이 없으리오. 윤씨의 격고(擊鼓)함으로 좇아 간정이 발각하여, 경 등의 신원이 어름의 티 없음 같으니, 천도가 무심치 않음을 볼지라. 짐이 요약에 심정이 흐린 고로, 간참(奸讒)을 신청(信聽)한 허물이 호대(浩大)하여, 영수와 세흥의 이른 바 혼군(昏君) 되기를 면치 못하니, 경 등은 충렬지신(忠烈之臣)이라 짐의 실덕을 생각지 말고, 금번 굿김을 한치 말라. 차후나 군신이 휴척(休戚)694)을 한 가지로 하여 불평지사 없기를 바라노라."

하시니, 정・진 사공이 사배(四拜) 주왈,

"신 등이 무상(無狀)하와 망극한 죄명을 무릅쓰나, 다만 부끄럽지 않은 바는 지은 죄 없음이라. 신 등이 행신이 독경(篤敬)695)치 못하오므로, 성상의 의심하심이 그 곳에 미치시니, 성왕(成王)696) 같은 현군도 주공(周公)697)을 의심하시니, 하물며 신 등의 무리니까? 간참(奸讒)이

---

694) 휴척(休戚) : 편안함과 근심.
695) 독경(篤敬) : 말과 행실이 착실하며 공손하다.
696) 성왕(成王) : 중국 주나라의 제2대 왕. 이름은 송(誦). 어려서 즉위하였기 때문에 처음에는 숙부 주공단(周公旦)이 섭정하였으나, 후에 소공(召公)・필공(畢公) 등의 보좌를 받아 주나라의 기초를 쌓았다.
697) 주공(周公) : 중국 주나라의 정치가. 문왕의 아들로 성은 희(姬). 이름은 단(旦). 형인 무왕을 도와 은나라를 멸하였고 어린 조카 성왕(成王)을 섭정하여

공교하매 폐하의 일월지명(日月之明)이 부운(浮雲)의 옹폐(壅蔽)하심이
러니, 이제 복분(覆盆)698)의 원(冤)을 신설하여 성교 이에 미치시니,
신 등이 황황(惶惶)하여 아뢸 바를 알지 못하옵나니, 군부 죽으라 명하
신들, 위인신(爲人臣)하여 원(怨)하는 의사 있으리까? 영수와 세홍이 무
식하오나 거의 불충 두 자를 면하오리니, 원컨대 이런 하교를 내리오사
신 등의 전율(戰慄)함을 더하지 마소서."

상이 실덕을 재삼 탄하시고, 윤씨의 절효열행을 칭찬하시며, 조씨 요
정(妖精)에게 참사함을 슬피 여기시니, 윤부인이 이미 구가 신원이 두렷
하고, 태우 곤계의 성효는 빛나, 조모의 참덕(慙德)은 이를 것이 없어,
그 시녀를 잡히라 하시니, 그 죄상이 더욱 요요(曜曜)할 것이오. 성상이
그 죄를 물시(勿視)치 않을지라. 자기로 인하여 조모와 숙모의 극악패덕
이 드러남을 슬퍼, 죽을 뜻을 품었는지라. 이의 전폐에 체읍 주왈,

"묘랑의 초사(招辭) 가운데 신의 할미699)와 아자미700) 패덕이 나타나
오니, 고어(古語)의 무불시저부모(無不是底父母)701)라 하니, 할미 비록
목강(穆姜)702)의 인자한 덕이 없을지라도, 자손이 시비(是非)할 바 아
니라. 집이 불행(不幸) 망극(罔極)하와, 아비 일찍 기세한 연고로 가사
가 요란하온지라. 이 또 아자비 소활하고, 경도(輕倒)한 비자들이 말을

주나라의 기초를 튼튼히 하였다. 예악제도(禮樂制度)를 정비하였으며, ≪주례
(周禮)≫를 지었다고 알려져 있다.
698) 복분(覆盆) : 죄를 뒤집어쓰고 밝히지 못하고 있음.
699) 할미 : '할머니'의 낮춤말.
700) 아자미 : '아주머니'의 낮춤말. =아주미.
701) 무불시저부모(無不是底父母) : 옳지 않은 부모는 없다. 『小學』〈嘉言〉편에 나
오는 말.
702) 목강(穆姜) : 중국 진(晉)나라 정문구(程文矩)의 아내. 성은 이(李)씨, 자(字)는
목강(穆姜). 전처 소생의 네 아들을 자신이 낳은 두 아들보다 더 사랑하여 훌
륭하게 키웠다.

흔히 하여, 대수롭지 않은 일도 소요(騷擾)히 빚어냄이니, 이 불과 신자
의 미세하온 가사(家事)라. 국가의 간섭함이 아니요, 아자미 실덕은 그
가장이 처치하리니, 아자비703) 교지에서 돌아옴을 기다리고, 그 처사를
볼 따름이오. 할미는 노망하여 책망할 바 아니오니, 성상은 부질없이 그
시녀를 잡히시어 무복(誣服)을 받지 마시고, 광천 등의 죄명이 애매타
하실진대 그 정배를 푸시고, 아자비 금년 돌아올 기한이라, 부자숙질이
모여 자연 가내를 진정(鎭靜)하올지라. 조모와 숙모의 죄를 물시하시고,
요정이 비록 자모를 죽였노라 하오나, 요리(妖尼) 물어다가 버린 것은
목인(木人)이요, 신모는 표숙의 집에 숨었삽나니, 승상 조진더러 물으시
면 자세히 아뢰리이다. 신이 무상하여 낯가리는 예를 폐하고, 한갓 구부
(舅父)와 가부(家夫)의 급화를 구코자, 요정을 잡아 천문에 바치고, 만
조(滿朝) 군졸(軍卒) 가운데 당돌히 군전을 사무쳐704) 미세한 사정을 번
득함705)이 죄 중하고, 여행(女行)에 휴손(虧損)함이 백희(伯姬)706)의
죄인이라. 다시 조모와 숙모에게 무궁한 누얼을 끼치오니, 성효의 천박
함이 죄당만사(罪當萬死)라. 스스로 죽어 죄를 속하고, 지하의 아비를
보아 할미 해한 죄를 청하오리니, 복원 천지 부모는 신첩의 망극한 정리
를 살피시고, 광천 등을 조정에 용납고자 하실진대, 할미와 아자미 죄를

703) 아자비 : '작은아버지'의 낮춤말.
704) 사무치다 : 깊이 스며들거나 멀리까지 미치다.
705) 번득하다 : ①물체 따위에 반사된 큰 빛이 잠깐 나타나다. 또는 그렇게 되게
  하다. ②사정을 하소연하다. 억울한 일이나 잘못된 일, 딱한 사정 따위를 간곡
  히 호소하다.
706) 백희(伯姬) : 중국 춘추시대 노(魯)나라 선공(宣公)의 딸. 송나라 공공(恭公)에
  게 시집갔다가 10년 만에 홀로 됐다. 궁궐에 불이 났을 때 관리가 피하라고 했
  으나 부인은 한밤에 보모 없이 집을 나설 수 없다고 고집해서 결국 불속에서
  타 죽었다. 『열녀전(烈女傳)』〈정순전(貞順傳)〉'송공백희(宋恭伯姬)' 조(條)에
  기사가 보인다.

물시(勿視)하심이 가하온지라. 옥주의 성덕혜화(聖德惠化)는 출인(出人)하시대, 최녀 흉인이 돕기를 무상이 하오미니, 성상은 명찰지(明察之)하소서."

주파(奏罷)의 의수(衣袖) 사이로서 단검을 내어 엄연(奄然)707) 자결하니, 설인(雪刃)이 정광(精光)을 토하는 바에, 문득 홍혈이 돌지하니708), 좌우(左右) 경악함을 이기지 못하고, 상이 대경하시어 정공으로 하여금 빨리 보라 하시니, 공이 정신이 몸에 붙지 않아 참절비도(慘切悲悼)함이 태우와 학사를 참하라 내어 갈 적이나 다르지 않아, 창황히 소저의 시신을 붙들어 조승상을 향하여 왈,

"시신을 일시도 전폐의 두지 못하리니, 합하 치여(輜輿)709)를 얻어 내어 가게 하소서."

언파에 맑은 누수 비같이 떨어져 미염(美髥)을 적시니, 조공이 역비경참(亦悲驚慘)710)하여 바삐 하리로 하여금 거교(車轎)를 대령하라 하고, 시신을 자세히 보매, 칼을 급히 지르매 명맥을 끊지 못하여 빗 찔렸는지라. 혹자 살릴 수 있을까 죄는 뜻이 초갈(焦渴)하니, 하물며 정공의 마음이리오. 상이 물으사 왈,

"윤씨 급히 찔렸으니, 혹자 살 도리 있을까 하니, 그 찌르기를 어찌하였더뇨?"

공이 빗 찔렸음을 주하니, 상이 의술이 고명한 태의와 의녀 삼십인을 명하시어, 윤씨를 살려낼진대 크게 상하리라 하시고, 칭찬하여 가라사대,

"산고옥출(山高玉出)이오 해심출주(海深出珠)711)라. 윤현의 생한바

---

707) 엄연(奄然) : 매우 급작스러운 모양.
708) 돌지하다 : 솟아나다. 급하게 흐르다.
709) 치여(輜輿) : 짐을 싣는 수레.
710) 역비경참(亦悲驚慘) : 또한 슬프고 놀랍고 참혹함.

자녀 삼인이 개개이 특이하여, 광천 등의 비상함과 윤씨의 열절성효(烈
節誠孝)가 이 같으니 어찌 아름답지 않으리오. 정경은 식부를 데려 밖에
나가 백약을 시험하여, 명일 간사(奸邪)를 다스릴 바에 참여케 하라."

정공이 수명하니, 상이 태의원(太醫院)712)에 명하시어 갖은 약류를
대후하여 찾기를 기다리라 하시니, 융융하신 성총이 여자의 얻기 어려
운 영화더라.

정공이 진공 삼 곤계로 더불어 윤씨 신체를 데려, 궐문 밖에 의막 잡
아 여의(女醫)와 태의(太醫)713) 등이 의논하여 약을 상처의 바르고, 정
공이 백방으로 구호하여 심장이 초갈함을 면치 못하더라. 상이 정·진
양부를 에운 군졸을 물리라 하시고, 정병부와 진태우 등의 의관을 주어
탑전(榻前)에 나아오라 하시니, 병부 삼형제와 제진이 감히 천의를 역지
못하여 전폐(殿陛)에 근시(近侍)하매, 상이 불명실덕(不明失德)을 재삼
일컬으시고, 윤씨의 소장(疏狀)이 아니런들 누얼을 신백(伸白)기 어려움
을 이르시고, 남후를 집수 추연하시어 왈,

"경의 정충대절(貞忠大節)은 백일로 쟁광(爭光)커늘, 짐이 불명하여
충현을 저버림이 많아, 경이 북이를 평정하고 개가로 회군하거늘, 짐이
위사를 보내어 함거중(檻車中) 죄수로 대역을 무릅쓰게 하니, 윤씨의 격
고등문 함으로 신원(伸寃)이 거울 같으나, 그 때 놀라움이 어떠하였으리
요. 이 또 경의 액회(厄會) 중하여 간인이 작악(作惡)하매, 짐의 총명이
흐려 일장 화란을 지내니, 생각하매 차악함을 이기지 못하고, 짐의 밝지

---

711) 산고옥출(山高玉出) 해심출주(海深出珠) : 높은 산에서 옥이나고, 깊은 바다에
서 진주가 난다는 뜻으로 훌륭한 인물은 덕이 높고 전통이 깊은 명문가에서
난다는 말을 비유적으로 표현한 말.
712) 태의원(太醫院) : 내의원(內醫院). 궁중의 의약(醫藥)을 맡아보던 관아.
713) 태의(太醫) : 어의(御醫). 궁궐 내에서, 임금이나 왕족의 병을 치료하던 의원.

못함이 참괴한지라. 경은 화복(禍福)이 관수(關數)함을 알리니, 짐의 실덕을 원(怨)치 말고, 차후 부자같이 휴척(休戚)을 한가지로 함을 바라나니, 불인한 공주를 경에게 보내어 가사를 어지럽히고, 윤·양 등과 제희(諸姬)를 다 해하며, 경의 자녀를 참혹히 죽게 하니, 어찌 통한치 않으리오. 짐이 여러 가지로 경을 해한 꼴이니, 문양 같은 위인이 만승(萬乘)에 남을 비분하고, 윤씨의 기특함을 보매, 윤현이 생녀 잘함을 부러워하나니, 윤씨의 생도를 길이 바라노라."

남후 부복 대왈,

"신의 기량(器量)이 화홍(和弘)치 못 하온 연고로 인심을 감화치 못하여, 몽숙의 신을 해함이 그 지경의 미치니, 도시 신의 어질지 못한 탓이라. 어찌 폐하의 실덕을 원망하리까? 북이를 정벌함은 신자의 직분을 다함이요, 공주를 하가하여 신의 처자를 해함을 이르시나, 신은 공주 하가 초일에 그 작인(作人)714)이 이상함을 짐작하였삽나니, 새로이 놀랄 바 없나이다."

진태우 형제와 정예부 등이 말씀을 이어 성은을 숙사(肅謝)하되, 사기(辭氣) 열숙(烈肅)하여, 소인의 요악한 정태로 소양불모(宵壤不侔)715)하니, 상이 새로이 총우하시는 은권(恩眷)이 비할 곳이 없으며, 만조문무의 흡연이 즐김이 춘풍을 자아내니716), 몽숙의 당류 낙담상혼(落膽喪魂)함을 마지않고, 승상 화경이 몽숙의 요언(妖言)을 믿어 충현을 대역으로 미루어 청대(請對)함을 크게 뉘우쳐, 문득 청죄하여 지식의 천단함과 언사의 경도(輕倒)함을 일컬으니, 상이 위유하시어 왈,

---

714) 작인(作人) ; 사람의 됨됨이나 생김새.
715) 소양불모(宵壤不侔) : 하늘과 땅처럼 큰 차이가 있음.
716) 자아내다 : 어떤 감정이나 생각, 웃음, 눈물 따위가 저절로 생기거나 나오도록 일으켜 내다.

"경이 정·진 등을 해코자 함이 아니라, 몽숙의 요언을 믿음이니 어찌 죄를 삼으며, 짐도 곧이들은 바니 홀로 경을 책하리오."

승상이 재배 사사하나 가장 불안하더라.

금오랑이 문양궁 최상궁과 옥누항 세월 비영 등을 잡아 이르니, 상이 승상 조진과 이부상서 윤환더러 물으시되,

"위·유의 죄상이 천사무석(千死無惜)이니, 비록 신자의 가사(家事)요, 여자의 작악(作惡)이나, 광천 등의 전정을 돌아볼진대, 짐이 만민의 부모 되어 이런 일을 물시(勿施)하여 살피지 않으면, 광천 등을 버리는 잢717)이니, 마지못하여 양녀(兩女)의 시비를 저주어 명정기죄(明正其罪) 하리로다."

조공이 주왈,

"신은 윤현의 처남이니, 인친가 부녀의 현불초(賢不肖)를 들놓음이 불가하옵고, 그 시녀를 저주심은 성의대로 하소서. 초에 신매(臣妹)를 간인이 해하려 딸을 가보라 권하니, 신매 의심하고, 광천의 처 정씨는 신명한 여자라, 광천형제 입번하고 더불어 의논할 이 없으되, 가만히 초인을 만들어 의상을 입혀 교중의 넣어 보내고, 신매는 후정에 숨었더니, 계교와 같이 윤가 노자가 초인을 메고 취운산으로 가다가, 길에서 요정이 후려 간지라. 위·유와 윤가 족친의 서어(齟齬)한718) 유(類)는 광천 등이 그 모(母)의 거처를 모름으로 알거니와, 저희 형제 출번 후 즉시 자모를 데려다가 옥화산의 두고, 가만히 틈을 타 왕래하며, 윤수의 서모 구씨 요약에 인사불성(人事不省)이 된 바를 광천 형제 근심하여 역시 신의 집에 데려다가 두고 각별 의약을 하매, 구씨 점점 나아 신매로 더불

---

717) 잢 : 사물, 일, 현상 따위를 추상적으로 이르는 말. =일. 꼴. 것.
718) 서어(齟齬)하다. 친하지 아니하여 조금 서먹하다.

어 한 곳에 있나이다."

상이 정씨의 총명특달(聰明特達)함을 기특히 여기사, 다시 물으시어 왈,

"요리의 초사 가운데, 위방의 노자가 정씨를 메어간 줄 알았더니 수삼일 후 돌아오다 하니, 그 곡절을 경이 아나냐."

조공이 매제의 이름으로 좇아 들었는지라, 대왈,

"정씨 위방의 흉계를 알아 군관 이곽을 교중에 넣어 보내어, 위방을 여차여차 난타하여 속이고, 정씨는 몸을 빼어 신매를 보고 수삼일 후 돌아가나이다."

윤상서 주왈,

"신은 광천 등으로 삼종숙질간(三從叔질間)이라. 그 가간(家間)의 변고와 사람의 선악을 아옵나니, 광천 등의 성효는 대순(大舜) 후 처음이요, 위·유는 상모(象母)719)에 지나는지라. 조씨의 성행숙덕이 인리(隣里) 종족(宗族)의 칭복함이 되었으되, 홀로 노모를 감화치 못하여 한없는 고경(苦境)을 당하니, 그 위란(危亂)한 형세가 어찌 참연치 않으리까? 저 양비를 엄형하시어 전전 악사를 발각케 하시고, 광천 등의 원억한 죄루를 신백케 하소서."

상 왈,

"조경은 위·유를 인친가 부녀라 하여 시비치 않으나, 윤경은 일가지의(一家之義)로 조씨와 광천 등의 참담한 정사를 슬피 여겨, 간인의 악사를 발각고자 함이 옳은지라. 양비를 다스려 초사를 받으리라."

하시니, 조·윤 양공이 배사(拜謝)하더라.

상이 최상궁과 세월 비영 등을 일처(一處)에서 추문(推問)하시어, 극

---

719) 상모(象母) : 옛날 중국 순(舜)임금의 이복동생인 상(象)의 어머니. 전처 소생인 순을 죽이기 위해 갖은 악행을 저지른 포악한 계모의 전형이다.

악대죄(極惡大罪)를 직초(直招)하라 하시니, 양인이 본디 위·유의 중히
여기는 비자로, 천만 기약치 않은 금오랑(金吾郞)720)이 불의에 잡아오
니, 지은 죄 중한 고로 황겁함이 측량없거늘, 골육이 미란하는 형벌이
일신을 분쇄하는 듯하니, 원래 태장의 괴로움을 겪음이 없어, 위·유를
모셔 고량(膏粱)721)으로 복중(腹中)에 메우고 촉나(蜀羅)로 몸을 가리
며, 태복과 군석이 제 어미 받듦을 태부인이나 다르지 않게 하여, 외람
한 거조가 무궁턴 바로, 불시에 중형을 임하여 어찌 복초를 않으리오.

불급수차(不及數次)에 크게 울고 초사를 써 올리니, 초사에 허다한바
가 묘랑의 복초도곤 더하되, 비로소 아시는 바, 위·유가 명천공 재시부
터 물어먹을 듯하다가, 공이 금국으로 나가매, 그 때 조부인이 잉태하여
태우 형제 복중에 있고, 정병부 부인이 겨우 사세 된 것을 위·유 의논
하고, 조부인 모녀를 죽이려 독약을 음식에 섞어 먹이되 각별 죽지 않
고, 상서 금국에서 별세하고, 조부인이 태우 형제를 낳으매, 추밀은 영
행(榮幸) 비절(悲絶)함이 교집하되, 위·유는 그 쌍태옥동(雙胎玉童)이
인봉(驎鳳)같음을 통완하여, 조부인을 못견디게 보채던 바와, 병부 부인
혼사를 작희하여, 위방에게 은을 받고 무지모야(無知暮夜)의 겁탈하라
하니, 윤씨 그 뜻을 짐작하고 주영을 대신에 보낸 바며, 유씨 하가를 화
가여생(禍家餘生)이라 하여 딸을 김가에 완정(完定)하되, 추밀이 은주에
나갔음으로 말릴 이 없음을 인하여, 유씨 방자무기(放恣無忌)722)하여
사혼(賜婚)을 도모하고, 딸을 중광에게 보내려 하였더니, 뜻 아닌 윤씨
절행이 열렬(烈烈)하여 모친의 욕화(慾火)를 애달라, 사리로 간하다가

---

720) 금오랑(金吾郞) : 조선 시대에, 의금부에 속한 도사(都事)를 이르던 말.
721) 고량(膏粱) : 고량진미(膏粱珍味). 기름진 고기와 좋은 곡식으로 만든 맛있는
  음식.
722) 방자무기(放恣無忌) : 건방지고 거리낌이 없음.

유씨 듣지 않으매, 수월을 집을 떠났다가 추밀이 돌아온 후 들어온 설화를 고하고, 태우 형제를 추밀이 은주 갔을 적 시초(柴草)를 시키며, 미곡을 나르게 하고, 우양마필(牛羊馬匹)을 맡겨 먹이게 하며, 새끼를 꼬이고 맥죽(麥粥) 재강(滓糠)도 두 끼를 차려 주지 않고, 중장(重杖)을 가해 혈육이 상케 하다가, 추밀이 돌아오매, 정·석 양인이 언간(言間)에 공자 등의 고상(苦狀)을 알아들을 만큼 비추니, 학사 양모의 과악을 감추려 양광실성(佯狂失性)하였던 바며, 추밀이 변심한 후, 유씨 위씨를 도도아 정·진·하·장을 참혹히 보채여, 염천(炎天)에 태우를 나무에 매어달고 죽이려 하다가, 정·석 양인이 구한 바에 다다라는, 듣는 자가 뼈 신723)지라. 하물며 윤부인이 한번 근친(覲親)에, 사화(死禍)를 만나 독약을 입에 퍼붓고 다리를 질러 농중에 담아 형봉을 맡겼더니, 윤씨 도로 살아나고, 형봉의 머리는 반야에 여차여차 경희전의 들이치던 바와, 개용단으로써 비영의 딸 춘월을 먹여, 윤씨 얼굴이 되어 정부에 보낸 후, 지금 소식을 모름과, 하씨를 짓두드려 궤에 넣어 충학을 주어 남강에 띄우고, 세월이 개용단을 먹고 하씨 되어 하가에 갔다가 일야지내(一夜之內)에 도망한 바와, 태우 형제를 유리행걸(流離行乞)케 하랴, 노복과 전토를 다 팔아 없애고, 당차시(當此時)하여는 집을 다 헐어 파는 지경이 되어, 군석이 불순하되 위·유가 태복과 군석을 덧내어724), 양노(兩奴)의 원망이 무궁하여, 가만한 가운데 공교로이 저주를 행하니, 위·유 참혹한 병신이 되어 행보를 못하고, 만신창질(滿身瘡疾)이 보기에 아니꼽고 더러울 뿐 아니라, 위씨는 사람을 알아보지 못하고 양목(兩目)이 폐맹(廢盲)케 되고, 유씨는 귀먹어 사람이 곁에서 아무리 소리를 질러도

---

723) 시다 : 관절 따위가 삐었을 때처럼 거북하게 저리다.
724) 덧내다 : 병이나 상처 따위를 잘못 다루어 상태가 더 나빠지다.

알아듣지 못함을 고하고, 태우 형제 경사에 있을 적 삭망다례(朔望茶禮)725)와 조선기사(祖先忌祀)를 폐치 말고자 제수를 차려드려 지내기를 청한즉, 위·유 낱낱이 없애고 제향을 영영 끊으려 결단하여, 태우 형제를 찬출한 후는 더욱 사당 문을 열어보는 일 없음을 세세히 주(奏)하니, 상이 만조문무를 돌아보아 가라사대,

"위·뉴 양녀의 사나움은 '남산죽(南山竹)을 베어도 당치 못할지라'726). 악착한 용심(用心)인즉, 몽숙과 요리(妖尼)에 더한지라. 태복과 충학을 또 잡으라."

하시고, 최상궁을 중형(重刑) 삼차(三次)를 다하되, 간정을 직고치 않고 갈수록 애매함을 발명하니, 상이 더욱 통해하시어 쇠를 달궈 최녀의 일신을 지지라 하시어, 바로 아뢰라 하시니, 최녀 이에 다다라는 능히 견디지 못하여, 비로소 초사를 써 올리니, 그 무상(無狀) 간흉(姦凶)한 정적이 역시 윤추밀 부인으로 다르지 않아. 초(初)에 윤·양·이 등이 별원에 있는 때에 장후걸이란 자객을 최형이 얻어 줌으로, '윤·양 등을 죽이라'고 시켜 별원에 보냈더니, 지금껏 사생거처(死生去處)가 없음을 고하고, 윤씨의 만고무비(萬古無比)한 기질이며, 출세비상(出世非常)한 성행(性行) 사덕(四德)이 공주가 만(萬)에 하나를 따르지 못할 것이요, 양씨의 천향아태(天香雅態)와 난자혜심(鸞姿蕙心)을 또 문양이 미칠 길이 없을 뿐아니라, 각각 자녀를 두어 구고의 사랑과 가부의 중대 태악 같음을, 공주 시투(猜妬)하여 밥을 먹지 못하고 잠을 자지 못함으로, 제 역시 윤·양 등을 구수(仇讐)같이 미워하고, 영교 녹섬이 무복(誣服)함

---

725) 삭망다례(朔望茶禮) : 음력 매달 초하룻날과 보름날 낮에 지내는 제사.
726) '남산죽(南山竹)을 베어도 당치 못할지라' : 죄가 하도 많아서 남산(南山)에 있는 대나무를 다 베어서 죽간(竹簡)을 만들어 적어도 다 적을 수 없다는 말.

이 은금으로 그 뜻을 달램이요, 독약을 가져 공주를 죽이려 하던 일이
다 저의 행계(行計)한 바며, 경씨로부터 운영과 구창(九娼)까지 해함은,
묘랑의 초사와 다르지 않고, 현기 등 사남매는 다 여환을 맡겨 남강에
띄운 바를 고하고, 공주 딸을 낳으매, 용모와 색광(色光)이 만고에 희한
하여, 부풍(父風)을 전주(專注)하였[727]의되, 쓸데없는 여자임을 통한하
여, 제 오라비 최형의 첩자(妾子)와 바꾸었음을 일일이 아뢰니, 상이 또
여환을 잡아오게 하여 저주려 하실 새, 평후더러 가라사대,

"공주의 자객이 별원(別園)의 갔더라 하니, 경이 자객의 거처를 알았
으며, 위·유 이녀가 윤씨를 짓두드려, 농의 넣어 시노(侍奴)를 맡겨 없
애고, 경의 집에 시녀로써 보내다 하니, 경이 어찌하여 윤씨를 살려내
며, 그 간정(奸情)을 알아내뇨?"

평후 부복 대주(對奏) 왈(曰),

"윤씨를 그 할미와 아자미 짓두드려 농중에 넣은 것을, 그날 신이 경
춘기의 집 발인(發靷)[728]을 보고자 성내(城內)에 들어왔삽다가, 윤씨 시
녀의 급보(急報)로 윤씨를 구하옵고, 연소지심(年少之心)에 분완함을 이
기지 못하여, 농을 지고 새배를 기다리던 노자를 베어, 위·유를 잠깐
놀랬나이다. 공주의 자객이 별원의 갔던 바는 신이 모르나이다."

정예부 이어 주왈,

"공주의 보내신 바 자객은 신이 여차여차하여, 아자미 등이 먼저 방비
하여 잡음이 있삽거늘, 신이 즉시 사사(賜死)하옵고, 형에게 전치 못하
였나이다."

---

727) 전주(專注)하다 : **빼닮다.** 생김새나 성품 따위를 그대로 닮다.
728) 발인(發靷) : 장례를 지내러 가기 위하여 상여 따위가 집에서 떠남. 또는 그런
    절차.

상이 일마다 공주의 간악을 통해(痛駭)하시고, 윤씨의 신명함을 아름다이 여기사, 어진 여자가 공주로 인하여 참혹히 굿긴 바를 더욱 측은해 하시는지라. 이미 태복과 충학과 문양궁 여환을 잡아 오고, 또 최형을 잡히사 상이 다 엄형(嚴刑) 추문(推問)코자 하시니, 충학과 여환이 주왈,

"천신 등은 공이 있고 죄 없삽나니, 전후사(前後事)를 다 아뢰리이다."

하고, 여환이 먼저 주왈,

"옥주 윤·양·이 등의 자녀를 다 농중에 넣어, 문외 강중(江中)의 띄우라 하시거늘, 신이 농을 지고 나오며 가만히 생각하여도, 주군의 자녀를 무고히 해함이 두려운 고로, 군관 한충더러 여차여차 이르고, 이공자와 아소저를 한충의 집에서 은양(恩養)함이 되옵고, 그 후 경부인 유자를 마저 죽여 없이하라 하시거늘, 또한 한충을 주어 기르되, 옥주는 분명이 죽은 줄로 아시나이다."

충학이 이에 위·유의 명으로 궤를 지고 가다가, 정병부의 습사하고 돌아오는 길을 건너다 잡히매, 정병부 궤를 앗아 보고, 저를 당부하여 유부인께 궤 아인 말을 말나하던 바를 주하니, 상이 평후더러 하씨를 구하여 살려냄이 있는가 물으시니, 평후 대주 왈,

"신이 과연 여차여차 하씨를 구하여, 지금 취운산에 있삽나니, 충학은 유씨의 간악을 알지 못하와 그 명을 순함이니, 다스리지 않으심 직하니이다."

태복이 벌써 한 끝이 들쳐나매 발명할 조각이 없으므로, 과연 유씨 명으로 개용단을 먹고 위씨 침전에 들어갔던 바와, 윤부 가사(家事) 탕진(蕩盡)하여 의식을 잇지 못하는 고로, 저와 군석을 괴로이 보채여 매양 출채(出債)[729]하여 달라 하는 고로, 괴이한 저주사를 행하여 즉금 위·

---

729) 출채(出債) : 빚을 냄.

유 다 기괴한 병인이 되었음을 고하니, 상이 윤태우 형제의 신백이 쾌함을 깃거하시어, 제신더러 이르시되,

"위·뉴 이녀의 극악함을 처치할 것으로되, 그러나 위녀는 윤수 같은 아들을 두었으니 차마 버리지 못하려니와, 유녀는 아들이 없고 희천이 양자이니, 파기양모(破棄養母)730)한 즉, 유녀 아무리 그릇 죽어도, 희천의 전정(前程)은 유해치 아니하리로다."

정병부 대주 왈,

"성상이 만일 윤희천을 조정의 용납하시며, 그 목숨을 살리고자 하실진대, 유녀에게 경한 벌을 쓰시고, 죽일 의논을 내지 마소서."

상이 가라사대,

"경언도 가(可)커니와, 대역의 김후 부자를 죽이지 못하여 그 죄를 다스리지 못하였고, 몽숙을 벤 후, 위·유 이녀와 공주의 죄는 인신의 가사(家事)라, 자연 처치하리로다."

또 전임 대사마 장협을 불러, 가라사대,

"경녀를 위녀가 질러 죽이다 하니, 적실하냐?"

장공이 대주왈,

"신녀를 위녀가 비록 질렀으나, 요행 일명을 끊지 않아 살았으되, 범에게 상한 사람이라, 흉당의 해를 두려 아주 영영 죽음으로 칭하여, 시녀의 죽은 것을 신의 딸의 신체라 하여, 공산(空山)을 얻어 묻고, 여식은 제 표숙의 집에 감추었더니, 즉금 윤희천이 적소에서 유병함을 듣고, 강보 유자(襁褓乳子)를 던지고 양주에 내려간 지 삼사일이나 되었나이다."

상이 가라사대,

"위·뉴 이녀 극악하여 광천 희천의 부부로 하여금 죽을 곳에 몰아넣

---

730) 파기양모(破棄養母) : 의(義)로써 맺은 양모(養母)의 지위를 취소함.

되, 하나도 독수에 죽지 않음이 기특한지라. 다만 진씨의 사생은 짐이 알지 못하나니, 영수 등이 누이 죽음이 적실하거든, 이런 때를 당하여 원수를 갚게 하라."

진태우 등이 대주 왈,

"신 등은 누이 사경(死境)을 금일이야 듣잡나니, 그 때 경참(驚慘)한 거동을 어찌 보았으리까? 광천이 소매를 죽었다 이름하고 제 집 강정에 데려다 두었거늘, 신 등이 취운산으로 데려왔삽나니, 광천이 찬출(竄黜)함으로부터 제 고모(姑母)731)의 심사 슬프다하여 옥화산의 나아갔나이다."

상이 다 죽지 않았음을 기특이 여기시더라. 날이 이미 어두오매, 만조(滿朝)가 상께 주하여 종일 친국에 옥후 잇브심732)을 일컬어, 명일 다시 다스리심을 청하여, 밤에 친국이 부질없음을 주하되, 상이 듣지 아니하시고, 최형을 저주시어 저의 천한 자식으로써 공주의 귀녀를 바꾸며, 최녀의 악사를 도와 공주의 한없는 참덕을 끼침을 통해하시니, 최형이 감히 발명할 터가 없어 전후사를 직초(直招)코자 하되, 더욱 망극한 바는 공주의 딸을 저의 첩자와 바꾸었더니, 최형의 집이 술을 파는 고로, 일일은 향리의 장사질 하는 상한(常漢)이 술 사먹으러 왔다가, 공주의 딸을 보고, 본디 상격을 자세히 알아 사람의 전정 운수를 아노라 하고, 유아가 타일 크게 귀하리라하여, 일백 냥 은자를 개연이 내어주고 유아를 사고 싶어라 하니, 최형이 공주의 딸을 데려다가 비록 죽이지 못하나, 사랑함이 없는 고로 일백 냥 은자를 취하여 팔아버린지라, 이때를 당하여 저의 흉참턴 바를 애달고 뉘우쳐하나, 면할 길이 없는지라. 아무

---

731) 고모(姑母) : 아버지의 누이를 이르거나 부르는 말. 여기서는 '시어머니'를 달리 이르는 말로 쓰임.
732) 잇브다 : '고단하다'의 옛말.

리 할 줄 몰라 도리어 입을 닫아 말을 아니 하니, 상이 진노하시어 형벌을 고찰하시니, 최형이 차라리 장하(杖下)에 마치고자 하여 종시 복초치 않으니, 평후 주하여 가로되,

"최형의 극악함이 죽기를 그음하여 초사를 않으려 하는 거동이니, 신의 소견은 그 처첩을 다 잡혀 물으시어, 공주의 여(女)를 제 아들과 바꾸어 옴이 있는가, 자세히 물으심이 옳을까 하나이다."

상이 마땅히 여기사 급히 최형의 처첩을 잡아 간정을 물으시니, 여염천녀(閭閻賤女) 등이 천위 엄숙하심을 당하여, 좌우전후에 나열한 군졸과 무서운 위의를 한번 구경하매, 몸이 떨리기를 면치 못하니, 않은 일이라도 족히 하였노라 무복(誣服)하려든, 분명히 아는 바를 은닉하리오. 과연 최형의 첩자와 공주의 유녀를 바꾸었더니, 술 사먹으러 어떤 상한이 와서 공주의 딸을 보고 기특히 여겨, 일백 냥 은자를 주고 사갔음을 주하고, 윤부인 시녀 녹섬이 최형의 아들의 첩이 되어 숨어 살고 있음을 다 주하니, 상이 또 녹섬을 잡아다 간정(奸情)을 국문하시니, 녹섬이 주인을 사지에 몰아 넣고, 최형의 집에 숨어 간핍(艱乏)한 일이 없으니, 일생을 즐길까 하였더니, '평지(平地)에 풍파(風波)'733) 일어나, 제 몸이 형벌의 아픔을 당하니, 비로소 극악간흉(極惡姦凶)이 유해함을 깨달아 슬픔을 이기지 못하나, 어이 미칠 길이 있으리오.

이에 개개이 승복하여, 최상궁의 지휘대로 주인을 해함이 금은을 취한 연고(緣故)임을 고하고, 영교도 저와 한가지로 주인을 해하여 공주에게 공을 이뤘으되, 최녀 후일 말을 두려 영교는 죽여 없애고, 저는 최형

---

733) 평지(平地)의 풍파(風波) : 평온한 자리에서 일어나는 풍파라는 뜻으로, 뜻밖에 분쟁이 일어남을 비유적으로 이르는 말. 당나라의 시인 유우석(劉禹錫)의 〈죽지사(竹枝詞)〉에 나온다.

의 집으로 보낸 바를 주하니, 상이 절절이 통완함을 마지않으시어, 경씨를 죽임은 궁인 태섬의 한 바임을 최상궁이 고함으로, 태섬을 잡아내어 경씨 죽인 곡절을 물으시니, 태섬이 승시하여 경부인을 제 맡아내어, 거짓 죽인 체하여 그 모(母) 강씨를 주어 살려낸 말을 고하며, 윤·양 등을 넣었을 때 음식을 궁극히 날라 그 사이 연명케 하다가, 공주 핍박하여 윤·양 등을 물에 넣기에 당하여는 능히 구치 못함을 주하니, 상이 태섬의 의기현심을 기특히 여기사 죄인 등을 다스린 후 상사할 바를 이르시어, 내궁으로 들여보내시고, 밤이 깊음을 인하여, 제신이 다시 청하여 용침(龍寢)에 나아가심을 주하니, 상이 몽숙으로부터 제 죄인을 다 대리시에 가두라 하시고, 만조를 다 물러가라 하시어, 명일 죄인 등의 과악(過惡)을 등제(登第)734)하여 죄벌을 논정(論定)하려 하시더라.

남후 만조로 더불어 퇴하여 궐문 밖에 나와, 부친 의막(依幕)을 찾아 이르니, 금평후 취운산으로 나아가 자전에 봉배(奉拜)코자 뜻이 급하되, 윤씨의 사생을 정치 못하여 종일 구호하되 아무런 줄을 알지 못하고, 칼이 비록 빗찔렸으나 깊이 들어가 중히 상하였으니 살기를 바라지 못할지라. 이러므로 금평후 자당의 안강(安康)하심을 먼저 들었는 고로, 취운산에 나아가지 못하고, 윤씨를 구호하여 그 위태함을 참연(慘然) 자닝하여, 그 흉한 조모와 숙모의 누덕(陋德)이 드러나는 연고로, 윤씨 죽기를 감심(甘心)하여 위·유 양인의 과악을 다시 듣고자 않음인 줄을 지기(知機)하여, 절절이 위·유의 사나움을 분완하며, 위·유는 온 가지로 해하였거늘, 저를 위하여 죽어 모르려 함을 도리어 애달아, 혹자 윤씨

---

734) 등제(登第) : 조선 시대에, 벼슬아치들의 근무 성적을 조사하여 등급을 매기던 일. 여기서는 '등급을 매기다'의 뜻으로 쓰임.

살지 못할까 초조함이 심장이 마를 듯하더니, 밤든 후 남후 삼곤계 제진으로 더불어 의막에 이르러 각각 부전에 봉배할 새, 효자의 반기는 형상을 어디 비할 곳이 있으리오.

연망(連忙)이 슬하에 꿇어 존후를 묻자오니, 원래 진공 삼곤계 다 금평후와 한가지로 의막에 있고, 몸이 가쁘므로735) 운산에 돌아가지 못하였는지라. 각각 아들의 손을 잡고 기쁘며 즐겨함을 어찌 다 이르리오. 도리어 꿈인 듯, 상시(常時)인 듯, 마음을 측량치 못하여, 금평후의 단엄함과 낙양후의 철석간장으로도 자연이 비희(悲喜)를 요동하니, 슬픔은 비록 지난 일이나 화란을 당하였던 바요, 기쁨은 화액을 진정하고 부자형제 즐거이 모임이라.

낙양후 문득 탄하여 가로되,

"정·진 이문에 참화(慘禍)를 일으켜 부자형제 주륙(誅戮)을 당할 번하기는, 실로 나의 탓이라. 구몽숙을 부질없이 거두어 길러 거의 멸망지화를 취할 번하니, 생각하매 놀랍고 차악지 아니하리오."

금후 탄 왈,

"만사 명야라. 구태여 몽숙의 탓을 삼으리오. 그러나 몽숙의 배은망덕(背恩忘德)과 간교요악(奸巧妖惡)함이, 남을 무궁히 해코자 하는 바 도리어 저의 만리전정(萬里前程)을 마치니, 어찌 한스럽지 않으리오."

남후 부친의 성후가 상하실 바를 우려하여 취침하심을 청하니, 금후 추연 왈,

"문호 멸망키를 기약하는 때는, 도리어 어이없어, 이다지도 할 줄 알지 못하였거늘, 오늘날 식부의 격고등문하기로써 흉화를 면하여 무사함을 얻었거니와, 윤씨의 위태한 거동이 아무리 하여도 살기를 믿지 못하

---

735) 가쁘다 : 숨이 몹시 차다. 힘에 겹다.

니, 그 명도의 괴이함이 하루도 화열(和悅)함을 얻지 못하여, 아시로부
터 심사 불평하다가, 이제 천일을 볼 때에 죽을진대 그 참잔(慘殘)함이
가히 어떠하리오. 너는 들어가 그 상처를 자세히 살펴 의약을 다스리고,
나의 자기를 이르지 말라."

남후 화를 도리어 복을 삼기는 윤부인 격고(擊鼓)한 덕인 줄 모르지
않되, 그 정경이 남 달라 부디 죽으려 함인 줄 짐작하나, 부친의 우려하
심을 절박하고, 윤씨 그 흉한 조모와 간악한 숙모의 과실을 부끄러워함
이, 마침내 위·유 두 부인 위한 정성이 태다(太多)함이라. 심리의 가장
애달피 여겨 부군(父君)을 위로 왈,

"윤씨 인사에 마지못하여 격고등문 하여 흉화를 늦추고자 하나, 위·
유 양인을 위한 정으로 그 몸을 죽여 조모와 숙모의 악착한 과실을 듣지
말고자 함으로, 그 자모의 슬픈 정사와 우리 존당부모의 지극하신 자애
를 잊어, 스스로 청춘조사(靑春早死) 함을 달게 여기니, 인물이 그러한
후는 사생이 불관한지라. 하물며 수요장단(壽夭長短)[736]이 하늘이 정한
바니, 인력으로 미칠 바 아니라. 합문이 멸망지화를 당할 바를 헤아려
심골이 서늘할 적도 있고, 금일 세제(弟)와 표형(表兄)을 행형(行刑)하
러 나갈 때도, 오히려 참고 견딤이 있었사옵나니, 불행하여 윤씨 사지
못한들 현마 어찌하리까?"

금후 청파의 문득 변색 왈,

"윤씨는 세상의 무쌍한 정녀철부(貞女哲婦)로 정·진 양문의 참화를
구하매, 곳 네 아비와 동기를 다 살려낸 잦[737]이라. 네게는 한갓 부부
의 정을 이를 것이 아니라, 하늘같은 대은이니, 어찌 그 사생을 불관(不

---

736) 수요장단(壽夭長短) : 오래 삶과 일찍 죽음.
737) 잦 : 사물, 일, 현상 따위를 추상적으로 이르는 말. =일. 꼴. 것.

關)타 하여, 배은망덕함이 구몽숙이나 다르지 않으리오. 내 실로 네가
이런 인물인 줄 알지 못하였노라."

남후 연망히 궤고(跪告) 왈,

"소자 무상하오나 사람의 은혜는 거의 아옵나니, 윤씨 격고등문하는
거조 있으나, 이 불과 여자의 사정(私情)으로 구가와 지아비 구할 조각
이 있어 소장을 올림이니, 은혜라 일컬을 것이 없고, 간당의 모계하는
바를 자세히 알아 참참(慘慘)한 누얼을 신설함은 실로 혜원을 은인이라
함이 옳고, 저는 흉한 조모와 악착한 숙모를 위하여 죽어 갚음이니, 무
엇이 아까울 것이 있으리까? 또 자애지정이 있으면, 강보유아를 던지고
세상을 지레 버리려 않을 것이니, 자기의 자식을 불애(不愛)함으로써 양
가 친당의 자애를 알지 못하는지라. 해아는 그 인사를 통완 함이 없지
않도소이다."

금후 정색 책왈,

"네 흉화를 지내고 심장이 많이 병들어 인사를 알지 못하니, 현처의
기특한 덕을 다 생각하리오. 모름지기 들어가 그 맥후를 살피고 상처의
약을 발라 살도록 구호하라."

남후 여러 번 우기지 못하여 윤씨 누운 곳에 들어가니, 여의(女醫) 삼
십여 인이 주영으로 더불어 윤부인을 구호하며, 이부 등이 창외에서 부
인의 생기 있음을 알고 이에 전하는지라. 남후 윤씨로 아시 정맹(定盟)
이 굳음이 지복맹약(指腹盟約)738)이나 다름이 없는지라. 하물며 조강결
발(糟糠結髮)739)의 정의는 이르지 말고, 특이한 성행이 금고에 독보하
거늘, 명도 기구하여 아시로부터 위·유 고식(姑息)의 작악(作惡)으로

---

738) 지복맹약(指腹盟約) : 뱃속에 있는 아이를 가리켜 굳게 맹세한 약속.
739) 조강결발(糟糠結髮) : 정실부인으로 맞아 혼인함.

곡경을 갖추 지내고, 공주 같은 적인(敵人)을 만나 남에 없는 화란이 비경하여, 그 뜻이 이미 죽기를 결하매, 군전에서 칼로 찔러 거꾸러지는 거동이 참혹함을 보매, 장부의 철석 심장이나 참연함이 견줄 곳이 없으되, 사람됨이 훤칠한[740] 역량을 가져 식견의 원대함이, 만리를 사뭇는 신명함이 있고, 천정(天定)한 수를 비춤이 거울 같으니, 어찌 윤부인 복록이 완전하고, 다남자(多男子)할 기상을 알지 못하리요마는, 목전의 위위(危危)함을 보고 심사 황난(遑亂)하여, 가까이 나아가 금금(錦衾)을 열고 부인의 얼굴을 보매, 생도(生道) 망연(茫然)하더니, 좌우수를 진맥하니 오히려 아주 죽든 않았는지라. 자작명약(自作名藥)하여 두어 복[741]을 지어 달여 부인 입에 떠 넣으며, 계성(鷄聲)이 마치도록 접목치 못하고 구호함이 지극하니, 하늘이 윤씨의 성덕재화(性德才華)를 매몰(埋沒)케 않으려 하시는지라. 비록 칼로 찔렀으나 명맥(命脈)이 끊어지지 않아 이윽고 눈을 떠 좌우를 보는지라. 남후 불승환열(不勝歡悅)하나, 한결같이 화평한 사색뿐이라. 윤씨 형세 마지못한 일이나 군전에서 경솔이 목숨을 버려 검하경혼(劍下驚魂)이 되고자 하던 바를 차석하며, 윤씨 본디 세념(世念)이 부족하니, 비록 금일 죽지 않아도 흉한 조모와 숙모를 위하여 과도히 염려하여, 약질의 병을 이룰까 근심하는 고로, 저의 인사 차리는 때를 당하되 묵연히 말이 없더니, 금후 윤씨의 눈 떠봄을 듣고 만분 다행하여, 즉시 들어와 윤씨를 볼 새, 윤씨 엄구의 들어오심을 듣고, 비로소 누어있음이 황공하여 일어나고자 하나, 기운이 미치지 못하여 황황축척(遑遑蹜踖)함이 아무리 할 줄 모르는지라. 금후 가까이 나아와 편히 눕기를 일러 왈,

---

740) 훤칠하다 : 막힘없이 깨끗하고 시원스럽다.
741) 복 : 약의 분량을 나타내는 단위. 한 번 먹을 분량을 이른다.

"우리 구식지간(舅媳之間)742)은 타인과 다른지라. 내 너더러 구구히 이르지 않으나 현부 어찌 생각지 못하리요마는, 오히려 연소지심에 소소한 부끄러움으로써, 가벼이 목숨을 결코자 군전에서 자문이사(自刎而死)하니, 비록 지난 일이나 어찌 놀랍지 않으리오. 내 너를 백화헌 가운데서 삼사 세 치아(稚兒)로 보았으나, 벌써 천고의 숙완(淑婉) 성녀(聖女) 될 바를 알아, 영엄(令嚴)께 청하여 혼인을 뇌약(牢約)하고, 네 팔 위에 내 친필로 '정문총부(鄭門冢婦)'라 쓴 후는, 예를 이루지 않았음을 생각지 못하여, 연애(憐愛)하는 마음과 각별한 정이 친생에 감치 않다가, 불행하여 명천 형이 조세(早世)하매, 너의 삼남매를 위하여 자닝한 회포 흉억에 맺힘을 깨닫지 못하여, 흐르는 세월이 일일여삼추(一日如三秋)라. 너의 삼남매로써 슬하를 삼아 구약을 성전(成典)코자 하다가, 미혼전 너의 실산(失散)함을 들으매 내 마음이 비절함이 어디에 비하리오. 천연이 기특하여 천흥이 너의 거처를 알아 돌아오매, 내 실로 구식(舅媳)의 중함과 부녀의 친함을 겸하여, 자애지정(慈愛之情)이 아들에 내리지 않다가, 녹섬 등의 간악함을 인하여 절혼이이(絶婚離異)하여 돌아 보낸 것이, 또 변괴 일어나 너의 사생 거처를 모를 줄 몽매(夢寐)에나 생각하였으리요. 천신의 도움을 입어 혜원의 구활함으로 복아를 생하여, 벌써 걸음을 익히니 만행(萬幸)함이 견줄 곳이 없는지라. 간인의 작악이 또 이 지경의 미치매, 만일 현부의 격고등문하는 거조가 아니런들, 진형의 부자 형제와 우리 부자가 머리를 보전치 못하였을지라. 그러나 위·유 두 부인의 과악은 너의 격고하기로 발각함이 아니라, 만성(滿城)이 모를 이 없고, 황상이 흉히 여기시되, 사원 형제 마음을 편히 하고자 정배하신 바라. 현부 새로이 부끄러워 자문필사(自刎必死)코자 함

---

742) 구식지간(舅媳之間) : 시아버지와 며느리 사이.

은 실로 잘못 생각함이라. 우리 자당이 너를 지극히 자애(慈愛)하심과 우리 부부의 애중함은 이르지도 말고, 조태부인이 궁천지통을 품으시어 남다른 경계를 갖추 지냈으되, 너희 삼남매를 위하시어 스스로 심회를 관억하시니, 이른 바 강하(江河) 같은 대량(大量)743)이라. 현부 자당의 정리를 헤아릴진대, 남이 죽어라 권하여도 살고자 함이 옳거늘, 위·유 두 부인의 과악을 부끄러워 긴 명을 마침이 도리어 우습기를 면치 못하고, 윤추밀로부터 사원 형제에 이르기까지 너같이 죽으려 할진대, 어찌 윤가 종사(宗嗣)가 멸절치 않으리오. 현부는 모름지기 사생을 경이히 여기지 말고, 몸을 여린 옥같이 보호하여 나의 말을 저버리지 말라. 무슨 일로 이다지도 불안하여 차마 누었지 못하느뇨? 너의 상체 쾌차하여 기거(起居)가 예 같음을 볼진대 나의 즐거움이 어떠하리오. 아부는 대효(大孝)라. 시아비 절박히 염려하는 것을 생각하여, 다시 이런 의사를 두지 말라."

언파에 그 손을 잡고 운환(雲鬟)을 쓰다듬어 애련하는 정이 강보유아 같으니, 윤부인의 대효로써 존구의 지극한 자애와 이 같은 말씀을 듣자오니, 구원(九原)744)의 선야야(先爺爺)를 뵈온 듯, 새로운 비회 오장을 끊는 듯한지라. 한갓 흉격이 막힐 따름이요, 감히 회포를 베풀어 하정을 고치 못하고, 다만 청죄 왈,

"불초 소첩이 무상하와, 활인사에 오래 머무오되, 감히 생존함을 고치 못하옵고, 존당구고의 양춘혜택(陽春惠澤)을 저버리와 슬하에 시봉함을 생각지 아니하옵고, 가벼이 목숨을 결코자 하오미 성효 천박하오미라. 한번 그릇하옴도 죄 중하옵거늘 다시 죽을 마음을 두리까?"

---

743) 대량(大量) : 도량이 큼. 또는 큰 도량.
744) 구원(九原) : 저승. 사람이 죽은 뒤에 그 혼이 가서 산다고 하는 세상.

금평후 크게 깃거 왈,

"네 나를 대하여 말을 이같이 하고 속이지 않으리니, 이후 약을 힘쓰면 상처 나을 것이니 아부(我婦)는 편히 조섭하라."

윤씨 수명(受命) 사사(謝辭)할 뿐이요, 다시 말을 못하니, 금평후 좌우로 보기(補氣)할 미죽(糜粥)을 가져오라 하여, 소저를 먹이고 일어나 나오며, 남후더러 왈,

"너는 나의 명 없이 나오지 말고 현부의 곳에서 병을 보살피라."

남후 수명하고 부친을 모셔 외각에 나와 좌와(坐臥)를 살피고, 들어와 부인을 볼새, 윤씨 엄구의 지극한 말씀을 듣자오매 감히 죽기도 임의로 못하고, 위인자녀(爲人子女)하여 조모의 과악이 자기로 인하여 들쳐남을 생각하면, 일생 효의(孝義)를 삼가던 뜻이 '그린 떡'[745]이 되고, 구천타일(九泉他日)[746]에 선야야(先爺爺)를 뵈올 면목이 없는지라. 슬프며 애달음이 교집하여 존구와 남후 나간 후, 실성애읍(失性哀泣)함을 이기지 못하여 하더니, 남후 들어와 이 거동을 보고 불열(不悅)하여, 미우(眉宇)를 찡기고 양안(兩眼)을 흘겨 떠 부인을 보며 오래도록 말이 없더니, 날호여 가로되,

"부인이 요리(妖尼)를 잡고 구몽숙의 흉모를 알아, 정·진 양문의 급화를 구코자 격고등문함은 우리 형제 일이 무사키를 바람이거늘, 무슨 일 저토록 슬퍼하여 도리어 나의 살았음을 불행이 여김 같으뇨?"

윤씨 남후의 숙엄(肅嚴)함을 본디 가벼이 여기지 못하거늘, 삼년 사이 그 언건(偃蹇)하고 어른다운 위풍이 예모 가즉하니[747], 자기의 비회를

---

745) 그린 떡 : 그림의 떡. 아무리 마음에 들어도 이용할 수 없거나 차지할 수 없는 경우를 이르는 말.
746) 구천타일(九泉他日) : 저승에서의 훗날.
747) 가즉하다 : 가지런하다. 고루 다 갖추다.

베풀지 못하고, 겨우 눈물을 거두어 말이 없으니, 남후 정색 왈,

"생이 아직 존당과 자정께도 배알치 못하였으니, 부인으로 더불어 별회를 이를 바 아니로되, 부인이 모월 모일의 옥누항으로 가다가 도중에서 거처 없음을 들으매, 그 참절한 심사 어떠하리요마는, 대장부 부인 여자를 위하여 봉친시하(奉親侍下)에 구구척비(區區慽悲)치 못하여, 이합(離合)과 화복(禍福)이 때 있음을 헤아려, 생의 회포를 스스로 위로하는 바더니, 뜻밖에 참참(慘慘)한 화란이 문호를 엎치게 되어, 내 몸이 죽음은 이르지 말고, 대인이 흉화를 벗으실 도리 없으니, 인자(人子)의 망극한 정리(情理) 비길 곳이 없다가, 부인의 격고등문함을 인하여 화를 돌이켜 복을 삼았다 하려니와, 영존당 과악은 그대 들춰내지 않았어도 만성(滿城)이 거의 다 아는 바거늘, 부인이 새로이 슬퍼하여 죽고자 하니, 위태부인과 유부인을 위한 정인즉 아름답거니와, 부인이 마저 죽으려 하니 그 불효 천고(千古)에 무쌍(無雙)이라. 무릇 사생(死生)이 어떠한 것이기에, 그대도록 가벼이 여기느뇨? 아지못게라! 조정 의논이 위·유 두 부인을 죽여 옳다하여도, 황상이 태부인은 추밀공의 낯을 보아 일명을 빌리고자 하시고, 유부인은 죄상이 머리를 보전치 못할 것이므로 명일 죽이려 하시니, 부인이 유부인을 따라 아니 죽으랴?"

윤부인이 남후의 말을 들으매 더욱 심신이 차악함을 이기지 못하더라.

최길용

문학박사
전북대학교 겸임교수
전북대학교 인문학연구소 전임연구원

● 논 문
〈연작형고소설연구〉외 50여편

● 저 서
『조선조연작소설연구』등 13종

현대어본 명주보월빙 **6**

초판 인쇄   2014년 4월 20일
초판 발행   2014년 4월 30일

역   주| 최길용
펴 낸 이| 하운근
펴 낸 곳| 學古房

주   소| 서울시 은평구 대조동 213-5 우편번호 122-843
전   화| (02)353-9907   편집부(02)353-9908
팩   스| (02)386-8308
홈페이지| http://hakgobang.co.kr/
전자우편| hakgobang@naver.com,   hakgobang@chol.com
등록번호| 제311-1994-000001호

ISBN   978-89-6071-389-5   94810
         978-89-6071-383-3   (세트)

값 : 16,000원

이 도서의 국립중앙도서관 출판시도서목록(CIP)은 서지정보유통지원시스템 홈페이지
(http://seoji.nl.go.kr)와 국가자료공동목록시스템(http://www.nl.go.kr/kolisnet)에서 이용하실 수
있습니다.(CIP제어번호: CIP2014014237)

■ 파본은 교환해 드립니다.